PASSION DE PERPÉTUE ET DE FÉLICITÉ

suivi des

ACTES

Première vision de Perpétue
Sarcophage de Briviesca (Ve siècle)
Musée archéologique de Burgos
(Photo Zodiaque)

SOURCES CHRÉTIENNES

N° 417

PASSION DE PERPÉTUE
ET DE FÉLICITÉ

suivi des

ACTES

INTRODUCTION, TEXTE CRITIQUE, TRADUCTION
COMMENTAIRE ET INDEX

par

Jacqueline AMAT
Professeur à l'Université de Brest

Ouvrage publié avec le concours du
Centre National du Livre
et de l'Œuvre d'Orient

LES ÉDITIONS DU CERF, 29 Bd de Latour-Maubourg, PARIS
1996

*La publication de cet ouvrage a été préparée avec le concours
de l'Institut des « Sources Chrétiennes »
(UPRES A 5035 du Centre National de la Recherche Scientifique)*

ABRÉVIATIONS ET SIGLES

AB	*Analecta Bollandiana*, Bruxelles.
AS	*Acta Sanctorum*, Bruxelles.
BAGB	*Bulletin de l'Association Guillaume Budé*, Paris.
CCL	*Corpus Christianorum, Series Latina*, Turnhout.
CIL	*Corpus Inscriptionum Latinarum*, Berlin.
CSEL	*Corpus Scriptorum Ecclesiasticorum Latinorum*, Vienne.
DACL	*Dictionnaire d'Archéologie Chrétienne et de Liturgie*, Paris.
DAGR	*Dictionnaire des Antiquités Grecques et Romaines*, Paris.
DB(S)	*Dictionnaire de la Bible (Supplément)*, Paris.
DHGE	*Dictionnaire d'Histoire et de Géographie Ecclésiastiques*, Paris.
DLZ	*Deutsche Literaturzeitung für Kritik der internationalen Wissenschaft*, Berlin.
DS	*Dictionnaire de Spiritualité*, Paris.
EranosJb	*Eranos-Jahrbuch*, Leiden.
JRS	*Journal of Roman Studies*, Londres.
JThS	*Journal of Theological Studies*, Oxford.
LSJ	H.G. Liddell, R. Scott et H.S. Jones, *A greek-English Lexicon*, Oxford.
MDAI(M)	*Mitteilungen des Deutschen Archäologisches Institut (Madrid)*, Mayence.
MEFR	*Mélanges d'Archéologie et d'Histoire de l'École Française de Rome*, Paris.
PW	*Realencyclopädie der Classischen Altertumswissenschaft*, Stuttgart.
RAC	*Reallexicon für Antike und Christentum*, Stuttgart.
REL	*Revue des Études Latines*, Paris.

REAug	Revue des Études Augustiniennes, Paris.
RHE	Revue d'Histoire Ecclésiastique, Louvain.
RhM	Rheinisches museum, Francfort.
RHR	Revue d'Histoire des Religions, Paris.
RIL	Rendiconti dell'Istituto Lombardo. Classe di Lettere, Scienze morali e storice, Milan.
RomBarb	Romanobarbarica, Rome.
SC	Sources Chrétiennes, Paris.
SH	Semantische Hefte, Heidelberg.
TLL	Thesaurus Linguae Latinae, Munich.
VChr	Vigiliae Christianae, Amsterdam.

Les titres des ouvrages signalés dans la Bibliographie sont cités de manière abrégée dans le Commentaire et les notes.

BIBLIOGRAPHIE

A. D'ALÈS, «L'auteur de la *Passio Perpetuae*», *RHE* 8 (1907), p. 5-18.

J. AMAT, *Songes et visions. L'au-delà dans la littérature latine tardive,* Paris 1985.

A.G. AMATUCCI, «Gli *Acta martyrum* e una *Passio* del tempo di Settimo Seuero», dans *Studi in onore di A. Calderini e R. Paribeni,* Milano 1956, p. 363-367.

J. ARONEN, «Indebtedness to *Passio Perpetuae* in Pontius' *Vita Cypriani*», *VChr* 38 (1984), p. 67-76.

– , «*Pythia Cartaginis* o immagini cristiani nella visione de Perpetua?», dans *Africa romana, Atti del VI Convegno di Studio* (16-18 dec. 1988), Sassari 1989, p. 643-648.

B. AUBÉ, *Les chrétiens dans l'Empire romain de la fin des Antonins au milieu du IIIe siècle,* Paris 1881.

T.D. BARNES, «Pre-Decian *Acta martyrum*», *JThS* 19 (1968), p. 509-531.

A.A.R. BASTIAENSEN, «Heeft Perpetua haar dagboed in het Latijn of in het Grieks geschreven?», dans *De Heilgenverering in de eerste eeunwen van het christendem,* Nimègue 1988, p. 130-135.

– , «Tertullian's reference to the *Passio Perpetuae* in *De Anima* 55,4», dans *Studia patristica* 17², 1982, p. 790-795.

L. BERTRAND, *Les martyrs africains,* Marseille 1930.

A. BLAISE, «La *Passio SS Perpetuae et Felicitatis* comme specimen d'une sorte de latin chrétien» (Communication à Strasbourg le 26 mars 1955), Compte rendu dans *REL* 33 (1956), p. 78-79.

R. Braun, *Deus christianorum,* Paris 1977².

– , «Tertullien est-il le rédacteur de la *Passio Perpetuae?*» (Communication du 26 mars 1955), Compte rendu dans *REL* 33 (1956), p. 79-81.

– , «Nouvelles observations linguistiques sur le rédacteur de la 'Passio Perpetuae'», *VChr* 33 (1979), p. 105-117.

J. Campos, «El autor de la *Passio SS Perpetuae et Felicitatis*», *Helmantica* 10 (1959), p. 357-381.

G. Canning, «The Passion of St Perpetua», *The Month* 74 (1892), 1, p. 340-355.

G. Charles-Picard, «Les *sacerdotes* de Saturne et les sacrifices humains dans l'Afrique romaine», *Recueil des Notices et Mémoires de la Société archéologique de Constantine* 66 (1948), p. 117-123.

E. Corsini, «Proposte per una lettura della 'Passio Perpetuae'», dans *Forma futuri. Studi in onore del Cardinale M. Pellegrino,* Turin 1975, p. 481-541.

J. Daniélou, «La littérature latine avant Tertullien», *REL* 48 (1970), p. 357-375.

– , «Le Vᵉ Esdras et le judéo-christianisme latin au second siècle», dans *Studia G. Widengren oblata,* t. 1, Leiden 1972, p. 162-171.

H. Delehaye, *Les passions des martyrs et les genres littéraires,* Bruxelles 1921.

– , *Sanctus. Essai sur le culte des saints dans l'Antiquité,* Bruxelles 1927.

– , *Les origines du culte des martyrs,* Bruxelles 1933.

J. Den Boeft et J. Bremmer, «*Notiunculae martyrologicae* 2», *VChr* 36 (1982), p. 387-399.

F.J. Dölger, «Die Fingerringszene der *Passio Perpetuae* in kultur- und religionsgeschichtlicher Beleuchtung», dans *Verhandlung der Versamlung Deutscher Philologen* 54 (1923), p. 55-140.

–, «Gladiatorenblut und Märtyrerblut: Eine Szene der *Passio Perpetuae* in Kultur-und religionsgeschichtlicher Beleuchtung», dans *Vorträge der Bibliothek Warburg* 1923-24, p. 96-214.

–, «Antike Parallelen zum leidenden Dinocrates in der *Passio Perpetuae*», dans *Antike und Christentum* 2 (1930), p. 1-40.

–, «Der Kampf mit dem Aëgypter in der Perpetua-Vision. Das martyrium als Kampf mit dem Teufel», dans *Antike und Christentum* 3 (1932), p. 177-188.

–, «Herrin und Tochter in der *Passio Perpetuae*», dans *Antike und Christentum* 5 (1936), p. 296.

L. DUCHESNE, «En quelle langue ont été écrits les Actes des SS Perpétue et Félicité?», *Comptes rendus des séances de l'Académie des Inscriptions et Belles Lettres* (1891) 19 (1892), p. 39-54.

M. DULAEY, *Le rêve dans la vie et dans la pensée de saint Augustin*, Paris 1973.

V. DURUY, *Histoire des Romains*, t. 1-7, Paris 1877-1885.

Y. DUVAL, *Loca sanctorum*, Paris 1982.

E. ENNABLI, *Les inscriptions funéraires chrétiennes de Carthage. La basilique de Mçidfa*, Rome 1982.

A. FERRARINI, «Visioni, sangue e battesimo. La *Passio Perpetuae*», dans *Atti della Settimana Sangue e antropologia nella letteratura cristiana* (Roma 23-28 nov. 1981), Rome 1982, p. 151-160.

J. FONTAINE, *Aspects et problèmes de la prose d'art latine au IIIe siècle*, Turin 1968.

P. FRANCHI DE' CAVALIERI, «Osservazione sopra alcuni Atti di martiri da Settimio Severo a Massimino Daza», dans *Nuovo bollettino di archeologia cristiana* 10 (1904), p. 6-8.

M.L. VON FRANZ, «Die *Passio Perpetuae*, Versuch einer psychologischen Deutung», dans C.G. JUNG, *Aiôn*, Zurich 1951, p. 387-491.

W.H.C. FREND, «Blandina and Perpetua : two early christian heroines», dans *Les martyrs de Lyon (177)* [Colloques internationaux du CNRS (Lyon, 20-23 septembre 1977)], Paris 1978, p. 167-177.

R. FREUDENBERGER, «Probleme römischer Religionspolitik in Nordafrika nach der *Passio SS Perpetuae et Felicitatis*», *Helikon* 13-14 (1973-74), p. 174-183.

A. FRIDH, *Le problème de la Passion des saintes Perpétue et Félicité* (*Studia graeca et latina Gothoburgensia* 26), Stockolm 1968.

J. GATTI, «La *Passio SS Perpetuae et Felicitatis*», *Didaskaleion* 1 (1923), p. 31-43.

P. HADOT, «Patristique latine», dans *Annuaire EPHE* 75 (1968-1969), p. 184-189.

J.W. HALPORN, «Litterary history and generic expectations in the *Passio and Acta Perpetuae*», *VChr* 45 (1991), p. 223-241.

A.G. HAMMAN, *Les premiers martyrs de l'Église,* Paris 1979.

T.A. JOHNSTON, «The passion of SS Perpetua and Felicita», *The Month* 153 (1929), p. 216-222.

H. HOPPE, *Syntax und Stil des Tertullian,* Brescia 1985.

C. KAPPLER, *Apocalypses et voyages dans l'au-delà dans l'Antiquité tardive,* Paris 1987.

J. KIRSCH, art. «Felicitas», *Lexicon für Theologie und Kirche,* 1931, p. 989s.

P. DE LABRIOLLE, «Tertullien auteur du prologue et de la conclusion de la Passion de Perpétue et de Félicité», *Bull. anc. litt. et arch. chrét.* 3 (1913), p. 126-132.

G. LAZZATI, «Note critiche al testo della *Passio SS Perpetuae et Felicitatis*», *Aevum* 30 (1956), p. 30-35.

H. LECLERCQ, art. «Perpétue et Félicité (Saintes)», *DACL* 14, 1938-39, c. 393-444.

A. LEVIN-DUPLOUY, *La Passion des saintes Perpétue et Félicité,* Carthage 1959.

V. LOMANTO, « Rapporti fra la *Passio Perpetuae* e *Passiones* africane », dans *Forma futuri. Studi in onore del Cardinale M. Pellegrino,* Turin 1975, p. 566-586.

L. MASSEBIEAU, « La langue originale des Actes des SS Perpétue et Félicité », *RHR* 24 (1881), p. 97-101.

L.S. MASSON, *S. Félicité, S. Perpétue et leurs compagnons martyrs,* Paris 1903.

C. MAZZUCCO, « Il significato cristiano della libertas proclamata dai martiri della *Passio Perpetuae* », dans *Forma futuri. Studi in onore del Cardinale M. Pellegrino,* Turin 1975, p. 542-567.

R. MENTXAKA, « La persécution du christianisme à l'époque de Septime-Sévère. Considérations juridiques sur la Passion de Perpétue et de Félicité. Église et pouvoir politique », dans *Actes des journées internationales d'histoire du droit d'Angers* (30 mai–1er juin 1985), Angers 1987, p. 230-250.

C. MERTENS, « Les premiers martyrs et leurs rêves. Cohésion de l'histoire des rêves dans quelques Passions latines d'Afrique du Nord », *RHE* 81 (1986), p. 15-46.

M. MESLIN, « Vases sacrés et boisson d'éternité », dans *Epektasis. Mélanges J. Daniélou,* Paris 1972, p. 139-153.

C. MOHRMANN, *Études sur le latin des chrétiens,* t. 1-4, Rome 1961-1977.

P. MONCEAUX, *Histoire littéraire de l'Afrique chrétienne,* Paris 1901, t. 1, p. 70-90.

–, *La vraie légende dorée,* Paris 1928.

R. PACIORKOWSKI, « L'héroisme religieux d'après la Passion des saintes Perpétue et Félicité », *REAug* 5 (1959), p. 367-388.

A. PETTERSON, « Perpetua prisoner of conscience », *VChr* 41, (1987), p. 139-153.

R. PETRAGLIO, *Lingua latina e mentalità biblica nella Passio sanctae Perpetuae. Analisi di caro, carnalis e corpus,* Brescia 1975.

–, « Des influences de l'*Apocalypse* dans la *Passio Perpetuae* 11-13 », dans *Actes du colloque de la Fondation Hardt 1976,* Genève 1979, p. 15-29.

S. Pezzella, *Gli Atti dei martiri, introduzione a una storia dell' antica agiografia* (*Quadr. di Studi e Materiali di Storia delle Religioni* 3), Roma 1967.

A. Pillet, *Histoire de sainte Perpétue et de ses compagnons,* Paris 1884.

L.F. Pizzolato, «Note alla *Passio Perpetuae et Felicitatis*», *VChr* 34 (1980), p. 105-119.

M. Poirier, «Note sur la *Passio Sanctarum Perpetuae et Felicitatis*, dans *Studia Patristica* 10 (1971), p. 306-309.

A.P. Orban, «The afterlife in the Visions of the *Passio SS Perpetuae et Felicitatis*», dans *Mélanges Bartelink,* Steenbrugge 1989, p. 210-277.

J. Quasten, «A Roman law of Egyptian origin in the *Passio SS Perpetuae et Felicitatis*», *Jurist* 1 (1941), p. 193-233.

— , «Mutter und Kind in der *Passio Perpetuae et Felicitatis*», *Historisches Jahrbuch* 72 (1952), p. 50-55.

G. Rabeau, *Les cultes des saints dans l'Afrique chrétienne d'après les inscriptions et les monuments figurés,* Paris 1903.

V. Reichmann, *Römische Literatur in griechischer Uebersetzung,* Leipzig 1913.

L. Robert, «*Spongiae retiorum.* Sur un passage de Tertullien», *Hellenica* 3 (1956), p. 151-162.

— , «Une vision de Perpétue martyre à Carthage en 203», dans *Comptes rendus de l'Académie des Inscriptions et Belles Lettres* (avril 1982), p. 228-276.

W. Rordorf et R. Braun, «Dossier sur l'*Ad martyras* de Tertullien», *REAug* 26 (1980), p. 3-17.

M.A. Rossi, *The Passion of Perpetua, every woman of late antiquity, Pagan and christian anxiety. A response to E.R. Dodds,* Lanham University 1984.

E. Rupprecht, «Bemerkungen zur *Passio Perpetuae et Felicitatis*», *RhM* 90 (1941), p. 177-192.

A.H. Salonius, *Passio Sanctae Perpetuae. Kritische Bemerkungen mit besonderer Berücksichtigung der grieschich-lateinischen Ueberlieferung des Textes,* Helsingfors 1921.

T. Sardella, «Strutture temporali e modelli di cultura : rapporti tra antitradizionalismo storico e modello martiriale nella *Passio Perpetuae et Felicitatis*», *Augustinianum* 30 (1990), p. 259-278

V. Saxer, *Saints anciens d'Afrique du Nord,* Città del Vaticano 1979.

– , *Bible et Hagiographie. Textes et thèmes bibliques dans les Actes des martyrs,* Berne 1986.

– , *Atti dei martiri dei primi tre secoli,* Padoue 1989.

C. Schick, «Per la questione del latino africano. Il linguaggio dei piu antichi Atti dei martiri e di altri documenti volga-rizzanti», *RIL* 96 (1962), p. 209-210.

F. Scorza Barcellona, «Il sangue nelle Passiones Africanae», dans *Atti della Settimana Sangue e antropologia nella letteratura cristiana,* t. 2, Roma 1982, p. 250-261.

W.H. Shewring, «Prose rythm in the *Passio S Perpetuae*», *JThS* 117 (1928), p. 56-57.

– , «En marge de la Passion des saintes Perpétue et Félicité», *Revue Biblique* 1931, p. 15-22.

M. Testard, «La Passion des saintes Perpétue et Félicité. Témoignage sur le monde antique et le chrtistianisme», *BAGB* 1991, 1, p. 56-75.

G. Wilpert, *Le pitture delle Catacombe romane,* Rome 1903.

– , *I Sarcofagi cristiani antichi,* Rome 1929-1936.

INTRODUCTION

CHAPITRE PREMIER

LES CIRCONSTANCES
DU MARTYRE

1. La date du martyre

L'Église fête traditionnellement le martyre de Perpétue et de Félicité aux nones de mars, soit le 7 mars. A vrai dire, ni la *Passion* latine ni la *Passion* grecque ne nous fournissent de datation précise. Deux notes, d'époque différente, placées en tête du manuscrit grec, proposent « quatre jours avant les nones de février » et « aux nones » mêmes de février[1]. Il y aurait hésitation possible, si plusieurs manuscrits latins *(C E)* ne mentionnaient dans leur titre les nones de mars. Cette tradition est encore reflétée par les *Actes,* ce qui nous confirme que les cérémonies anniversaires du *dies natalis,* ou naissance du martyr à la vraie vie, avaient bien lieu à cette date. Celle-ci est d'ailleurs confirmée par le martyrologe hiéronymien, le martyrologe de Bède et tous ceux qui suivirent. Le 7 mars,

---

1. Voir J.R. Harris et S.K. Gifford, *Éd. Pass. Perp.,* p. 39. Dans les *Acta Sanctorum,* la *Passion de Perpétue et de Félicité* est placée le 6 mars.

dès le IIIe siècle, la lecture de la *Passion* participait de
la liturgie[1].

L'année généralement assignée au martyre est l'année
203, sous le règne de Septime-Sévère. Une autre tradition
apparaît à la fois dans les *Actes* et dans le titre du
manuscrit grec. Elle attribue le martyre à la persécution
de Valérien et de Gallien, soit environ cinquante ans plus
tard. Cette date tardive ne saurait être qu'erronée, pour
plusieurs raisons : elle contredit d'abord l'allusion du
meilleur manuscrit latin, celui du Mont-Cassin *(A),* à l'anniversaire du César Géta, fils de Septime-Sévère, en
l'honneur de qui les condamnés devaient être sacrifiés[2].
Par ailleurs, le procurateur Hilarianus, qui juge les chrétiens, est mentionné par Tertullien[3]. C'est également Tertullien qui cite, dans le *De anima,* la *Passion de Perpétue* comme une œuvre encore dans toutes les mémoires.
Or le *De anima,* qui passe pour un traité teinté de montanisme, n'est pas postérieur à 211[4]. Dans l'*Ad Scapulam,*
Tertullien rapporte aussi les émeutes qui se déchaînèrent
en Afrique, sous le procurateur Hilarianus.

Ces mouvements de foule, qui visaient particulièrement
les cimetières chrétiens, faisaient suite à l'édit de Sévère,

---

1. Sur cette lecture rituelle, voir H. DELEHAYE, *Sanctus...* et, particulièrement, J. FONTAINE, «Le culte des saints et ses implications sociologiques. Réflexions sur un récent essai de Peter Brown», *AB* 100 (1983),
p. 17-41.

2. La chronologie de Géta, dont le souvenir fut radicalement effacé
après sa mort par son frère Caracalla, a été étudiée par T.D. BARNES,
«Pre-Decian *Acta martyrum*». La date du 7 mars 203 coïnciderait à la
fois avec l'anniversaire de Géta et celui de sa nomination comme César :
voir P. MONCEAUX, *Histoire littéraire...,* t. 1, p. 72. L'attribution au prin-
cipat de Valérien et de Gallien pourrait procéder d'une confusion avec
la *Passion de Maxima, Donatilla et Secunda,* voir p. 23, n. 1.

3. TERT., *Scap.* 3, 1.

4. TERT., *An.* 55, 4. Le traité est situé entre 208 et 211, par R. BRAUN,
Deus Christianorum..., p. 721.

promulgué en 202. Faisant un pas de plus dans une législation assez floue, Sévère interdisait désormais le prosélytisme chrétien, comme le prosélytisme juif. Il entendait ainsi enrayer l'extension du christianisme à travers toutes les classes de la société. Les chrétiens avaient en effet adopté des attitudes inquiétantes pour le civisme romain, en particulier par leur refus du service militaire[1]. Sévère ordonnait de poursuivre tous les nouveaux convertis. L'arrestation de Perpétue et de ses compagnons s'insère donc dans une politique de répression des catéchumènes. Celle-ci fut surtout suivie à Carthage et à Alexandrie, de façon assez analogue, semble-t-il, à celle que Pline appliquait déjà sous Trajan : on n'interrogeait guère que sur dénonciation.

La persécution n'était pas constante; elle connaissait des temps morts. Si Tertullien exhorte les siens à rechercher le martyre, Cyprien conseillera au contraire de ne pas affronter inutilement les flambées de haine antichrétienne. Hilarianus paraît avoir cédé à la pression populaire, sans avoir été lui-même un farouche adversaire des chrétiens. On l'a parfois comparé à Ponce Pilate. On a suggéré également, avec beaucoup de vraisemblance, que les violences antichrétiennes, signalées par Tertullien, avaient subi une recrudescence à la suite d'un voyage fait par Septime-Sévère en Afrique, sa patrie d'origine, et ceci en 203. Il était normal en effet de prouver son attachement à l'empereur africain en appliquant fermement

---

1. Sur cette répression, voir EUS., *HE* 6, 2, 2-3; SPARTIEN, *Seu.* 1, 7. La persécution de Sévère a été étudiée par J. MOREAU, *La persécution du christianisme dans l'Empire romain*, Paris 1956, p. 80 s. et W.H.C. FREND, «A Severian persecution? Evidence of the *Historia Augusti*», dans *Forma Futuri, Mélanges M. Pellegrino,* Turin 1975, p. 470-480. L'extension du christianisme dans toutes les classes de la société a été mise en lumière par M. MESLIN, *Le christianisme dans l'Empire Romain,* Paris 1964[2].

ses nouveaux édits. Comme en 177 à Lyon, ce sont donc
des mouvements de foule qui furent, semble-t-il, à l'origine
de la persécution[1]. Les gens se pressèrent sur le forum
pour assister à l'interrogatoire et, dans l'amphithéâtre, exi-
gèrent de voir de leurs yeux le coup de grâce.

2. Le lieu du martyre

L'arrestation des catéchumènes eut sans doute lieu,
comme c'était l'habitude, après une dénonciation, car tous
les catéchumènes ne furent pas arrêtés. Selon l'hypothèse
la plus probable, ces événements se déroulèrent à Thuburbo Minus, l'actuelle Tebourba, ville moyenne située à
une cinquantaine de kilomètres de Carthage. Il est vrai
que notre meilleur témoin, le manuscrit du Mont-
Cassin (A), ne fournit pas plus de localisation que de
date. Mais cette lacune ne doit pas surprendre outre
mesure, si l'on songe qu'il transmet un texte rédigé vraisemblablement fort peu de temps après les événements,
à un moment où tous connaissaient encore fort bien
l'origine des martyrs. En revanche, une mention apparaît,
un peu contractée, *in ciuitate turbitana,* dans le titre du
manuscrit *C,* au début du récit dans le manuscrit *E,* ainsi
que dans la version grecque. Sans doute ce détail reposait-
il sur une tradition orale. Celle-ci est encore reflétée dans
les *Actes.* Mais leur auteur en déduit que le martyre lui
aussi eut lieu à Thuburbo, ce qui est assez improbable[2] :
cette localisation ne coïncide pas avec la solennité des
jeux militaires décrits par Perpétue. La cérémonie se
déroula manifestement à Carthage, siège du procurateur

---

1. E. GRIFFE, *Les persécutions contre les chrétiens aux Ier et IIe siècles,*
Paris 1967, p. 124.
2. *Acta* 1, 1.

et d'une importante garnison. Par ailleurs, une petite ville comme Thuburbo Minus était peu susceptible d'avoir à la fois une prison civile et une prison militaire[1].

Après leur arrestation, les catéchumènes subirent une période de garde à vue, probablement à Thuburbo. Les prisonniers aggravèrent leur cas en recevant le baptême. Ils furent alors certainement menés à Carthage et incarcérés dans la prison municipale. Là, en attendant d'être jugés, ils furent enfermés dans un cachot ténébreux. Les horribles ténèbres des prisons romaines étaient un des supplices des martyrs qui y voyaient l'antre du démon[2]. Mais, grâce à des pourboires offerts aux gardiens – vieille habitude des prisons latines, déjà pratiquée en Sicile du temps de Verrès –, Perpétue et ses compagnons sont autorisés à aller «se délasser» dans une sorte de cour intérieure. Perpétue parviendra à y allaiter son enfant, ce qui fera pour elle de la prison un «palais».

N'ayant pas réussi à empêcher sa fille de recevoir le baptême, le père de Perpétue monte de la cité – Carthage ou plutôt Thuburbo – pour tenter à nouveau de la fléchir, car il a appris que l'interrogatoire est proche. Celui-ci a lieu publiquement, en plein forum, en présence d'une foule immense, massée autour du procurateur Hilarianus et prête à faire pression sur lui. Dans

---

1. Sur le transfert des condamnés, voir 7, 9. On peut songer à une ville plus grande comme Thuburbo Maius, sans doute le *Tuburbis* de PLINE 5, 4; mais la ville était plus éloignée de Carthage. Or le martyrologe de Bède précise *apud Carthaginem*. Les Bollandistes, dans *AS* 6 mars, se sont fait l'écho de certains martyrologes tardifs, qui situent la *ciuitas Turbitanorum* en Mauritanie, ce qui peut résulter d'une confusion avec *Tubunae*, ville de la Maurétanie Césarienne. Il existait aussi *Thubursicum Numidarum*. La localisation n'est donc pas facile, d'autant plus que le martyrologe romain situe aussi à *Tuburbi* le martyre des saintes Maxima, Donatilla et Secunda, ce qui pouvait prêter à confusion.

2. TERT., *Mart.* 1, 4.

la *Passion,* le compte rendu de l'interrogatoire est fort bref : ce n'est qu'un résumé, surtout si on le compare à l'interrogatoire des *Actes* des martyrs de Scillium. Les répliques sont beaucoup plus fournies dans les *Actes* de Perpétue et de Félicité. Il est clair que la *Passion* n'a pas été rédigée d'après les «minutes» de l'audience, mais qu'en revanche l'auteur des *Actes* a pu disposer de ce questionnaire, qu'un témoin prenait en note lors du procès ; ceci reste plausible, même si – nous le verrons par la suite – certaines réponses des martyrs sont dénaturées dans les *Actes.* Si les notes d'audience ont été négligées par le rédacteur de la *Passion,* c'est que, peu curieux d'un dialogue sans grande originalité, il préfère livrer les récits personnels des martyrs et faire lui-même œuvre dramatique et édifiante, par exemple en décrivant l'ultime tentative du père de Perpétue.

Hilarianus, comme bien des magistrats romains, ne semble pas vraiment désireux de condamner les prisonniers et tout particulièrement Perpétue. Il est sensible à son rang social et à sa situation familiale[1].

Son appel à la pitié envers les siens et envers le nouveau-né trahit son malaise et sa compassion. Aussi suggère-t-il à la jeune femme qu'il lui suffit de faire le geste qu'aucun citoyen romain ne saurait refuser : celui du sacrifice pour le salut des empereurs. Ce critère était déjà celui de Pline[2]. En refusant ce geste de civisme, Perpétue se met hors la loi et la supplication de son père devient indécente ; aussi est-il écarté d'un coup de verge, comme un esclave, souffrance et humiliation que Perpétue ressent profondément.

---

1. Le panorama social de l'Église africaine à travers Tertullien et la *Passion de Perpétue et de Félicité* a été dressé par G. SCHOELLGEN, *Ecclesia sordida?* Münster 1984.
2. PLINE, *Ep.* 10, 96, 2-4.

Les prisonniers sont ensuite transférés dans la prison militaire, située sur la hauteur de Carthage et voisine de l'amphithéâtre, où ils vont figurer dans les jeux donnés en l'honneur de Géta. Le traitement des captifs connaît des alternatives de sévérité puis d'adoucissement, lorsqu'ils tombent sous la garde du sous-officier Pudens, que l'attitude des chrétiens a déjà conquis. La célébration des jeux sera placée sous les signes de Saturne et de Cérès, cultes particulièrement populaires en Afrique[1]. Mais Perpétue refusera catégoriquement de figurer dans cette pantomime religieuse en vêtements de prêtresse.

3. Les documents archéologiques

Les récits de la *Passion* émeuvent par leur sobriété et leur discrétion, mais ils sont souvent lacunaires. On est alors tenté de reconstituer un au-delà de la *Passion,* grâce à des témoignages archéologiques. Connaît-on par exemple la sépulture des martyrs? A vrai dire, les documents sont un peu décevants. Une allusion au martyre carthaginois de Perpétue et de ses compagnons paraît attestée sur une mosaïque de sol, trouvée à Carthage, mais dans un édifice qui semble bien dater de l'époque byzantine[2]. Sur cette mosaïque, des médaillons insérés dans des couronnes enrichies de gemmes, images du

---

1. Cérès est assimilée à Isis par Apulée et le culte de Saturne, héritier de Baal-Ammon, a des racines profondes en Afrique. Voir G. CHARLES-PICARD, *Les religions de l'Afrique antique,* Paris 1954; M. LEGLAY, *Saturne africain,* Paris 1966.

2. Cette mosaïque se trouve actuellement au musée du Bardo à Tunis. Les témoignages archéologiques concernant la *Passion de Perpétue et de Félicité* ont été répertoriés par Y. DUVAL, *Loca sanctorum,* t. 1, p. 7-17; t. 2, p. 682-683. Voir aussi E. ENNABLI, *Les inscriptions funéraires chrétiennes de Carthage. La basilique de Mçidfa.*

martyre glorieux, portent des noms où nous pouvons reconnaître les compagnons de Perpétue : Speratus, Stefanus, Saturus, Saturninus. Le groupement est significatif, même si l'onomastique africaine, peu variée, se répète presque partout. On lit aussi le nom de Sirica, non mentionnée dans la *Passion*. Malheureusement, hormis pour une finale - *tas* assez peu visible, le texte des deux premiers cartouches est tout à fait effacé et on ne peut que conjecturer qu'il s'agissait bien de « Perpetua » et de « Felicitas ».

De même, sur la peinture murale d'un baptistère souterrain, on a déchiffré l'inscription, sans doute fragmentaire : S(A)N(CT)VS SATVRVS[1]. Mais, jusqu'à présent, le meilleur témoignage, souvent mentionné, est celui que fournissent les fragments d'une dalle de marbre, trouvée par le P. Delattre dans une basilique d'un faubourg de Carthage, à Mçidfa. Ces morceaux, réunis, présentent une inscription très restituée, mais où l'on reconnaît indubitablement les martyrs de la *Passion*.

(HIC) SVNT MARTY(RES)
SATVRVS SATV(R)N(INVS)
REBOCATVS S(E)C(VNDVLVS)
FELICIT(AS) PER(PE)T(VA) PAS(SI) NON MART
(M)AIVLV(S)

Le P. Delattre concluait de cette inscription qu'elle marquait le lieu de sépulture des martyrs, cette *Basilica Maiorum* dont parle Victor de Vita[2]. On croyait donc avoir identifié le *martyrium* de Perpétue et de ses compagnons. Mais Y. Duval attribue l'inscription à l'époque byzantine et attire l'attention sur cette mention énigma-

---

1. Y. DUVAL, *Loca sanctorum*, t. 1, p. 12.

2. VICTOR DE VITA, *Pers. Vand.* 1, 3, 9 : « Basilicam Maiorum ubi corpora sanctarum martyrum Perpetuae atque Felicitatis sepulta sunt. »

tique : *Maiulus*. S'agit-il d'un martyr? Il n'apparaît pas dans la *Passion*. Manifestement, la basilique n'était pas consacrée au seul groupe des compagnons de Perpétue[1]. De plus, l'ordre des martyrs est fort déconcertant. Il pourrait bien dénoncer une rédaction très tardive : les hommes sont nommés avant les femmes, l'esclave avant la matrone, alors que la *Passion* accorde la primauté aux saintes et d'abord à Perpétue. Seule la place de Saturus pourrait se justifier, en tant que catéchiste et chef de file, auprès de Saturninus, tenu également pour son «frère» dans les *Actes*. Cette inscription tardive pourrait bien être une illustration des *Actes* plus que de la *Passion*.

Il faut donc admettre que nous n'avons pas encore de document archéologique certain datant de l'époque des martyrs[2]. Nous ne connaissons même pas leur lieu d'inhumation à Carthage. La basilique de Mçidfa ne renfermait peut-être que des reliques. Mais la vénération a immédiatement suivi le martyre. A plusieurs reprises, Augustin témoigne de la connaissance de la *Passion* et de la ferveur du culte rendu aux martyrs carthaginois, particulièrement à Perpétue et Félicité[3].

---

1. Sur ce point, voir Y. DUVAL, *Loca sanctorum*, t. 1, p. 6.

2. Il faut malheureusement éliminer une mosaïque représentant une femme tenant une palme et foulant aux pieds un dragon, longtemps identifiée avec Perpétue : voir P. MONCEAUX, *Histoire littéraire...*, t. 1, p. 73. L'inscription «Perpetue filie dulcissime» est pareillement douteuse : E. DIEHL, *Inscriptiones latinae christianae ueteres*, Paris 1925, t. 1, n° 2040.

3. AUG., *Serm.* 280; 281-282; *Nat. or. an.* 1, 10, 12; etc.

CHAPITRE II

LES MARTYRS

1. Perpétue

La *Passion* apparaît dominée par les figures contrastées de Perpétue et de Félicité, telles qu'elles sont représentées sur une mosaïque de Ravenne du ve ou vi^e siècle, la première en costume de grande dame, la seconde en tenue d'esclave. La personnalité de Perpétue l'emporte sur celle de ses compagnons. Elle appartient à la grande bourgeoisie provinciale – les *Actes* disent même à la noblesse –, où elle deviendra un objet de scandale. Son père doit être dans sa cité, sans doute Thuburbo Minus, un notable sur qui tous ont les yeux fixés[1]. Il ressent comme une tache honteuse la conversion de sa fille à une religion d'esclaves et de petites gens : aussi gémit-il qu'après l'infamie que constituera le supplice de sa fille, tout membre de la famille devra fuir les regards et les conversations (5, 4). Cet attachement au renom de la

_____

1. G. Schoellgen (*Ecclesia sordida?* Münster 1984, p. 302) remarque qu'il est impossible de repérer parmi les chrétiens carthaginois la présence d'un membre de l'*ordo senatorius,* mais il situe la famille de Perpétue dans la haute société de la ville.

famille, à la *fama,* n'est pas excessif chez un Romain de haute naissance.

La honte décuple la douleur du père, car il aime profondément sa fille : il avoue même l'avoir préférée à ses fils. Longtemps après la Tullia de Cicéron, ce nouvel exemple rectifie l'image de la famille romaine, que l'on a trop souvent dépeinte uniquement préoccupée de filiation masculine. Il y a certes en Perpétue une enfant un peu trop choyée : elle a les défauts de ses qualités. Elle affronte le martyre avec son assurance de chrétienne, mais aussi avec une vivacité qui ne ménage pas le procurateur Hilarianus ; elle affiche son courage de baptisée, mais aussi son insolence de patricienne, dont les sarcasmes font rougir le tribun [1]. Même jetée à terre par la vache sauvage, elle n'oublie pas la pudeur et la dignité d'une dame et rattache machinalement ses cheveux.

On a beaucoup glosé sur le prétendu «suicide» de Perpétue, guidant vers son cou la main tremblante du jeune gladiateur. Cette interprétation abusive ne repose guère que sur le commentaire du rédacteur. Ce n'est qu'un geste machinal, peut-être altier, sûrement humain : il trahit surtout le désir d'en finir au plus vite [2]. La crainte que Perpétue a de souffrir se matérialisait déjà à travers le songe de l'échelle hérissée de poignards. Un pareil geste reflète la double personnalité de Perpétue, humainement fragile et chrétiennement forte. Son humanité se révèle d'ailleurs par sa profonde compassion à l'égard de son père.

---

1. 16, 4. Perpétue se souvient aussi peut-être de l'histoire de Daniel et de ses compagnons : *Dan.* 1, 1-21 ; voir le Commentaire.

2. M. Testard («La Passion des saintes Perpétue et Félicité...», en particulier p. 67) interprète ce geste comme «un geste de gladiateur exemplaire», fidèle aux règles que l'on enseignait dans les écoles de gladiateurs.

A ce père qu'elle chérit, Perpétue doit une éducation libérale, assez proche de celle de ses frères. Qu'elle sache le grec, cela n'est pas exceptionnel dans l'Afrique du temps, assez souvent bilingue. Apulée est un précédent célèbre. De plus, comme le suggère le nom du jeune frère Dinocrate, la famille avait peut-être des origines grecques. Enfin, la connaissance du grec reste un signe de culture. De milieu plus modeste, Augustin peinera rudement à l'acquérir. Même si les études de Perpétue n'atteignent pas tout à fait le niveau de celles d'un jeune homme, son père s'est inspiré de la tradition de ces femmes cultivées qu'a bien connues l'époque impériale. Il en ressort clairement que Perpétue était parfaitement capable de rédiger, en latin comme en grec, le récit de ses visions. Que ce récit fut ou non «arrangé» par un tiers, le débat reste ouvert sur ce point.

2. La famille de Perpétue

Un père aussi attentionné ne pouvait manquer d'apporter le plus grand soin au mariage de sa fille préférée. Nous savons que Perpétue avait rang de matrone. Mais là, le mystère s'épaissit. Elle est sans doute mariée depuis peu, puisqu'elle a un jeune enfant. Serait-elle veuve? C'est peu probable. Pourtant, son mari n'apparaît jamais dans la *Passion* et il n'est jamais mentionné par le père pour attendrir Perpétue. Il paraît tout à fait gratuit d'identifier, comme on l'a fait parfois, ce Romain de haut rang avec le catéchumène Rusticus, parce que ce dernier se tient aux côtés de Perpétue dans l'arène. En revanche, dans la version des *Actes,* le mari est rajouté au groupe familial, sans aucune précision, et manifestement pour combler une lacune qui a surpris le rédacteur. Il est vrai qu'elle est de taille. Ce mari bien né ne semble pas compter pour Perpétue au nombre des liens qui la rattachent à la vie. Elle ne se montre préoccupée que de son enfant et de son père. Que peut-on en conclure? La solution la plus vraisemblable, c'est que ce mari mystérieux s'est retiré de la famille. La conversion de sa femme, et même d'une partie de sa belle-famille, a pu le pousser à fuir une situation dangereuse. Que personne ne mentionne cet abandon, c'est là discrétion et dignité.

Cette situation pourrait expliquer le dualisme en Perpétue. Dans son premier songe affleure le sentiment de sa solitude humaine. Apparemment sans faiblesse, elle est reconnaissante du soutien que lui apportent Pomponius, Saturus et surtout le Père céleste. M.L. von Frantz a voulu exprimer cette opposition, en termes de psychologie des profondeurs, par un conflit entre l'*animus* et l'*anima* de Perpétue[1]. Mais pareil antagonisme se retrouverait également chez Blandine, à travers l'expression de la faiblesse humaine et de la force divine[2].

S'il faut en croire Perpétue, son père est le seul à ne pas se réjouir de sa passion (5, 6). Ceci laisse supposer que le reste de la famille s'est converti. Une certaine confusion règne cependant sur ce point. Outre sa mère et sa tante, Perpétue a deux frères. L'un d'eux est également catéchumène, nous dit le rédacteur, mais sans préciser s'il a été ou non arrêté. L'arrestation paraît peu probable, puisque le père de Perpétue supplie sa fille d'avoir pitié de ses frères et que Perpétue elle-même, après son combat, exhorte ce frère catéchumène à garder bon courage (20, 10). Le silence est total sur le second frère, dont le rédacteur semble croire qu'il est resté païen[3].

---

1. M.L. VON FRANZ, «Die *Passio Perpetuae*, Versuch einer psychologischen Deuntung».
2. Voir W.H.C. FREND, «Blandina and Perpetua, two early christian heroines».
3. Ce qui contredit l'affirmation de Perpétue (5, 6).

Mais il n'est pas impossible que ce second frère ait déjà dépassé le stade de catéchumène. Il pourrait s'agir alors de Saturus, qui veille sur Perpétue tout au long de la *Passion,* prêt à la soutenir dans ses défaillances. Le problème est quasi insoluble, en raison de l'habitude des communautés chrétiennes de pratiquer entre leurs membres les appellations de «frère» et de «sœur».

Le nom, d'origine grecque, de Saturus, courant, il est vrai, dans l'onomastique africaine, pourrait rappeler celui de Dinocrate, le jeune frère emporté à l'âge de sept ans. Quant à ce dernier, on ne voit guère comment il aurait pu être baptisé, étant donné le caractère intransigeant du chef de famille. Comme l'a bien compris Augustin, son malheur dans l'au-delà ne peut s'expliquer que parce qu'il est mort païen[1].

3. Saturus

Saturus peut donc être qualifié de «frère» par Perpétue, sans que le sens à donner à ce terme soit tout à fait clair[2]. Est-il frère par le sang ou seulement par l'esprit? Il est en tout cas le catéchiste qui a instruit Perpétue et l'ensemble des condamnés. Se sentant responsable de leur arrestation, il s'est livré spontanément pour partager leur gloire, comme l'aurait conseillé Tertullien. De fait, il n'avait pas à être arrêté, car la répression ne visait que les nouveaux convertis. Est-ce lui qui a baptisé les prisonniers? Il les a certainement poussés à faire ce pas décisif. Pourtant, il ne semble pas appartenir au

---

1. Aug., *Nat. or. an.* 2, 10, 14; 3, 9, 12.

2. N'est-ce pas lui qui suggère à Perpétue de demander une vision (4, 1)? Selon J. Den Boeft et J. Bremmer («*Notiunculae martyrologicae 2*», p. 387-389), Saturus serait un affranchi, son nom paraissant particulièrement répandu parmi les esclaves.

clergé : il n'est ni diacre, ni prêtre, ni, à plus forte raison, évêque. En effet, dans sa vision, il ironise sur ces fonctions officielles et se présente comme un simple martyr. Le rédacteur le qualifie de *benedictus,* appellation qui s'appliquait non seulement aux martyrs, mais même à tous les chrétiens[1].

C'est peut-être Saturus le «frère» qui suggère à Perpétue de demander une vision pour qu'ils soient éclairés sur leur sort. En effet, le frère catéchumène ne semble pas avoir été incarcéré. Comme Perpétue, Saturus affronte le martyre avec ses défauts et c'est là un gage de l'authenticité du récit : il témoigne d'une fierté un peu trop orgueilleuse, d'une intransigeance un peu trop mordante. Satisfait de voir réglé à son honneur un différend qui l'opposait sur terre aux membres du clergé, il les laisse sans vergogne à la porte du paradis. Le trait est conforme à son caractère, comme à la prédication de Tertullien : le paradis est réservé aux seuls martyrs[2].

C'est encore Saturus qui, en toute occasion, couvre de sarcasmes la foule et le procurateur lui-même (17, 2). Il exaspère l'assistance, au point que celle-ci exigera que les condamnés soient flagellés, puis achevés sous ses yeux, ce qui rendra toute grâce impossible. Cependant, avec la même confiance sereine que Perpétue, il sait que Dieu lui épargnera le supplice de l'ours, qu'il redoute entre tous. Afin de transmettre les charismes dont il a bénéficié, le martyr laisse en héritage au sous-officier Pudens l'anneau de ce dernier, qu'il a trempé dans son sang. Saturus lui-même ne porte pas d'anneau ; il ne saurait donc s'agir, comme on l'a dit parfois, de bague

---

1. Voir Tert., *Praes.* 30 ; *Or.* 1 ; *Cult.* 2, 9 ; Pour W. Rordoff et R. Braun («Dossier sur l'*Ad martyras* de Tertullien»), le terme s'appliquait aussi aux catéchumènes.

2. Ce passage sert d'argument à Tert., *An.* 55, 4.

ecclésiale. C'est l'anneau d'or que Septime-Sévère a accordé à tous les soldats[1].

La vision de Saturus reflète une solide culture scripturaire, comme il convient à un catéchiste, et surtout des souvenirs précis de l'*Apocalypse* de Jean. Si la *Passion* a paru souvent présenter des relents de «montanisme», elle le doit beaucoup à Saturus[2]. Pourtant, son pneumatisme n'est pas celui des «oracles» de Priscilla, la sainte montaniste; il paraît plutôt pénétré de l'esprit paulinien, mais Saturus pourrait sans doute être un disciple de Tertullien et de la pensée qui s'exprime dans le *De anima* ou l'*Ad martyras*. Esprit acéré, il ressemble à Tertullien par son empressement à rechercher le martyre et par son ironie incisive à l'égard des païens. Il appartient à cette frange du pneumatisme où l'on franchit insensiblement les bornes de l'orthodoxie et où le charisme du martyre tend à l'emporter sur les prérogatives du clergé. Cyprien saura tempérer ces prétentions. Mais, dans le culte qui lui sera rendu, Saturus, apparemment simple catéchiste, sera perçu comme l'instrument de l'Esprit et c'est sans doute à ce titre qu'il présidera la liste des martyrs sur la dalle de Carthage[3].

4. Félicité

La *Passion* présente un diptyque, Perpétue, Félicité, la matrone et l'esclave, que la postérité retiendra. Elles portent l'une et l'autre des noms prémonitoires, sur les-

---

1. Le terme d'*ansula,* employé en ce sens, est courant dans la langue africaine. Il est utilisé par APULÉE (*Met.* 4, 3) et par AUGUSTIN (*Doctr. christ.* 2, 20, 30): «De struthionum ossibus ansulas in digitis». Voir le Commentaire (21, 5).

2. Sur le délicat problème des rapports du montanisme et du prophétisme orthodoxe, voir p. 38-41.

3. Voir p. 26.

quels l'auteur des *Actes,* tout comme Augustin d'ailleurs, exercera ses «pointes»[1]. Rien ne nous indique dans la *Passion* que Félicité est l'esclave de Perpétue[2]. En revanche, elle a pour compagnon de servitude Revocatus, que le rédacteur des *Actes* présente comme son frère, et non comme son mari, contrairement à ce qu'ont soutenu certains commentateurs.

La *Passion* ne nous fournit pas l'interrogatoire de Félicité. Cette lacune est un peu comblée dans les *Actes.* Ceux-ci semblent bien avoir reposé sur un compte rendu d'audience. Mais le rédacteur ne le suit certainement pas avec fidélité. On ne peut guère croire en effet qu'interrogée sur son mari, Félicité réponde qu'elle en a bien un, qu'elle méprise désormais. La réponse est peu admissible, même si le mari est demeuré païen. La situation de Félicité n'est guère différente de celle de Perpétue. Elle est même pire, puisque Félicité est enceinte de huit mois. Mais le rédacteur le rapporte sobrement : l'héroïsme de Félicité égale celui de Perpétue. Alors qu'elle pourrait obtenir un sursis légal, en attendant la naissance de son enfant, elle préfère demander à la prière la grâce d'un accouchement prématuré et douloureux. Comme Perpétue, elle se contentera de savoir que son enfant vivra après elle.

Elle est soutenue par la certitude qu'au moment de sa passion le Christ sera à ses côtés et ce sentiment lui dicte une fort belle réponse, qu'on ne peut croire apocryphe (15, 6). Dans cette assurance, elle rejoint la cohorte des martyrs chrétiens, depuis le *Martyre de Polycarpe* et la *Lettre des Églises de Lyon et de Vienne*[3]. Après la joyeuse

---

1. *Acta A* 6, 3; Aug., *Serm.* 281, 3, 3 («ut perpetua felicitate glorientur»); 282, 3, 3.
2. Sur cette question, voir M. Poirier, «Note sur la *Passio Sanctarum Perpetuae et Felicitatis*».
3. Eus., *HE* 5, 3, 3.

entrée dans l'arène, toutes conditions confondues – c'est
la matrone qui relève l'esclave –, Félicité meurt, comme
les autres, sans un cri. Peut-être est-elle mentionnée particulièrement sur la *memoria sanctorum* de Chabet El
Medbout, près de Constantine[1].

5. Revocatus, Saturninus, Secundulus

De ces trois derniers martyrs, qui figurent sur l'inscription de la basilique ci-dessus mentionnée, la *Passion*
nous apprend peu de choses. Revocatus est esclave et,
sans doute, le frère de Félicité. Saturninus – la version
grecque dit Saturnulus – et Saturus étaient, selon les *Actes,*
deux frères de naissance libre[2]. Mais il est probable que
le rédacteur a été entraîné par l'assonance et a substitué
Saturus à Secundulus. Celui-ci figure dans la *Passion*
auprès de Saturninus. Par ailleurs, les patronymes Saturninus et Secundulus sont l'un et l'autre fort communs en
Afrique. Cependant, Saturninus apparaît à plusieurs reprises
sur une mosaïque d'Upenna[3]. La mention SANCTVS
SECVNDVLVS – la version grecque dit Secundus – s'inscrit
sur une croix, à l'intérieur d'un cartouche appartenant à
un fragment de la basilique de Mçidfa[4]. Ailleurs, apparaissent des Secundus ou Secundianus[5]. Secundulus n'est
pas mentionné dans les *Actes,* soit par la suite d'une
confusion avec Saturus, soit parce qu'il trouva la mort
en prison, d'un coup de glaive, donné par brutalité ou,
au contraire, par charité : la mort par le glaive passait

---

1. Y. Duval, *Loca sanctorum,* t. 2, p. 248.
2. *Acta A* 1, 1.
3. Y. Duval, *Loca sanctorum,* t. 1, p. 63-64.
4. Y. Duval, *Ibid.,* t. 1, p. 17.
5. Y. Duval, *Ibid.,* t. 2, p. 123 ; 136.

pour être la fin la plus douce du martyr[1]. Peut-être faut-il y voir aussi l'indice que Secundulus était citoyen romain.

De Saturninus, nous savons qu'il n'eut qu'un souci, celui de conquérir la couronne la plus haute, en affrontant toutes les bêtes, fin glorieuse qui lui fut accordée. Sans doute se souvenait-il de l'*Épître aux Romains* d'Ignace d'Antioche : « Je suis le froment de Dieu, je veux être broyé par la dent des bêtes, pour devenir le pur et digne pain de Jésus-Christ[2]. »

---

1. La mort par le glaive correspond en effet à l'image du glaive de Dieu qui garde le chemin de l'Arbre de Vie (*Gen.,* 3, 24); dans l'exégèse philonienne du *Quis heres,* le glaive est l'instrument de justice qui sépare le Bien du Mal. Aussi passait-il pour donner la mort la plus douce. Ce thème hagiographique a été étudié par B. DE GAIFFIER, *Recherches d'hagiographie latine* (*SH* 52), Bruxelles 1971, p. 70 s.

2. *Ep. ad Rom.* 34; voir *Pass. Perp.* 19, 2.

CHAPITRE III

LES VISIONS

L'œuvre se présente comme le récit d'un ou plusieurs rédacteurs, encadrant des pages qui seraient écrites de la main même de Perpétue et de Saturus. On distingue donc une Introduction générale, d'un style assez particulier, vite suivie du récit de Perpétue, puis de Saturus; le rédacteur reprend ensuite la plume pour décrire la cérémonie des jeux; le texte s'achève par une conclusion en forme de péroraison, dont le style diffère peu de celui de l'Introduction. L'essentiel des récits de Perpétue et surtout de Saturus consiste en la description détaillée de leurs visions, sur lesquelles le rédacteur met lui-même l'accent.

1. Songe inspiré et montanisme

Le songe inspiré est défini par Tertullien comme un charisme accordé à tous les chrétiens : par le songe, l'âme peut s'arracher au corps et accéder directement aux révélations divines. C'est la doctrine de l'«extase[1]». Le climat

---

1. TERT., *An*. 45-46. Sur les résonances stoïciennes et judéo-chrétiennes de cette théorie onirique, voir notre étude, dans *Songes et visions*, p. 93 s.

dans lequel vivent Perpétue et Saturus évoque donc de très près la prédication de Tertullien et sa recommandation de noter soigneusement toutes les visions dont Dieu peut gratifier ses fidèles[1]. Le chrétien se doit de rechercher des révélations[2]. Par ailleurs, le baptême reçu en prison et l'enthousiasme à souhaiter le martyre ne sont pas sans rapport avec les exhortations de l'*Ad martyras*. Ainsi a-t-on pu soutenir, en dépit de la chronologie généralement admise, que la lettre de Tertullien était adressée aux martyrs de la *Passion de Perpétue et de Félicité*[3].

Le «montanisme» de la *Passion* a été maintes fois souligné[4]. Cependant, dans cette œuvre, la révélation onirique paraît être un charisme réservé aux seuls martyrs. Il est l'effet de leur *dignatio* (4, 1), titre honorifique qui connaîtra une grande fortune en latin tardif[5]. Si les martyrs

---

1. Tert., *An*. 9, 4.

2. C'est une des joies du chrétien. On peut rapprocher *Spect*. 29, 3 («quod reuelationes petis») de la *Passion* 4, 1 («ut postules uisionem»). De même, la remarque de Tert., *An*. 9, 4 («conuersatur cum angelis») ressemble à un écho de l'affirmation de *Pass. Perp*. 4, 2 («fabulari cum Domino»).

3. Cette hypothèse a été avancée par G.D. Schlegel, «The 'Ad martyras' of Tertullian and the circumstances of its composition», *Downside Review* 63 (1945), p. 125-128. Elle est reprise par W. Rordorf, «Dossier sur l'*Ad martyras* de Tertullien», *REAug* 26 (1980), p. 3-17. Elle est réfutée par R. *Braun*, qui suggérait d'ailleurs de dater l'*Ad martyras* de l'été 197 («Sur la date, la composition et le texte de l'"Ad martyras" de Tertullien», *REAug* 24 (1978), p. 221-242. Voir aussi Id., *Approches de Tertullien*, Paris 1992, p. 167).

4. Tous les traits «montanistes» de la *Passion* ont été réunis par L. Gatti, «La *Passio SS Perpetuae et Felicitatis*», *Didaskaleion* 1 (1923), p. 31-43. Sur le montanisme, voir l'ouvrage classique de P. de Labriolle, *La crise montaniste*, Paris 1913. Le problème difficile des rapports avec le prophétisme orthodoxe a été étudié par B. Czesc, «La tradizione profetica nella controversia montanista», *Augustinianum* 29 (1989), p. 55-70.

5. Tertullien emploie ce terme au sens de «faveur divine» (*Iud*. 1; *Iei*. 8).

sont «dignes» de ce charisme, c'est parce qu'ils parti-
cipent à la Passion du Christ, comme le bienheureux
martyr Étienne[1]. Ils deviennent des visionnaires, à l'image
de Jean et d'Hermas. Le pneumatisme est présent dans
tous les premiers récits de passions. Ainsi, dans la *Lettre
des Églises de Lyon et de Vienne,* en 177, le martyr Vettius
a en lui le Paraclet et Attale reçoit une révélation[2]. Dans
le *Martyre de Polycarpe,* le martyr voit son oreiller
consumé par le feu[3]. Le songe inspiré annonce le martyre
et communique la force nécessaire pour le subir.

Cette illumination par le songe n'était pas l'apanage de
la seule religion chrétienne : il suffit d'évoquer Apulée et
la religion isiaque. Mais elle était justifiée chez les chrétiens par des références scripturaires, que le rédacteur ne
manque pas de donner. La principale justification est la
citation, faite de mémoire ou empruntée à une *Vetus
Latina* africaine, des *Actes des apôtres* (2, 17); cette citation
reprend elle-même la prophétie de Joël annonçant de
nouvelles révélations pour la fin des temps. La référence
à la *Vetus Latina* est quasi certaine, puisque la citation
est également faite, de façon presque identique, par Tertullien[4].

Replacé dans le climat du temps, le «montanisme» de
la *Passion* reste donc assez discret. En dehors de la quête
du martyre, il se limite finalement à une certaine accentuation d'un pneumatisme justifié à la fois par les *Actes
des apôtres* et la prédication paulinienne. Le rédacteur de
la *Passion* ne cite guère que le Nouveau Testament : Jean,
Paul, et surtout l'*Épître aux Romains* et la *Première épître*

---

1. *Act.* 7, 56.
2. Eus., *HE* 5, 1, 10; 3, 2; 3, 9.
3. *Mart. Pol.* 5, 2.
4. Tert., *Marc.* 5, 8, 6; *Res.* 63, 7.

aux Corinthiens[1]. Les martyrs de Scillium possédaient eux-aussi les « livres de Paul ». Le pneumatisme paulinien a certainement dominé la culture religieuse de l'Église africaine[2]. Cette prépondérance de l'Esprit pouvait amener à situer les Passions des martyrs dans le prolongement des révélations néotestamentaires, comme autant de compléments apportés à la vision du martyr Étienne. Le danger devait être réel, puisqu'Augustin jugera bon de souligner que la *Passion de Perpétue et de Félicité* n'est pas canonique[3].

Sans se situer donc en marge de l'orthodoxie, ni même avoir une couleur franchement montaniste, par ses visions, la *Passion de Perpétue et de Félicité* exprime le climat dans lequel vivaient les communautés africaines autour de Tertullien; mais cet esprit ne serait pas non plus récusé par certaines époques médiévales. Les révélations oniriques de Perpétue et de Saturus expriment la foi des martyrs, mais il pouvait être tentant pour des exégètes, et d'abord pour Tertullien, d'en faire des articles de foi.

---

1. *Rom.* 12, 3 et *I Cor.* 7, 17. La citation est explicite dans *Pass. Perp.* 1, 6. Mais il y a d'autres références implicites au texte de Paul : *Pass. Perp.* 1, 3 et *I Cor.* 12, 4-11; *Pass. Perp.* 1, 5 et *I Cor.* 12, 11; *Pass. Perp.* 4, 8 et *Hébr.* 13, 20. Les *Actes des apôtres* (2, 17) sont cités explicitement en 1, 4.

2. J. FONTAINE, *Aspects et problèmes...*, p. 83, pose même le problème d'une influence stylistique de saint Paul. A. VON HARNACK (*Geschichte der altchristlichen Litteratur bis Eusebius,* Leipzig 1904, t. 2, p. 102) situait déjà les visions des martyrs dans le prolongement des révélations néotestamentaires. Le problème est de nouveau posé par A.A.R. BASTIAENSEN, *Éd. Pass. Perp.,* p. XII-XV. Que le « montanisme » de la *Passion de Perpétue* ait été quelque peu exagéré, c'est aussi l'avis de L. PIZZOLATO, « Note alla *Passio Perpetuae et Felicitatis* ».

3. AUG., *Nat. or. an.* 1, 10, 2.

2. Les images des songes

Les visions de Perpétue et de Saturus sont des songes inspirés, que l'on qualifie indistinctement de *uisum, uisio,* ou *ostensio*[1]. Ces visions, souvent étudiées, présentent des images complexes. Mais, il faut y insister, des songes véritables, elles ont le syncrétisme et la subjectivité. On peut donc écarter l'hypothèse, de moins en moins soutenue, selon laquelle ces récits seraient des affabulations, inspirées par le *Pasteur d'Hermas.* Ils portent indéniablement la trace de souvenirs vécus.

a. Souvenirs vécus.

La subjectivité des songes se traduit d'abord par une imagerie du subconscient, sur laquelle s'est exercée l'école jungienne[2]. Nous n'y reviendrons pas. C'est sans doute le caractère subjectif, et donc douteux, de ces images oniriques qui a paru aux rédacteurs des *Actes* les rendre indignes d'être fidèlement rapportés. Seul le songe de l'échelle, image évidente de l'échelle de Jacob, est résumé à peu près exactement. Il existe une constante dans les songes de Perpétue et de Saturus, c'est le mélange indissociable de souvenirs vécus et de souvenirs littéraires ou scripturaires : un tel mélange caractérise les véritables manifestations oniriques. Ce constat n'entame nullement la notion de révélation. L'Esprit passe, pour se faire entendre, par toutes les images qui reposent dans la conscience des songeurs.

Les souvenirs vécus sont particulièrement latents chez Perpétue, dans le songe du combat de l'arène. Perpétue

---

1. Sur le vocabulaire du songe inspiré, voir M. DULAEY, *Le rêve dans la vie et la pensée de saint Augustin,* p. 20 s. et notre étude *Songes et visions...* p. 26 s.

2. Cf. p. 31, n. 1.

connaît les habitudes de l'amphithéâtre. Toutes les armes
qui bordent l'échelle du martyre sont des armes de gladiateurs. Elle est familiarisée avec les rites de présentation
des athlètes, qui entrent en scène au milieu de leurs
aides, avec les préparatifs du combat, lorsqu'ils s'enduisent
d'huile et de poussière. Elle a manifestement assisté à
des combats de lutte, ou plutôt de pancrace. Ainsi,
L. Robert a pu soutenir, de façon fort convaincante, que
Perpétue se souvenait précisément des Jeux Pythiques,
d'instauration récente à Carthage[1]. Ce n'est certes pas
impossible, si l'on veut bien admettre que toute image
onirique est complexe et que le songeur interprète lui-
même ses propres souvenirs.

La mémoire visuelle de Saturus nourrit également son
imagination onirique. Le rêve de vol, où le songeur s'élève
sans effort, est une expérience onirique banale[2]. Mais
l'ascension, encadrée par les anges, paraît être redevable
aux représentations des apothéoses des empereurs, accom-
pagnés par des génies[3]. Les souvenirs de Saturus se
réfractent aussi à travers l'image du paradis-jardin. Dans
ce *uiridiarium* se mêlent le vieux rêve latin du *locus
amoenus* et la représentation des grands parcs du temps,
entourés de hautes fûtaies et traversés par une large
avenue, le *stadium*. Ce parc régulier se retrouvait aussi,

---

1. TERTULLIEN les évoque en *Scorp.* 6, 2. Sur cette instauration, voir
L. ROBERT, «Une vision de Perpétue...», p. 229-230. Mais il paraît en
revanche très aventuré d'en déduire que l'original du récit a été écrit
en grec.

2. Expérience médicalement expliquée par une chute de tension. Ce
type de songe apparaît chez les empereurs : SUÉTONE, *Caes.* 56 ;
Aug. 99, 3 ; voir aussi *I Hén.* 14, 8 (éd. R. Charles), où Hénoch est
emporté par les vents et *II Bar.* 46, 7. Le sens symbolique de cet envol
a été défini par M. ELIADE, «Symbolisme du vol magique», *Numen*,
1956, t. 3, p. 1-13.

3. Images présentées par A. STRONG, *Apotheosis and after-life*, Londres
1955.

plus modestement, dans les promenades publiques, destinées à la conversation et à l'enseignement[1]. Ce jardin
latin est beaucoup plus sobre que le *paradeisos* oriental
ou l'*hortus conclusus* du *Cantique des cantiques*. Ses
plantes, roses et cyprès, sont dotées d'un symbolisme
funéraire. On retrouvera encore ce jardin à la romaine
dans la vision de Marien[2].

Dans ce parc, à l'image de ceux de l'époque, il n'est
pas fait mention de l'eau vive destinée aux élus, que
représente l'iconographie des Catacombes et qui hante
l'imagination de Perpétue. De plus, ce jardin n'est animé
que par le chœur des anges, sauf si l'on adopte la séduisante correction de J.A. Robinson[3], suggérant un bruis-
sement de feuilles; c'est dans ce cadre que Saturus
transpose le différend terrestre qui l'a opposé à son prêtre
et à son évêque (13, 1).

b. Éléments littéraires et scripturaires.

Les traces d'une culture profane et religieuse sont plus
précises – on pouvait s'y attendre – dans le songe du
catéchiste Saturus que dans ceux de Perpétue. D'emblée,
le franchissement du «premier monde» rappelle la cosmographie antique des cercles planétaires, ou les cieux
multiples des Apocalypses apocryphes[4]. La conception
d'un monde céleste, où tout est lumière et où les âmes
se nourrissent de parfums ineffables, semble imaginée par
un intellectuel frotté de philosophie païenne et qui a lu

---

1. Ce type de jardin a été décrit par P. Grimal, *Les jardins romains
à la fin de la République et aux deux premiers siècles de l'Empire*, Paris
1943, p. 44; 68 et 290.

2. *Pass. Mar.* 6.

3. Voir le Commentaire en 11, 6.

4. Voir l'affirmation analogue de Montanus sur le paradis:
Pass. Mont. 7: «extra mundum est».

Plutarque[1]. D'ailleurs, Tertullien croit, lui aussi, à la matérialité de l'âme et un autre martyr, Montanus, rêvera encore d'un paradis dépeint comme une grande plaine de lumière, car la lumière est l'image spirituelle par excellence[2].

Mais la culture païenne ne fait qu'affleurer sous son adaptation chrétienne et scripturaire. Le parfum est bien présent dans la Bible[3]. De plus, l'imagination de Saturus apparaît essentiellement pénétrée de l'*Apocalypse* de Jean. C'est d'elle qu'il tire la scène de l'accueil en paradis par les anges et les vieillards, avec le triple *agios,* ainsi que la bénédiction divine. Certes, sa culture religieuse est sans doute plus vaste. Les murs de la demeure divine pourraient refléter la maison de cristal du *Livre d'Hénoch*[4]. Les images de l'*Apocalypse* sont d'ailleurs insérées dans une célébration liturgique qui s'achève par un renvoi rituel. Enfin, Saturus est également familier avec la pensée paulinienne : sa critique des dissensions des fidèles rejoint le début de la *Première épître aux Corinthiens*[5].

Les éléments scripturaires sont plus allusifs dans les songes de Perpétue : les détails issus de l'*Apocalypse* s'unissent à l'échelle de Jacob, au serpent de la *Genèse* ou à l'abîme de l'*Évangile de Luc*. Le paradis de Perpétue illustre le rêve idyllique de la bucolique gréco-

---

1. Chez PLUTARQUE, qui résume bien des croyances antérieures, la béatitude de l'âme résulte de la respiration d'odeurs enivrantes (*Ser. num. uind.* 565 et *Gen. Socr.* 943.). De même le phénix se nourrissait d'effluves marins.

2. *Pass. Mont.* 11.

3. Voir H. LESÊTRE, art. «Parfum», *Dictionnaire de la Bible* 4, Paris 1908, c. 2163-2167 et, particulièrement, *Prov.* 27, 9 et l'*odor suauitatis* d'*Éz.* 20, 41.

4. *Hén.* 14, 5; 24. Le détail des emprunts à l'*Apocalypse* de Jean est étudié par R. PETRAGLIO, «Des influences de l'*Apocalypse* dans la *Passio*...».

5. *I Cor.* 1, 10.

latine, autant que les représentations contemporaines du
Bon Pasteur[1]. L'imagination de Perpétue interprète les
souvenirs culturels et scripturaires selon ses propres méca-
nismes oniriques. Un bon exemple en est fourni par
l'image symbolique de l'Égyptien qui, dans l'arène, était
souvent le gladiateur par excellence[2]. Mais, dans son rêve,
Perpétue l'identifie, sans confusion possible, avec le
diable[3]. L'image double celle du serpent tapi sous l'échelle.
Cette nouvelle représentation hérite du discrédit supersti-
tieux porté sur l'Égyptien ou l'Éthiopien, déjà notoire dès
les premiers temps de l'Empire[4]. Une telle méfiance rejoi-
gnait la malédiction biblique proférée contre l'Égypte,
encore renforcée par le bestiaire, d'aspect démoniaque,
des divinités égyptiennes.

3. L'apparition de Dinocrate

Ainsi, les réminiscences scripturaires transparaissent dans
les songes de Perpétue à travers d'autres images, por-
teuses de souvenirs vécus ou culturels. C'est ce qui rend
si délicate l'interprétation du songe où apparaît Dinocrate,

---

1. Si l'archéologie africaine ne fournit guère cette image, nous savons
par Tertullien qu'elle était représentée sur les calices (*Pud.* 7, 1 ; 10, 12).
Elle apparaît dès le IIe siècle à Rome, dans les Catacombes : G. Wilpert,
Le pitture..., pl. 21 ; 25 ; 31.

2. Voir L. Robert, *A travers l'Asie Mineure,* Paris 1980, p. 429 ; G. Ville,
La gladiature en Occident des origines à la mort de Domitien, Paris
1981, p. 110 s.

3. 10, 14 : «Et intellexi... contra diabolum esse pugnaturam». Voir
Éz. 29, 3 : «Pharao, rex Aegypti, draco magne».

4. L'Égyptien et l'Éthiopien sont tous deux de mauvais augure :
Suétone, *Cal.* 57 ; Florus, 2, 17. Sur cette question, bien étudiée, le
point est fait par L.C. Ruggini, «Il negro buono e il negro malvagio
nel mondo classico», dans *Conoscenze etniche e rapporti di convivenza
nell' antichità* 6, Milano 1979.

l'enfant, mort à sept ans, d'une affreuse maladie. Il entre,
certes, dans la catégorie païenne des morts prématurés
et maudits[1]. Aussi faut-il se garder de voir en ce songe
le reflet d'un dogme. Quel est ce «lieu ténébreux» d'où
sort Dinocrate? Limbes, enfer ou purgatoire? Augustin en
était bien conscient, on ne peut guère croire que Dinocrate ait été baptisé. Il réside donc dans un lieu qui ressemble fort à cet enfer réservé aux païens, et même aux
chrétiens en attente du jugement dernier[2]. Brûlant de soif,
il est incapable de s'abreuver à la source de vie qui est
aussi une piscine baptismale.

Il est tiré de ce lieu de souffrance par l'intercession
de sa sœur. La descente du Christ aux enfers ne passait-
elle pas pour avoir soulagé les damnés eux-mêmes[3]? Le
souvenir scripturaire qui guide Perpétue paraît être ici le
miracle du Christ qui guérit quand même le paralytique
incapable de se baigner dans la piscine de Bézatha[4].
L'«imitation» de Perpétue peut passer pour outrecuidante :
Dinocrate, l'enfant non baptisé, obtient de boire à la

---

1. Ce sont les *aoroi* ou *immaturi* que TERTULLIEN refuse d'exiler,
comme les païens, du lieu de repos dans l'au-delà (*An.* 56, 8).

2. AUGUSTIN voit dans la plaie du visage de Dinocrate l'image de la
souillure de son âme : *Nat. or. an.* 1, 4; 18-27. L'enfer est évoqué par
le «loco maligno» de COMMODIEN (*Instr.* 24, 19; 28, 5) et surtout par
la katabase du catéchumène de Martin (SULPICE SÉVÈRE, *Vita Mart.* 7, 6 :
«obscuris locis et uulgaribus turbis»). L'apparition de Dinocrate a été
particulièrement étudiée par F.J. DÖLGER, «Antike parallelen zum leidenden Dinocrates...» et A. DE WAAL, «Der leidende Dinocrates in der
Vision der hl Perpetua», *Römische Quartalschrift* 17 (1903), p. 339-347.

3. Reflet dans PRUDENCE, *Perist.* 5, 125-127; 134-137. La visite de Paul
aux enfers apporte aussi une nuit et un jour d'adoucissement :
Apoc. Pauli. 32. Voir aussi A. MICHEL, art. «Mitigation», *DTC* 10[2], c. 1997-
2008.

4. *Jn* 5, 1-9. J. CORSINI («Proposte per una lettura della 'Passio Perpetua'») souligne le symbolisme du bain baptismal dans la piscine de
Dinocrate.

coupe des élus. Cette confiance illimitée en la bonté du Seigneur est digne de celle qui «parle familièrement» avec Lui. Dinocrate est arraché par sa sœur au séjour des impies, sans pour autant avoir accès au paradis des martyrs, dont il reste séparé par un abîme.

Si la doctrine du purgatoire n'est pas encore formulée en tant que dogme, elle existe déjà implicitement dans les textes, dès cette époque[1]. Mais peu importe que ce «lieu ténébreux» soit l'enfer ou le purgatoire, il est clair que l'enfant passe du séjour des impies au *refrigerium*; il est baptisé, en quelque sorte, par la prière de sa sœur qui lui transmet son propre baptême de sang[2]. Il ne faut pas y voir un pouvoir qui participe du martyre. Pour Augustin, qui y a longuement réfléchi, cette grâce est exceptionnelle et il faut l'associer à la promesse du Christ au bon larron[3].

---

1. Tertullien lui-même soutient dans le *De anima* que toutes les âmes descendent en enfer après leur mort, mais y reçoivent un châtiment ou une récompense provisoire, en attendant le jugement dernier, ce qui correspond bien à un purgatoire. Sur l'introduction progressive de la notion de purgatoire, voir M.P. CICCARESE, «Le più antiche rappresentazioni del purgatorio dalla *Passio Perpetuae* alla fine del IX sec.», *Romanobarbarica* 7 (1982-1983), p. 33-76.

2. TERT., *An.* 10, 4, recommande de prier pour les défunts et la *Commendatio animae* commence à inspirer l'iconographie chrétienne. Commentant le *Cantique des cantiques*, CYPRIEN (*Epist.* 69, 2) affirme qu'en restant étranger au Christ, on n'a point accès à la fontaine scellée; mais ailleurs (*Epist.* 21, 2), il montre Celerinus implorant le confesseur Lucianus d'intervenir en faveur de sa sœur, morte après avoir renié le Christ.

3. AUG., *Nat. or. an.* 3, 9, 15 : «Ne crois pas, ne dis pas et n'enseigne pas que les enfants dont la mort a devancé le baptême peuvent parvenir au pardon du péché originel, si tu veux être catholique. En effet, les exemples qui t'abusent, celui du larron qui confessa le Seigneur sur la croix ou celui du frère de sainte Perpétue, Dinocrate, n'appuient nullement cette opinion fausse.»

4. L'influence du *Pasteur d'Hermas*

On a beaucoup parlé de l'influence du *Pasteur d'Hermas* sur les Passions africaines. En fait, il s'agit de genres littéraires bien différents[1]. Le *Pasteur d'Hermas*, il est vrai, a sans doute fait partie de la culture des martyrs africains, quoique Tertullien ne semble pas avoir toujours apprécié cette œuvre[2]. Certaines images de la *Passion de Perpétue* ont été parfois interprétées comme des réminiscences du *Pasteur*. J.A. Robinson s'est livré à une comparaison systématique des motifs[3]. La route raboteuse qui mène Perpétue à l'amphithéâtre est ainsi rapprochée de la voie montante que suit Hermas; le rameau verdoyant aux pommes d'or rappelle la montagne aux arbres fruitiers, qui est celle des confesseurs dans le *Pasteur*[4]. A vrai dire, ces images relèvent de thématiques fort larges, celle de la voie du Bien ou celle des pommes merveilleuses des jardins enchantés. Rien ne prouve que Perpétue et Saturus se soient souvenus du *Pasteur d'Hermas* autrement que pour y trouver comme une arrière-pensée, qu'ils expriment de façon tout à fait originale.

Dans le *Pasteur,* les éléments autobiographiques et oniriques sont fort minces. La parenté avec la *Passion de Perpétue* passerait plutôt par l'apocalyptique. Les scènes du *Pasteur,* qui ne prétendent à aucun réalisme, relèvent

---

1. Le caractère littéraire et artificiel du *Pasteur* a été particulièrement mis en lumière par E. PETERSON, «Beiträge zur Interpretation der Visionen in *Pastor Hermae*», dans *Miscellanea G. de Jerphanion*, 1957, p. 624 s.; voir aussi K.D. MACMILLAN, «The Sheperd of Hermas, apocalypse or allegory», *Princeton Theological Studies*, 1911, p. 61-94.
2. TERT. (*Or.* 16, 1) témoigne d'une certaine révérence à l'égard du *Pasteur,* mais, devenu montaniste, il le considèrera avec mépris (*Pud.* 10, 12).
3. J.A. ROBINSON, *Ed. Pass. Perp.,* p. 26 s.
4. *Past. Herm., Vis.* 1, 1; *Sim.* 105 (28).

des révélations, faites à un voyant, des Apocalypses apocryphes. Perpétue et Saturus se cantonnent plutôt à l'*Apocalypse* johannique, et encore n'y puisent-ils que des images d'espérance, dans une situation dramatique. Dans le *Pasteur,* l'allégorisme, bien illustré par la figure de l'Église-Mère, est la loi d'un genre proche du mythe. La vision, fictive, y est une convention littéraire.

En revanche, les songes de la *Passion* ont tous les caractères de véritables phénomènes oniriques ; ils sont composites : des souvenirs vécus forment des images résiduelles, à la manière de Lucrèce, par exemple lors du combat avec l'Égyptien. Ces résurgences se mêlent à des souvenirs culturels et scripturaires : accueil de l'*Apocalypse* johannique, mais situé dans un jardin à la romaine ; transfert d'un passage de la *Genèse,* mais associé chez Perpétue à des images subconscientes. Jamais la situation dramatique des martyrs ne se laisse oublier. Les images de leurs songes expriment leur dilemme d'angoisse et de foi. C'est là que réside la meilleure preuve de l'authenticité des songes de la *Passion de Perpétue,* tout en admettant que celle-ci puisse passer par une stylisation littéraire, inhérente à tout récit. Même dans l'hypothèse d'un « arrangeur », les « notes » de Perpétue et de Saturus ne paraissent pas avoir été vraiment retouchées.

CHAPITRE IV

PASSION GRECQUE
ET PASSION LATINE

1. La polémique historique

L'antériorité du texte grec ou du texte latin est une question fort débattue. On ne peut la contourner, si l'on veut établir lequel des deux fut le traducteur, du rédacteur grec ou du rédacteur latin. Sans anticiper sur l'histoire du texte, on peut remarquer qu'aucun doute ne s'éleva sur l'authenticité du texte latin, avant la découverte par J.R. Harris, à Jérusalem, de l'unique manuscrit contenant la version grecque *(H);* ce texte se trouvait aux côtés d'un texte latin, inspiré, semble-t-il, de l'édition de D. Ruinart. Les éditeurs, J.R. Harris et S.K. Gifford, soutinrent naturellement que le texte grec était l'original[1]. A. Harnack fut aussi de cet avis[2].

Cette thèse fut immédiatement contestée par L. Duchesne et J.A. Robinson[3]. L'argumentation de L. Duchesne s'ex-

---

1. Voir leur édition.
2. Dans *Theol. Literaturzeitung* 15 (1890), p. 404 s.
3. L. DUCHESNE, «En quelle langue ont été écrits les Actes des SS Perpétue et Félicité?»; J.A. ROBINSON, *The Passio of S. Perpetua,* Cambridge 1891, p. 10 s.

primait par un jugement que nous rappelons pour sa pertinence : « La version grecque représente une version du texte latin connu, version faite par un écrivain qui, trop souvent, tronque ce texte ou l'altère exprès, ou ne le comprend pas, ou, plus simplement, s'en écarte par des leçons fautives[1]. » L. Massebieau qualifia cette critique de « réquisitoire » sévère à l'excès[2].

D'autres solutions furent proposées. A. Hilgenfeld suggéra un original punique, dont les deux textes seraient des versions[3]. Il ne réussit pas à convaincre. Pas plus, semble-t-il, qu'O. Gebhardt, qui soutint que chacun des textes était original et rédigé indépendamment l'un de l'autre, par le même auteur[4]. La primauté du texte latin fut à nouveau défendue par P. Franchi de' Cavalieri, dans son édition critique. Néanmoins, celui-ci distingue le récit du rédacteur et la vision de Saturus du récit de Perpétue, en estimant que cette dernière partie a pu être rédigée en grec[5]. Cet avis fut suivi par P. Monceaux[6]. Mais les partisans d'un archétype entièrement latin demeuraient nombreux[7].

---

1. L. DUCHESNE *(ibid.)*, cité par L. MASSEBIEAU, « La langue originale des Actes des saintes Perpétue et Félicité ».

2. L. MASSEBIEAU, *Ibid.*, p. 98.

3. A. HILGENFELD, dans *Berliner Philologische Wochenschrift* 10 (1890), p. 1488-1491.

4. O. VON GEBHARDT, dans *DLZ* 12 (1891), p. 123 s. Cette idée d'un auteur unique séduira encore C. VAN BEEK (*Ed. Pass. Perp.*, p. 90*) : voir p. 54.

5. P. FRANCHI DE' CAVALIERI, *Ed. Pass. Perp.*, p. 97 : « ... il faut distinguer la partie du rédacteur et de Saturus de celle de Perpétue, en jugeant la première originale en latin, la seconde en grec. »

6. P. MONCEAUX, *Histoire littéraire...*, t. 1, p. 83.

7. T. ZAHN, dans *Theol. Literaturblatt* 13 (1892), p. 42 ; V. SCHULTZ, dans *Theol. Literaturblatt* 18 (1897), p. 5 ; H. JORDAN, *Geschichte der altkirchlichen Literatur*, Leipzig 1911, p. 86 ; O. BARDENHEWER, *Geschichte der altkirchlichen Literatur*, Fribourg 1914, p. 683 ; G. RAUSCHEN et J. WITTIG, *Grundriss der Patrologie*, Fribourg 1926, p. 182 ; D. FACCHINI,

La question paraissait réglée, lorsque A.H. Salonius tira d'une étude comparative des textes grec et latin la conviction que la rédaction primitive était grecque[1]. Il était plus catégorique que la plupart des critiques, qui adoptaient une position nuancée : la partie du rédacteur avait sans doute été rédigée en latin, mais les visions paraissaient avoir été écrites en grec; les avis s'opposaient d'ailleurs, les uns penchant pour une rédaction grecque des visions de Perpétue, les autres de la vision de Saturus, d'autres encore optant pour la rédaction grecque de l'ensemble des visions[2]. Cependant, malgré quelques hésitants, ce fut la priorité de la version latine qui fut généralement reconnue et reflétée dans les histoires de la littérature chrétienne[3].

«Gli Atti del martirio delle SS Perpetua e Felicita», *Bessarione* 34 (1918), p. 208-228; H. DELEHAYE, *Les Passions des martyrs et les genres littéraires*, p. 69. Tel est aussi l'avis des Bollandistes, dans *AB* 12 (1892), p. 101 et de P. LEJAY, dans *Revue Critique* 33 (1892), p. 206.

1. A.H. SALONIUS, *Passio S. Perpetuae. Kritische Bemerkungen...*

2. La rédaction grecque des visions de Perpétue a été soutenue particulièrement par A. D'ALÈS, «L'auteur de la *Passio Perpetuae*», et J. CAMPOS, «El autor de la *Passio SS Perpetuae et Felicitatis*». p. 360. Voir aussi G. CANNING, «The Passion of St Perpetua». Sur la rédaction grecque de l'ensemble des visions, voir A. HARNACK, dans *Theol. Literaturzeitung* 17 (1892), p. 69. Cette opinion est ainsi résumée dans *RHR* 25 (1892), p. 261 : «Il semble que les visions tout au moins de Perpétue et de Saturus ont été originairement consignées par écrit en grec.»

3. Parmi les hésitants, rangeons W.H. SHEWRING, *Ed. Pass. Perp.*, p. 20; M. SCHANZ, C. HOSIUS et G. KRÜGER, *Geschichte der römischen Literatur*, München 1922, t. 3, p. 440 s. Mais l'original est latin pour P. DE LABRIOLLE, *Histoire de la littérature latine chrétienne*, Paris 1924, p. 141; U. MORICCA, *Storia della letteratura latina cristiana*, Torino 1925, p. 102; G. RAUSCHEN et B. ALTANER, *Patrologie grecque chrétienne*, Fribourg 1931, p. 163; A. PUECH, *Histoire de la littérature grecque chrétienne*, Paris 1928, t. 2, p. 581; L. GATTI, «La *Passio SS Perpetuae et Felicitatis*», p. 40; A.G. AMATUCCI, *Storia della letteratura latina cristiana*, Bari 1929, p. 80; E.C.E. OWEN, *Some authentic Acts of the early martyrs*, Oxford 1927, p. 76.

On pouvait attendre une solution définitive de la remarquable édition critique de C. van Beek, qui fait autorité pour la plupart des éditeurs modernes. En réalité, sa confrontation des textes grec et latin l'amène à adopter une solution médiane, délicate à soutenir. Le même rédacteur serait l'auteur d'une version bilingue, hypothèse sans doute inspirée d'O. Gebhardt[1].

Cependant, la croyance en deux auteurs différents, dont l'auteur grec serait le traducteur, était de plus en plus généralement admise. Par une argumentation reposant essentiellement sur l'étude stylistique de trois passages révélateurs, E. Rupprecht démontre, de façon convaincante, que le texte grec est bel et bien une traduction[2]. Cette démonstration est reprise par A. Fridh, qui s'appuie sur l'étude des clausules métriques[3]. Celui-ci reconnaît la main de trois auteurs latins différents, alors que le texte grec dénote un seul écrivain. Pourtant, constatant une originalité rythmique dans la vision de Saturus, il estime que cette dernière pourrait avoir été écrite en grec. La situation paraît à nouveau renversée au profit des hellénistes par la communication de L. Robert à l'Académie des Inscriptions en 1982. Celui-ci démontre que les visions de Perpétue reflètent des souvenirs précis des Jeux Pythiques, récemment instaurés à Carthage[4]. Il croit pouvoir en déduire que ces souvenirs ont été rédigés en grec.

Si l'on fait le point de cette discussion, on constate que la priorité du texte latin n'est plus sérieusement mise en doute, quand il s'agit du prologue, du récit du martyre et de la péroraison finale, pages longtemps attribuées à

---

1. C. van Beek, *Ed. Pass. Perp.,* p. 90*; cf. *supra,* p. 52, n. 4.
2. E. Rupprecht, «Bemerkungen zur *Passio Perpetuae et Felicitatis*».
3. A. Fridh, *Le problème de la Passion des saintes Perpétue et Félicité.*
4. L. Robert, «Une vision de Perpétue...». L'interprétation de L. Robert a été contestée par A.A.R. Bastiaensen, «Heeft Perpetua haar dagboed in het Latijn of in het Grieks geschreven».

Tertullien. En revanche, les divergences subsistent pour les songes de Perpétue et de Saturus. Il paraît donc indispensable d'esquisser une étude comparative, portant sur des point essentiels et menée à travers les différentes parties de la *Passion*.

2. Confrontation des deux versions

Une lecture attentive des textes latin et grec révèle d'emblée des différences stylistiques notables : la version latine est souvent écrite en style familier, la version grecque est plus littéraire. On doit abandonner l'hypothèse, retenue par C. van Beek, que les deux textes relèvent du même rédacteur, qui se serait traduit lui-même[1]. Il faudrait admettre au moins une version intermédiaire. D'aucuns ont d'ailleurs estimé que, même s'il n'était pas l'original, le manuscrit grec était néanmoins plus fidèle que le manuscrit latin. Cette hypothèse n'est guère soutenable. L'un des arguments des défenseurs d'un original grec repose sur les hellénismes qui émaillent particulièrement le récit de Perpétue.

a. Les hellénismes du texte latin.

Perpétue, nous le savons par Saturus, sait le grec, attribut indispensable de l'éducation libérale et langue couramment parlée en Afrique de son temps, surtout chez les gens cultivés. Il n'est pas surprenant que quelques mots grecs subsistent dans un récit fait en *sermo cotidianus*. Les hellénismes émaillaient déjà la langue popu-

---

1. C. VAN BEEK, *Ed. Pass. Perp.*, p. 90*. Une analyse comparative du style des deux versions a été faite par V. REICHMANN, «Römische Literatur in griechischer Uebersetzung», dans *Philologus*, suppl. 34, 3 (1913), p. 101-130.

laire du *Satiricon*. Si le texte latin était une traduction,
on ne voit guère pourquoi ils seraient respectés. Certains
de ces mots, comme *machaera* (4, 3) ou *afa* (10, 7)
sont depuis longtemps insérés dans la langue latine.
D'autres se sont latinisés dans la langue familière : s'il y
avait eu traduction, le terme affectif *tegnon,* tout proche
de «mon petit», aurait sans doute été traduit par *filia*[1].
Le terme *horoma,* variante ou corruption de *horama,* est
un terme classique de l'onirologie, employé concur-
remment avec *uisio,* pour désigner la représentation
imagée des événements à venir[2]. Finalement, le seul véritable hellénisme est *diastema,* dont le sens paraît technique[3]; le mot est utilisé au sens d'«intervalle» par
Clément d'Alexandrie et Eusèbe[4]. Mais ici encore, le terme
a gagné le latin à époque tardive; il désigne particulièrement les intervalles musicaux. Ainsi, le rédacteur pouvait
respecter le vocabulaire grécisant de Perpétue, sans risque
de véritable obscurité pour le lecteur.

b. Les lacunes du texte grec.

Une autre constatation rend tout à fait impossible que
le texte grec actuel soit l'original : il est extrêmement
lacunaire. Il faudrait au moins supposer une source intermédiaire, dont le texte latin se serait inspiré. Aussi est-
il fort discutable de vouloir amender la version latine à
partir de la version grecque. Une telle tentative procède

---

1. Comme en 5, 2. Sur les vulgarismes de Perpétue, voir C. Schick,
«Per la questione del latino africano...».

2. 10, 1. L'*horama* est encore mentionné en ce sens dans la classification de Macrobe (*Comm. somn. Scip.* 1, 3-4). C'est aussi le mot qui
désigne les visions du *Pasteur d'Hermas* (*Vis.* 3, 2, 3).

3. Voir le Commentaire en 7, 6.

4. Clément d'Alexandrie, *Strom.* 1, 21; Eus., *Laud. Const.* 6; Sidoine,
Ep. 8, 11, 9; Mamert. Claudien, *Stat. an.* 1, 25; au sens musical : Mar-
tianus Capella 9, 948.

d'un présupposé : l'identité totale des deux versions. De fait, le recours aux divers manuscrits latins suffit à éclairer la plupart du temps un passage obscur ou un oubli. Nous n'avons relevé que deux passages, où le recours au texte grec pourrait être réellement utile[1].

La liste exhaustive des lacunes du texte grec est fort longue. Nous les relevons au passage dans les notes du Commentaire. Les éditeurs ont presque toujours suggéré de combler ces «oublis» à l'aide du texte latin, ce qui est paradoxal, si l'on tient le texte grec pour l'original. Tantôt, il manque un mot ou un groupe de mots signi-ficatif, par exemple, dans le récit de Perpétue, l'image de l'essouflement, exprimée par le terme *anhelantes,* dans le récit de Saturus, la spécificité du *presbyterum doctorem,* dans le récit du rédacteur, la mention, essentielle, de la tunique «déchirée», *discissam*[2]. Tantôt, il manque tout un membre de phrase, auquel rien ne correspond par ailleurs dans le texte grec, par exemple, dans le récit de Saturus, l'accueil en paradis et la large voie d'accès qui caractérise le jardin[3]. Il ressort de la liste des principales

---

1. Pour la correction *representatione* (1, 1) – si on l'adopte – et pour la mention géographique ἐν πόλει Θουρβιτάνων (2, 1) qui confirme cer-tains manuscrits latins; voir le Commentaire en 1, 1 et 2, 1.

2. Liste des principales lacunes ponctuelles. Récit du rédacteur : 1, 6 : *claritas* ‖ 2, 3, *circiter.* ~ Récit de Perpétue : 3, 7 : *paucis horis* ‖ 4, 5 : *prior* ‖ 7, 9 : *Getae* ‖ 10, 4 : *anhelantes.* ~ Récit de Saturus : 11, 9 : *uia lata* ‖ 13, 1; *ad dexteram* ‖ 13, 1 *doctorem.* ~ Récit du rédacteur : 15, 2 : *sanctum* ‖ 15, 3 : *solam* ‖ 18, 7 : *simpliciter* ‖ 19, 5 : *(ab) eadem (bestia)* ‖ 19, 6 : *in ponte* ‖ 20, 1 : *praeter consue-tudinem* ‖ 20, 4 : *discissam* ‖ 20, 10 : *et habitu suo* ‖ 21, 2 : *reuer-tenti* ‖ 21, 9 : *ipsa.*

3. A. FRIDH, *Le problème de la Passion...,* p. 67, reconnaît que *uia lata* (11, 8) correspond à ὁδὸν λαβόντες, mais refuse la probabilité que le traducteur grec ait pu prendre l'expression pour un ablatif absolu. Il propose aussi de remplacer le terme si particulier de *stadium* par *spatium.* Remarquons que *uia lata* est également omis dans le manuscrit *E.* Il manque bien d'autres membres de phrase. Récit du

lacunes que celles-ci, ponctuelles ou non, se répartissent, de façon à peu près équivalente, à travers les récits du rédacteur, de Perpétue et de Saturus, comme le seraient les oublis d'un traducteur. Ces oublis sont flagrants lors du supplice des martyrs, ce qui surprendrait de la part d'un témoin oculaire : il manque, entre autres, la précision technique *in ponte* (19, 6) et le détail *praeter consuetudinem* (20, 1).

Il faut noter, en revanche que si l'auteur latin se montre avare d'adjectifs exprimant la béatitude, comme dans un récit pris sur le vif, le rédacteur grec, lui, ne manque pas d'en rajouter[1]. L'importance des lacunes du manuscrit grec et son style résolument hagiographique rendent donc déjà caduque l'hypothèse, adoptée par C. van Beek, d'un rédacteur unique. La version grecque paraît même témoigner d'une certaine distance par rapport aux événements.

c. Les gloses du texte grec.

La langue du texte latin a été bien étudiée. On a montré qu'elle fourmillait de traits de syntaxe tardive, de vulgarismes, voire d'«africanismes»[2]. Les différences sty-

---

rédacteur : 1, 1 : *et homo confortetur* || 1, 5 : *pariter repromissas.* ~ Récit de Perpétue : 3, 2 : *et ait : non* || 5, 2 : *ne me dederis in dedecus hominum. Aspice fratres tuos* || 7, 6 : *pro hoc ergo orationem feceram.* ~ Récit de Saturus : 11, 7 : *ecce sunt, ecce sunt cum admiratione.* Pour expliquer l'absence de ce passage en grec, A. FRIDH, *Ibid.,* se contente de le qualifier de «rare stupidité», jugement discutable. ~ Récit du rédacteur : 16, 1; *unum adicientes documentum de ipsius constantia et animi sublimitate* remplacé par Ὡς δὲ πλείους ἡμέραι διεγίνοντο ἐν τῇ φυλακῇ αὐτῶν ὄντων || 18, 9; *per ordinem uenatorum* || 20, 6 : *ita surrexit et elisam Felicitatem cum uidisset, accessit.* La liste n'est pas exhaustive.

1. 1, 5 : ἁγίᾳ (ἐκκλησίᾳ) || 16, 2 : ἡ μεγαλόφρων καὶ ἀνδρεία ὡς ἀληθῶς Περπετούα || 20, 1 : μακαρίαις || 21, 5 : μακαρίαν || 27, 1 : μακάριοι.

2. Voir J. FONTAINE, *Aspects et problèmes...,* p. 81-90 et C. SCHICK, «Per la questione del latino africano...».

listiques sont aussi évidentes. Le latin est incisif, souvent abrupt et parfois obscur. Sauf dans la Préface et dans la Conclusion, il procède d'une langue familière, souvent peu conforme à la syntaxe. Le grec uniformise, édulcore et explique. Innombrables sont les passages qui glosent le texte latin. Nous n'en noterons ici que quelques-uns, les autres étant signalés dans le Commentaire.

Le rédacteur grec juge indispensable d'introduire le récit de Perpétue par οὕτως εἰποῦσα (2, 3). Au brutal *dictauit,* le grec répond par le banal ὑπηγόρευσεν[1]. Là où le latin note seulement que Perpétue se plaît à allaiter son enfant, le grec précise, logiquement, qu'il lui a été apporté[2]. On retrouve la même lourdeur dans la demande de vision, ou dans le coup de verge donné au père, qui est copieusement expliqué en grec[3]. L'amour que le père de Perpétue porte à sa fille se généralise en l'affection naturelle des parents[4]. De même, dans le récit de Saturus, l'exclamation elliptique et familière : «Vt uos ad pedes nobis mittatis?» devient en grec une interrogation en forme, encore précisée par l'emploi de l'aoriste[5]. On pourrait multiplier les exemples. La correction et la «manière» explicative du rédacteur grec sentent la traduction[6].

Il ressort de ces exemples que les gloses et explications, souvent oiseuses, sont, comme les lacunes, réparties

---

1. 3, 5. Le texte grec précise aussi *ab aqua* par τοῦ βαπτίσματος.

2. 3, 8 : καὶ τὸ βρέφος ἠνέχθη πρός με.

3. 4, 1 : *tanta ut postules uisionem et ostendatur* devient τοσαύτη οὖσα ὡς εἰ αἰτήσειας ὀπτασίας, ὀπτασίαν λάβοις ἄν (voir aussi 4, 7; 5, 2); 6, 5 : *uirga percussus est* devient προσέτι δὲ καὶ τῇ ῥάβδῳ τῶν δορυφόρων τις ἐτύπτησεν αὐτόν.

4. 5, 5 : *pro sua pietate* devient κατὰ τὴν τῶν γονέων εὔνοιαν. Voir aussi 7, 9; 7, 10; 10, 1.

5. 13, 3 : Ἵνα τί οὕτως προσεπέσατε τοῖς ἡμετέροις ποσίν.

6. Voir 15, 2; 15, 5; 17, 1; 18, 3; 20, 3.

à travers tout le texte grec. Ce trait lui confère – on l'a remarqué – une plus grande uniformité de style qu'à la *Passion* latine. Le traducteur grec a perçu les ellipses qui rendaient le récit abrupt et même incohérent et il a jugé bon de l'éclairer. En revanche, il témoigne d'un grand embarras devant la traduction des termes techniques, dont il ne donne, le plus souvent que des équivalents lointains et assez plats, quand il ne les ignore pas totalement. Il n'en faut pour exemple que la traduction vague des termes *optio, cataractariorum,* et surtout de l'expression *in neruo,* que le grec rend phonétiquement par ἐν νέρϐῳ. On peut y joindre aussi l'étrange traduction qui correspond à *uiui arserunt*[1].

Tout démontre donc que le traducteur a eu sous les yeux un texte disparate, mais entièrement latin. Les différences rythmiques que A. Fridh a constatées dans la vision de Saturus soulignent l'originalité de ce style, mais ne paraissent pas un indice suffisant pour permettre d'affirmer que le passage a été primitivement écrit en grec. Un pareil jugement se trouve encore démenti par les interprétations fautives que comporte le récit de Saturus, comme le reste de la *Passion*.

d. Les passages fautifs.

E. Rupprecht a donné un état détaillé des divergences révélatrices entre les deux versions[2]. Nous ne repren-

---

1. Le texte grec reflète une particulière méconnaissance des termes suivants : 3, 1 : *prosecutores, urceolum* || 3, 6 : *concussurae* || 4, 1 : *commeatus* || 8, 1 : *in neruo* || 9, 1 : *optio* || 10, 8 : *lanista* || 10, 12 : *psallere* || 11, 7 : *uiridiarium* || 13, 1 : *presbyterum doctorem* || 13, 6 : *factionibus* || 15, 5 : *cataractariorum* || 16, 1 : *fideicommissum* || 19, 1 : *in commissione;* etc. Sur la correspondance entre *arserunt* et χρεμασθέντας (11, 9) voir le Commentaire.

2. E. Rupprecht, «Bemerkungen zur *Passio Perpetuae et Felicitatis*».

drons ici que les exemples les moins discutables. Que le style rhétorique de la Préface ait été quelque peu modifié dans la version grecque, cela est explicable[1]. Mais une divergence qui ressemble à un contresens se présente à propos de la sortie de Dinocrate du *locus tenebrosus*. C'est lui qui, en latin, est «brûlant et assoiffé» : *aestuantem ualde et sitientem*. Le traducteur, en dépit du contexte, comprend que ce sont les nombreux habitants du «lieu ténébreux» qui ont chaud et soif : καυματιζόμενοι καὶ διψῶντες. Quant à la blessure au visage, il ne sait comment la situer dans le temps, celui de la vie ou celui de la mort[2].

Le terme *discincta*, «sans ceinture», qui revient à plusieurs reprises dans la vision de Perpétue, déconcerte le traducteur grec[3]. En effet, la tunique se porte habituellement bouffante autour de la ceinture, περιεζωσμένος. On ne voit guère pourquoi, si la version latine n'était pas l'original, un traducteur latin aurait modifié la leçon attendue. En réalité, la tunique flottante fait partie de l'imagerie du songe. Perpétue imagine ses apparitions dans la tenue que revêtent dans l'iconographie les orants et les êtres de l'au-delà. Le sens du terme est d'ailleurs précisé au moment où, à la demande de la foule horrifiée, les jeunes femmes sont ramenées, vêtues, *discinctis*[4]. Une tunique ceinturée serait absurde dans un vêtement destiné à dissimuler les formes.

Un autre détail vestimentaire n'est pas sans importance.

---

1. On explique généralement ces changements par le souci du traducteur grec d'atténuer le pneumatisme trop accentué de la version latine. Voir le Commentaire.

2. 7, 4 : περιὸν ἔτι ὅπερ τελευτῶν εἶχεν. Sur ce passage contesté, voir le Commentaire.

3. *Discincta* et *discinctatus* sont traduits successivement par περιεζωσμένος (10, 2) et διεζωσμένος (10, 8).

4. 20, 3 : grec ὑποζώσμασιν.

Il s'agit de l'ornementation discutée de la tunique de l'arbitre, «purpuram inter duos clauos per medium pectus habens» (10, 8). Le vêtement habituel du *lanista* porte bien deux bandes de pourpre qui partent des épaules[1]. Le traducteur grec, et bien d'autres après lui, comprennent, d'après *inter*, que l'arbitre porte également une tache de pourpre sur la poitrine[2]. De fait, il suffit, en ce style oral et familier, de donner à *inter* le sens de «à l'intérieur de»; les deux bandes se trouvent alors sensiblement au milieu de la poitrine.

Des «erreurs» de traduction analogues se trouvent aussi dans la vision de Saturus. Lors de l'ascension, le grec ignore la redondance pleine d'allitérations : «supini sursum uersi[3]». L'arrivée en paradis se fait, en latin, par une avenue, le *stadium*, qui offre une large voie d'accès, *uia lata*. Le grec propose simplement ὁδὸν λαβόντες, ce qui, en dépit d'A. Fridh, constitue bel et bien une lecture hâtive et un contresens, *uia lata* étant pris pour un ablatif absolu. Mais la divergence essentielle concerne les anges. Dans la version latine, quatre anges encadrent les martyrs dans leur ascension, puis quatre anges, «plus beaux que les autres», les accueillent en paradis. Dans la version grecque, les deux groupes d'anges se réduisent à un seul, celui des anges porteurs[4]. Cette pénurie d'anges en paradis

---

1. Voir J.C. GOLWIN et C. LAUDES, *Amphithéâtres et gladiateurs*, Paris 1990, p. 53.

2. 10, 8 : οὐ μόνον ἐκ τῶν δύο ὤμων τὴν πορφύραν, ἀλλὰ καὶ ἀνὰ μέσον ἐπὶ τοῦ στήθους. De même, les sandales *multiformes* deviennent en grec ποικίλα, de couleurs variées; le rameau vert symbolique (10, 8) passe absurdement au pluriel en grec, tandis que les beaux jeunes gens qui soutiennent Perpétue (10, 6) sont remplacés en grec par un jeune homme unique, image du Christ ou de l'ange gardien.

3. 11, 3 platement traduit par εἰς τὰ ἀνωτέρα.

4. 11, 7. Cette réduction du nombre des anges rend l'expression comparative ἀλλήλων ἐνδοξότεροι assez dénuée de sens, encore que l'adjectif ἔνδοξος soit celui qui est employé en pareil cas par le *Pasteur*

est peu vraisemblable dans une vision si manifestement inspirée de l'*Apocalypse*.

De même, la version grecque oublie la formule d'accueil en paradis : «Ecce sunt, ecce sunt», et considère que les martyrs à leur arrivée sont saisis d'effroi et d'admiration[1]. Le manuscrit *A* attribue, lui, l'admiration aux anges qui accueillent glorieusement les martyrs, ce qui est bien conforme à l'orgueil qu'éprouve Saturus. L'accueil du Seigneur s'exprime, en latin, par un geste mystérieux : «de manu sua traiecit nobis in faciem», dont le style affectif et familier évoque une caresse du visage. Le grec est plus clair mais plus décevant : «Il nous caressa le visage de la main[2].» Enfin, la richesse sémantique des termes *ludite* et *hilaris* ne se réduit pas au grec χαίρεσθε et μετὰ χαρᾶς γίγνεσθαι[3].

Le reste du récit du rédacteur comporte aussi plusieurs

---

d'Hermas (*Vis.* 3, 3, 5; 4, 1, 3; *Sim.* 7, 1); il appartient aussi au vocabulaire de la Septante (*Dan.* 3, 45). Mais comment croire, avec A. FRIDH (*Le problème de la Passion...*, p. 63), que ces «nouveaux anges» ont été introduits par méprise dans la version latine?

1. 11, 7 : πτοουμένους δὲ ἡμᾶς καὶ θαυμάζοντας, proche des manuscrits *B* et *C* (*expauescentes cum admiratione*). *A* donne *cum admiratione. Et expauescentes.* En dépit de A. Fridh, la ponctuation adoptée par C. van Beek paraît tout à fait judicieuse.

2. 12, 5 ; τῇ χειρὶ περιέλαβεν τὰς ὄψεις. F. DOLGER, «Antike Parallelen zum leidenden Dinocrates...», p. 208, propose : «il nous caressa le visage de la main», mais περιέλαβεν signifie habituellement «embrasser». Comme l'a pensé J.A. Robinson, la référence à *Apoc.* 7, 17, paraît certaine. Sur le geste lui-même, voir le Commentaire. F. Dölger cite PLINE, *Pan.* 24, 2, où le souverain se contente de rendre le baiser de la main.

3. 12, 7. Voir le Commentaire. De même (13, 6) le traducteur grec oublie l'image incisive et presque vulgaire des fidèles qui se querellent comme des parieurs. En 13, 8 il fait un véritable contresens sur l'image du parfum rassasiant.

passages fautifs[1]. Contentons-nous du plus caractéristique.
L'exclamation que la foule jette à Saturus, couvert de
sang, «Saluum lotum, saluum lotum» (21, 2) est celle
qui figure sur les établissements de bains, en Afrique
même[2]. C'est apparemment, le souhait que l'on adresse
aux baigneurs qui sortent. Mais l'adjectif *saluus* exprime
également le salut. Par cette exclamation, de type ominal,
la foule se fait, sans le savoir, l'interprète de la *uox Dei*.
Rien de tel en grec, où l'exclamation «Tu as pris un bon
bain», ignore la «pointe» du rédacteur latin, tandis que
l'aoriste achève de la priver de toute valeur ominale[3].

Ainsi donc, aussi bien la vision de Saturus que tout le
reste de la *Passion* présente en grec un texte souvent
tronqué, plus plat que le texte latin, avec de nombreux
traits qui dénoncent la traduction et même le contresens.

La confrontation des différentes parties de la *Passion*
paraît concluante. Les nombreuses lacunes que comporte
le manuscrit grec suffiraient à prouver qu'il n'est pas l'original. On ne peut pas non plus soutenir raisonnablement
que l'original á été totalement ou partiellement écrit en
grec[4]. La *Passion* grecque présente, en effet, tous les

---

1. Par exemple 18, 2, passage délicat, où le grec adopte la *lectio
facilior,* tout à fait plate, qui coïncide d'ailleurs avec la leçon du
manuscrit *E.* 18, 3 : la formule *ab obstetrice ad retiarium* est affadie en
grec par l'emploi de l'abstrait πρὸς μονομαχίαν. 19, 5 : l'accentuation
de la phrase est déplacée du gladiateur *(qui illum apro subligauerat)*
au martyr (σχοινίῳ προσδεθείς).

2. L'inscription *saluum lotum* se trouve sur les thermes de Brescia
et de Timgad.

3. Καλῶς ἐλούσω.

4. A. FRIDH, (*Le problème de la Passion...,* p. 64) ne parvient à soutenir l'hypothèse d'une rédaction grecque de la vision de Saturus qu'à
coups de conjectures et de corruptions supposées du manuscrit latin.
Ainsi, pour établir une correspondance avec le grec σπλαγχνισθέντες,
suppose-t-il (13, 4) que le latin *et moti sumus* n'est qu'une corruption

caractères d'une traduction, rédigée en un style plus uni-
forme et plus littéraire que le texte latin. On n'y trouve
pas de ces «vulgarismes de frappe populaire» que mentionne R. Braun[1]. Le vocabulaire est peu original, mais
plus varié : ainsi le rédacteur fournit-il du verbe *refrigerare* diverses traductions[2]. Il se montre soucieux de
clarté, et même d'élégance syntaxique, mais il est peu
sensible aux images[3]. Son style trahit le clerc, car les
termes empruntés au vocabulaire de la Septante sont
légion et font l'objet d'un choix, fût-ce au prix d'une
inexactitude[4].

Une conclusion s'impose : le manuscrit latin *A,* qui
passe à juste titre pour le meilleur manuscrit, est aussi
le plus éloigné du manuscrit grec *H.* Il est donc fort peu
probable que ce soit ce texte que le traducteur grec ait

---

de *miserti sumus.* Sur d'autres conjectures, voir p. 57, n. 3; 62, n. 4; 63,
n. 1. De son côté, R. PETRAGLIO («Des influences de l'*Apocalypse* dans
la *Passio Perpetuae* 11-13») note que les termes grecs qu'emploie Saturus
diffèrent de ceux de l'*Apocalypse,* ce qui serait surprenant si cette vision
avait été directement rédigée en grec.

1. R. BRAUN, «Nouvelles observations linguistiques sur le rédacteur
de la 'Passio Perpetuae'», en part. p. 108.

2. *Refrigerare* possède en latin des harmoniques qui vont du simple
rafraîchissement aux joies célestes du *refrigerium* : voir le Commentaire.
Le grec en fournit des équivalents multiples et assourdis : 3, 5 : ἤσθην ‖
3, 8 : τότε ἀναπνοῆς ἐτύχομεν ‖ 8, 1 : ἀναψύχοντα ‖ 9, 2 : διὰ τῶν...
παραμυθιῶν παρηγορεῖσθαι ‖ 13, 5 : ἀναφύξαι ‖ 16, 3 : ἀναλαμβάνειν.

3. 3, 1 : *euertere* devient πείθειν ‖ 3, 6 : *macerabar,* κατεπονούμην ‖
3, 8 : *inhaerent,* σπαραχθῇ ‖ 3, 14 : *uexauit,* κράξας ‖ 4, 8 : *spatium
immensum horti,* κῆπον μέγιστον ‖ 10, 7 : *defricare,* ἀλείφειν ‖ 12, 7 :
ludite, χαίρεσθε.

4. Par exemple, 17, 1 : *contestantes,* «attestant», est traduit par ἀνθομολογούμενοι verbe d'actions de grâces dans *I Esdr.* 8, 88; *Ps.* 78, 13;
III Mac. 6, 33; *Lc* 2, 38; etc. ~ Dans une communication récente,
H. Petersmann a suggéré que la version grecque était celle de l'Église
officielle, la version latine celle de la lecture publique. Cette thèse inté-
ressante tient compte de l'opposition stylistique entre les deux versions,
mais n'explique pas suffisamment les contresens du texte grec.

eu sous les yeux. En revanche, certaines lacunes, ou certaines leçons, coïncident, nous l'avons signalé, avec les manuscrits latins *B C E,* et particulièrement avec le manuscrit *B.* Il ne semble donc pas trop aventuré d'en déduire que le manuscrit *H* s'inspire d'un archétype disparu, d'où sont également issus les manuscrits *B C E.* Cet archétype, de moindre valeur que *A,* pourrait être à l'origine des nombreuses lacunes du texte grec.

Notons enfin que, si le texte latin présente tous les caractères d'une relation prise sur le vif, le grec adopte souvent un style hagiographique, béatifiant les martyrs que le texte latin se contente de nommer. Or, l'hagiographie implique une certaine distance par rapport aux événements. L'auteur latin mentionne le procurateur Hilarianus comme un personnage connu de tous, la formulation grecque est plus imprécise[1]. De tous ces indices, on peut conclure que la traduction grecque est quelque peu postérieure à la *Passion* latine, sans qu'il soit pour autant possible de préciser sa datation.

---

1. 6, 3; Ἱλαριανός τις ἐπίτροπος, ce qui suggère que le nom ne disait plus grand chose aux auditeurs.

CHAPITRE V

LES AUTEURS

On s'accorde aujourd'hui à reconnaître à la *Passion* latine au moins trois auteurs différents : la Préface et le récit du martyre relèvent d'un ou deux rédacteurs ; le « journal » de Perpétue et la vision de Saturus ont été, comme on nous le dit, écrits de la main même des martyrs. Il n'y a pas de véritable raison d'en douter, ainsi que le montre l'analyse de leurs songes. Cependant, on a parfois soutenu que les « notes » de Perpétue et de Saturus avaient été arrangées par le rédacteur[1].

1. L'auteur de la Préface

A peu près tous les travaux les plus récents repoussent l'hypothèse, longtemps admise, qui faisait de Tertullien le rédacteur de la *Passion*[2]. R. Braun a montré à quel

---

1. Comme le pense par exemple J. FONTAINE, qui croit à différents niveaux de rédaction (*Aspects et problèmes...*, p. 72 s.). Cette opinion est aussi reflétée dans l'article « Perpétue et Félicité » (H. Leclercq) du *DACL* (14[1], c. 395).

2. Hypothèse admise encore, sans contrôle, par des ouvrages destinés au grand public, à la suite de P. Monceaux et de P. de Labriolle. La thèse de l'auteur unique, montaniste, avait été soutenue par B. AUBÉ, *Les chrétiens dans l'Empire romain...*, Paris 1881, p. 510-515.

point le vocabulaire était étranger à Tertullien et combien ce style chaotique était indigne du prestigieux prosateur[1]. De son côté, à la suite d'une minutieuse étude stylistique, J. Fontaine conclut : « L'impression qu'on en retire... est celle d'une œuvre écrite par un demi-lettré qui s'efforce de faire œuvre littéraire à la manière des écrivains sacrés[2]. »

L'attribution à Tertullien se heurtait d'ailleurs à une invraisemblance. Comment, s'il était l'auteur de la *Passion,* l'aurait-il citée, inexactement, dans le *De anima*[3]? Cette attribution reposait essentiellement sur le climat de pneumatisme et la citation des *Actes* à propos de l'esprit de prophétie (1, 4). Il est certain que ce passage est un de ceux que Tertullien se plaît le mieux à commenter et que la citation elle-même, formulée différemment de la Vulgate, est, en revanche, toute proche de celle de Tertullien[4]. De fait, ce rapprochement s'explique suffisamment par une référence commune à une même *Vetus Latina* africaine, sans compter que la citation peut fort bien avoir été faite de mémoire. Tertullien lui-même se soucie rarement de citer exactement le passage qu'il commente.

---

1. R. BRAUN, « Tertullien est-il le rédacteur de la 'Passio Perpetuae' ? » et « Nouvelles observations linguistiques... » constate que le lexique est nettement plus « vulgarisant » que celui de Tertullien. Il fait le point (p. 106, n. 3) des attributions faites par la critique, qui vont de Tertullien lui-même à un clerc de son entourage.

2. J. FONTAINE, *Aspects et problèmes...,* p. 75.

3. TERT. (*An.* 55, 4) rapporte à Perpétue un détail de la vision de Saturus, démontrant qu'il n'y a que des martyrs en paradis.

4. TERT., *Marc.* 5, 4, 4 ; 8, 6 ; 17, 4 ; *Res.* 10, 2 ; *An.* 47, 2. La parenté des textes a déjà été soulignée par P. MONCEAUX, *Histoire littéraire...,* t. 1, p. 114. Les deux auteurs intervertissent les versets de la Vulgate. De plus, la formule *filii filiaeque eorum* remplace *filii uestri et filiae uestrae,* texte de la Vulgate. Le traducteur grec corrige la citation en ce sens. La référence elle-même était manifestement assez courante : on la trouve aussi dans les *Acta Petri.*

D'emblée, le style de la Préface surprend : ce «demi-lettré» ose des néologismes, sans doute de frappe populaire, comme *nouitiora* et *nouissimiora*. Des tentatives de rhétorique et un ton emphatique s'unissent pour créer un impression de lourdeur et de gaucherie. L'auteur s'essaie à un certain mimétisme biblique[1]. Ce souci contraste avec les périodes rhétoriques, d'allure cicéronienne, lourdement charpentées et scandées par les figures binaires et les assonances, comme *testificantia et... operantia, honoretur et... confortetur*[2].

Le style composite de la Préface élimine donc Tertullien lui-même, mais il pourrait être le fait d'un disciple. Ce pneumatisme ardent coïncide avec celui de la communauté qui entoure Tertullien. Celle-ci est attentive à l'effusion de l'Esprit de Pentecôte, qui succède à la venue du Christ et, comme la sainte femme du *De anima*, vit dans l'attente des songes inspirés. Si Tertullien étaie sa prédication par des exemples de la *Passion,* c'est qu'il est en plein accord avec l'esprit qui l'anime. Mais peut-être est-ce faire un pas de trop que de parler de montanisme[3]. R. Braun a fait une suggestion séduisante : le rédacteur, qui a reçu «mission» de la bouche même de Perpétue, ne peut être qu'un membre de son entourage, par exemple le diacre Pomponius, qui veille sur Perpétue incarcérée et dont la culture biblique et profane pourrait correspondre à cette étonnante Préface.

J.A. Robinson avait déjà noté que le traducteur grec

---

1. Surtout dans le vocabulaire. J. FONTAINE (*Aspects et problèmes...*, p. 75 s.) note le tour *instrumentum ecclesiae, uirtutes* au sens de «puissances spirituelles» et de nombreux hébraïsmes de style.

2. 1, 1 : ou encore, 1, 5 : *agnoscimus et honoramus; et digerimus et... celebramus; non credentibus... credentibus.* J. FONTAINE (*Ibid.,* p. 80) écrit : «C'est une sorte d'irruption désordonnée du pneumatisme juif et chrétien dans l'équilibre rationnel de la phrase oratoire antique.»

3. Voir p. 38.

adoucissait l'expression du pneumatisme : il oublie la mention des prophéties et visions à venir «pareillement promises» par l'Esprit-Saint et présente indistinctement «tous les autres pouvoirs» comme ceux par lesquels l'Esprit dirige habituellement l'Église; la traduction est pareillement infléchie en cours de récit : elle édulcore la formule rhétorique *permisit et permittendo uoluit* en la rendant par le seul mot grec ἐπέτρεψεν[1]. De tels infléchissements semblent indiquer que, pour un clerc d'obédience orthodoxe, la hardiesse de ce pneumatisme pouvait paraître dangereusement proche de celui de Tertullien.

2. Le récit de Perpétue

Le contraste stylistique avec la Préface est frappant. J. Fontaine a parlé de «style linéaire[2]». Fioritures et fausses symétries ont disparu. Il n'y a aucune raison de refuser l'affirmation du rédacteur et de ne pas voir, en ce nouvel auteur, Perpétue elle-même. L'existence de «notes» de la main de Perpétue n'a jamais été sérieusement mise en doute, mais on a souvent pensé à un récit corrigé, par exemple par Saturus, pour des raisons littéraires. Il est vrai que les études de Perpétue, si cultivée qu'elle ait été, n'ont sans doute pas été aussi poussées que celles d'un garçon. Mais c'est là, peut-être, la clé de son style répétitif et plein de «chevilles», qui paraît l'expression même du *sermo cotidianus* africain. Le vocabulaire est peu varié : les mêmes mots reviennent comme des leitmotive[3]. On y rencontre des mots fami-

---

1. 16, 1. De même, la mention de l'indignité du rédacteur reste très générale.

2. J. Fontaine, *Ibid.*, p. 88.

3. Par exemple, *deicere* (3, 1; 5, 1; 6, 5; 18, 2); *refrigerare* (3, 4; 3, 7; 8, 1; 9, 1; 13, 5; 16, 3; 16, 4); *calcare* (4, 7; 10, 11; 18, 7);

liers, comme *urceolum* ou *fabulari* et aussi des acceptions qui sont des tours de la langue orale ou déjà pré-
romane[1]. Les termes grecs eux-mêmes, qui parsèment le
récit de Perpétue, semblent être le reflet de la langue
hybride parlée en Afrique de son temps[2].

Les tours sont souvent peu originaux. Le lecteur peut
être déconcerté par la platitude de la formule, maintes
fois répétée, *mirae magnitudinis*[3]. Mais peut-être faut-il
attribuer cette banalité à un parti pris de simplicité et à
un choix conscient du style oral. De façon analogue,
dans la *Princesse de Clèves,* Mme de La Fayette privilégie
les superlatifs plats. Chez Perpétue, ce souci se confond
avec celui de la simplicité biblique. Style oral et style
hébraïque s'unissent dans une syntaxe toute proche de
la parataxe, le plus souvent réduite à la coordination[4].
La tonalité biblique confère ainsi aux phrases familières
la noblesse de versets. Par ses répétitions mêmes, sans

---

experior est largement utilisé, chaque songe s'achève par la formule
experta sum.

1. *Vrceolum* (3, 1) : voir PÉTRONE, *Sat.* 45, 5; *fabulari* (1, 3) : voir
TÉRENCE, *Phormio* 654; *bucella* (4, 9) : voir MARTIAL 6, 75, 3. Sur les
acceptions préromanes, comme celle de *carnes,* voir J. FONTAINE, *Ibid.,*
p. 88-89. Parmi les tours tardifs, on peut noter *emissi* (3, 7), au sens
de «laisser aller»; *mittit se* (3, 3), «s'élancer»; *uictus cum* (3, 3);
l'emploi constant de l'ablatif en lieu et place de l'accusatif de durée,
l'emploi prépositif et postposé de *beneficio.* Il arrive que le vocabulaire ou la syntaxe soit corrigée dans certains manuscrits. Ainsi, l'expression *praestare insidias* de *A* (4, 4) est corrigée en *parare insidias,*
tour classique dans *B C D; basians* (5, 5) devient *osculans* dans *D E*
et s'atténue encore dans le grec κατεφίλει.

2. Le grec était d'autant plus vivant, on l'a souligné, que la liturgie
était souvent célébrée en cette langue, encore que la liturgie latine
semble s'être répandue de bonne heure en Afrique.

3. 1, 4; 1, 8; 10, 8. Cette répétition choque sans doute le traducteur
grec : il ne la respecte pas. Cependant, l'expression se trouve couramment, par exemple chez PLINE 1, 8, 24 ou TITE-LIVE 21, 22, 8.

4. Ce pourrait être la reprise d'un procédé biblique; lui-même hérité
de l'énoncé hébraïque.

recherche apparente, Perpétue obtient des effets litaniques
que ne désavouerait pas un Péguy[1]. De plus, ce style,
pauvre en adjectifs, est riche en verbes imagés[2].

La description de l'échelle d'airain, avec sa reprise inat-
tendue *et angustam,* procède moins de la logique que
de forces émotionnelles. Ne percevant pas le sens de cet
ordre chaotique, le traducteur grec préfère couper la
phrase[3]. Mais cette *uisio* rationnelle devient alors
beaucoup moins proche de l'expression vive de phénomènes oniriques.

Toute rhétorique n'est pourtant pas absente du style
de Perpétue. Celle-ci apparaît surtout dans la bouche de
son père, dont les supplications relèvent des procédés
de la *miseratio* cicéronienne[4]. On songe à une prière
revue et corrigée par un clerc. Mais il est fort possible
que le père de Perpétue, en homme cultivé et de tem-
pérament quelque peu théâtral – il se jette aux pieds de
sa fille –, ait emprunté spontanément le langage du discours judiciaire. Cela ne pouvait qu'influencer favora-
blement le magistrat. Cette *miseratio* oratoire contraste
avec la brièveté de l'interrogatoire lui-même, dont Perpétue n'a retenu que l'essentiel.

---

1. Par exemple, avec la répétition *calcarem, calcaui* (4, 8), gommée
par le grec ἐπιβῆναι, ἐπάτησα. Le même martèlement intensif de l'image
se retrouve encore dans la reprise *tabescebam, tabescere* (3, 8); *ascendentibus, ascendit* (4, 5); *doluit, dolui* (6, 6).

2. *Tabescere* (note précédente), *deicere, laniare, inhaerere, macerare,
defricare,* etc.

3. Il ignore aussi le présent intemporel *uideo.*

4. 5, 3 : reprise ternaire de l'injonction *aspice,* enrichie d'assonances
et d'allitérations, *matrem tuam et materteram.* J. DEN BOEFT et J. BREMMER
(« *Notiunculae martyrologicae 2*», spécialement p. 388) notent que les
termes sont ceux de la formulation traditionnelle de la prière, telle
qu'on la trouve chez les poètes et particulièrement chez Virgile. Il paraît
pourtant excessif d'en déduire que Vibius s'adresse à sa fille comme à
une déesse.

Il est superflu de souligner à nouveau le caractère personnel de ses visions, où se mêlent images vécues et images scripturaires, à la lumière d'une interprétation symbolique qui paraît toujours refléter un onirisme authentique. Tout tend donc à prouver l'originalité du récit de Perpétue, dans ses banalités et ses incohérences mêmes. On ne peut évidemment écarter l'hypothèse que quelqu'un, Saturus peut-être, ait pu apporter sa contribution à la rédaction, en y introduisant, par exemple, une certaine stylisation biblique. Mais fallait-il vraiment améliorer cette rédaction?

3. Le récit de Saturus

Pour ce récit également, on a parfois suggéré plusieurs couches de rédaction[1]. La démonstration inverse est impossible. Il faut se contenter de confronter la «manière» de Saturus et celle de Perpétue. Les souvenirs apocalyptiques sont plus précis dans la vision de Saturus que dans l'imaginaire, toujours un peu symbolique, de Perpétue : cependant, le style présente une indéniable parenté : même procédé de récitatif, reposant sur la copule[2]. Mais le vocabulaire est plus recherché, les phrases sont plus longues et plus orchestrées. Saturus a, lui aussi, quelques «chevilles» de style, mais ce ne sont pas les

---

1. J. FONTAINE (*Aspects et problèmes...*, p. 87) écarte, comme faisant trop bon marché de la critique biblique, l'acceptation de ces textes «comme un document brut et authentique» et suggère un passage de la relation orale à la plume du rédacteur puis à celle d'un remanieur-éditeur.

2. R. PACIORKOWSKI («L'héroïsme religieux...») établit la proportion des copules dans les deux récits. Elle ne diffère guère.

mêmes que celles de Perpétue[1]. Compte tenu de quelques tours familiers ou tardifs, il y a moins de «vulgarismes» que dans la langue de la jeune femme[2].

De façon générale, Saturus prétend à une expression littéraire, parfois pompeuse, que ne recherche pas Perpétue. Son style est bien celui d'un catéchiste et d'un homme frotté de philosophie. Son expression *de carne exire* est celle dont se servira couramment Cyprien[3]. La formule *liberato primo mundo* ne peut qu'évoquer la cosmographie antique[4]. Apocalyptique ou pythagorisante, l'évocation que fait Saturus de cette lente ascension des âmes, accompagnées et non portées par les anges, a des relents de platonisme, tels qu'on pouvait en trouver chez un homme d'une certaine culture.

La langue de Saturus est généralement plus riche et plus précise que celle de Perpétue. Au terme vague *hortus,* il substitue celui de *uiridiarium,* ou parc, traversé d'une large avenue, le *stadium*[5]. En revanche, il n'a pas la richesse imaginative de la jeune femme et se plaît aux images non plus symboliques mais comparatives, parce

---

1. Par exemple, *sine cessatione* (11, 6; 12, 2), souvenir de l'*Apocalypse* (4, 8); *cum admiratione* (11, 7; 12, 5); ces répétitions peuvent être des effets de style conscients, comme *ibi* (11, 7; 11, 9), qui souligne les beautés du paradis. Il faut noter aussi, à la suite de A. FRIDH (*Le problème de la Passion...),* la spécificité des clausules métriques.

2. Cependant le tour *factum est nobis spatium...* est de type oral; la construction du verbe *uestire* avec un double accusatif (12, 1) est un trait de langue tardive: JÉRÔME, *Tr. 1 in Psalmis* 155, 25; *Jon.* 3, 9: *uestierunt se cilicia* (Lucifer de Cagliari).

3. 11, 2: *exiuimus;* 11, 9: *exierat.* Voir CYPRIEN, *Mort.* 19.

4. 11, 4. Le verbe *liberare* à époque postclassique signifie bien «franchir» mais il conserve une nuance étymologique de «libération». Sur le «premier monde», voir p. 44 et le Commentaire.

5. 11, 8. Le sens particulier du terme *stadium* est confirmé par TERTULLIEN (*Cor.* 4, 3 et *Mart.* 2, 9). Le grec σταδίον ne semble pas correspondre ici à cette acception, bien qu'on la rencontre dans la Septante (*Dan.* 13, 37: κυκλοῦντες τὸ στάδιον), associée au terme παράδεισος.

qu'elles ne lui paraissent que de faibles références pour exprimer l'inexprimable. Aussi, utilise-t-il abondamment *quasi*, ou *in modum*, moins par faiblesse de style que par scrupule de voyant[1].

Certes, il a des formules bien proches de celles de Perpétue. Celle-ci voit le paradis comme *spatium immensum horti* (4, 8) et Saturus comme *spatium grande* (11, 5). L'apparition divine est rapportée par Saturus dans des termes si semblables à ceux de Perpétue qu'on pense à une réminiscence : « in medio sedentem hominem canum » (4, 8 : Perpétue) et « in eodem loco sedentem quasi hominem canum » (12, 3 : Saturus). Mais il s'agit d'un souvenir de l'*Apocalypse* et du livre de *Daniel,* que Saturus cite d'ailleurs plus exactement : si la ressemblance est troublante, elle n'implique pas forcément remaniement et identité du rédacteur. Les martyrs se sont certainement raconté leurs songes et ces images essentielles ont pu se graver dans leur mémoire, sans qu'on puisse savoir lequel des deux songeurs a influencé l'autre.

Ainsi donc, la parenté de style entre Perpétue et Saturus n'implique pas similitude. Il n'est pas impossible que Saturus ait aidé Perpétue à rédiger ou que Perpétue ait imité un récit déjà rédigé par Saturus. Il n'en reste pas moins qu'ils ont l'un et l'autre des imaginaires profondément différents, comme le montrent leurs visions. Elles se réfèrent donc à deux récits originaux.

4. Le récit du martyre

Ce récit n'a pu être fait que par un contemporain, et même un témoin oculaire. Le style, lui aussi, porte la

---

1. *Quasi :* 11, 4; 11, 5; 12, 3; 13, 7; *in modum :* 11, 6; etc.

marque du temps[1]. Le rédacteur s'attache à plus de
recherche que Perpétue et Saturus. Il aime les périphrases,
comme *orationem fuderunt* (15, 4); il affectionne les
gérondifs, tout à fait absents du style des martyrs[2]. Surtout,
il se plaît aux doublets cicéroniens, riches en allitérations
et en assonances[3]. Ce lettré a le goût des antithèses et
même de «pointes» qu'Apulée n'aurait pas désavouées.
Elles sont comme un écho amplifié des *noxiis nobilis-*
simis de Perpétue (16, 3): «horruit et erubuit», ou
«agnouit iniustitia iustitiam», ou encore «pudoris potius
memor quam doloris»[4]. Il y a probablement une recherche
dans l'expression *matrona Christi* (18, 2), qui consacre
l'accession au rang le plus élevé de celle qui était déjà
matronaliter nupta (2, 1). Aussi l'ambiguïté ominale ne
fait-elle aucun doute dans la façon dont le rédacteur latin
met en relief le *saluum lotum*[5].

Le récit du martyre est donc le fait d'un lettré, adepte
des *ioci uerborum* et illustrant, à la manière d'Apulée,
un certain «baroque» africain. De ce maniérisme, nulle
trace dans le manuscrit grec, où presque tous les jeux
de mots demeurent lettre morte. De plus, le rédacteur
latin est fort capable de bâtir une phrase aux membres
parallèles, dans le goût de la pure rhétorique classique:
«Gladium tamen etsi non anima, certe caro eius agnouit»

---

1. Par exemple, 14, 2: *lucrari* au sens d'«échapper à», comme chez
Apulée et Cyprien, *Mort.* 15 (sens méconnu par le traducteur grec);
19, 1: emploi de *quis* en lieu et place de *quisque*.

2. Par exemple, 16, 1; 16, 4; etc.

3. 15, 2; «sanctum et innocentem sanguinem»; «conturbent et
confirment» || 15, 3: «conmartyres grauiter contristabantur» || 17, 1:
«concurrentium curiositate»; etc.

4. 16, 4; 18, 6; 20, 2. Certains manuscrits et beaucoup d'éditeurs ont
hésité devant la reprise *castigatius ... castigaret* (16, 2), redondance qui
correspond bien à la manière oratoire du scripteur, comme la reprise
a sanguine ad sanguinem (18, 3).

5. Voir p. 64. L'ambiguïté échappe au traducteur grec.

(14, 3). Il sait aussi lancer de véritables envolées lyriques : «Quoniam ergo permisit et permittendo uoluit Spiritus Sanctus» (16, 1).

Mais ce sont là des recherches ponctuelles; le récit lui-même est simple et fidèle. Les dialogues des martyrs sont manifestement cités d'après des notes : on retrouve, dans la bouche de Perpétue, son verbe favori *refrigerare* et l'ironie mordante de sa remarque au tribun est bien dans son caractère (16, 3). Le rédacteur semble effectivement se comporter en «mandataire» de Perpétue[1]. Ce style, à la fois simple et maniéré, ne saurait pas plus être attribué à Tertullien que celui de la Préface.

5. La conclusion

On pourrait presque parler de péroraison. Ce morceau est manifestement de la même main que la Préface. Il renoue avec un style oratoire lourdement charpenté : même emploi de l'intensif *testificor; honoretur* est repris par *honorificat*[2]. Aux interrogations de la Préface répondent des exclamations et des figures enrichies d'assonances[3]. L'accent est mis encore sur les «nouveaux» exemples de foi inspirés par l'Esprit-Saint. Comme la Préface, cette conclusion présente donc une apparence de montanisme, ou du moins de pneumatisme, qui ne se manifestait pas dans le corps du récit. L'auteur pourrait être un clerc de l'entourage de Tertullien. Le traducteur grec, un peu plus tard, a jugé bon de supprimer ces allusions suspectes.

---

1. Sur le terme *fideicommissum* (16, 1), voir le Commentaire.

2. 1, 1 et 21, 11. De même, l'expression «ad instrumentum ecclesiae» est reprise, de façon plus courante il est vrai, par «ad aedificationem ecclesiae».

3. 21, 11 : «magnificat et honorificat et adorat».

Une question se pose : mis à part les récits de Perpétue et de Saturus, dont l'originalité est manifeste, peut-on parler d'un rédacteur unique pour la *Passion* latine? Il faut alors admettre que le rédacteur, par exemple le diacre Pomponius, a été capable de passer d'un style solennel et emphatique, qui mêle lourdement souvenirs scripturaires et rhétorique classique, à un style narratif, parfois maniéré, mais simple et vivant, somme toute assez proche de la langue familière de Perpétue et de Saturus. Le souci littéraire se réfugie alors non plus dans la structure des phrases, comme dans la Préface et la conclusion, mais dans un jeu d'antithèses et d'ambiguïtés, moins subtiles que celles d'Apulée, mais moins vigoureuses que celles d'un Tertullien.

Il est fort possible qu'à l'époque même du martyre, un clerc africain ait tenté d'unir sa culture biblique et la rhétorique profane pour magnifier et présenter à la lecture publique le récit d'un témoin oculaire qui avait rapporté le déroulement du martyre lui-même. Il y aurait alors deux auteurs qui se compléteraient, l'emphase de la présentation et de la péroraison mettant en valeur la simplicité du discours de Perpétue et de Saturus et celle, toute relative, du narrateur. Consciemment ou non, les différents auteurs de la *Passion* latine réunissent ainsi, non sans art et non sans grandeur, un éventail de plusieurs styles chrétiens originaux.

CHAPITRE VI

L'INFLUENCE DE LA PASSION

La *Passion de Perpétue et de Félicité* connut immédiatement une très large diffusion en Afrique. Sa lecture avait lieu régulièrement lors de l'anniversaire du martyre et il y était aussi fait allusion dans la prédication[1]. La *Passion* est mentionnée, de mémoire, par Tertullien, dans le *De anima* : il commet une erreur en attribuant la vision de Saturus à Perpétue; il a surtout pris garde que cette vision confirmait sa conviction que le paradis était réservé aux seuls martyrs[2]. De plus, l'esprit même de la *Passion,* recherche du martyre unie au pneumatisme, est si conforme aux exhortations de Tertullien qu'on a pu soutenir que l'*Ad martyras* s'adressait aux martyrs de la *Passion de Perpétue et de Félicité*[3]. Cette interprétation paraît peu probable pour des raisons de chronologie, comme l'a particulièrement démontré R. Braun. Il n'en reste pas moins vrai que pour Tertullien, la *Passion* présentait l'illustration récente de ses idées sur le martyre, sur le charisme des songes et sur l'au-delà.

---

1. Voir p. 17.
2. Voir p. 68.
3. Voir p. 39, n. 3.

Mais c'est surtout Augustin qui s'attachera à faire l'exégèse de la *Passion* dans plusieurs sermons et, particulièrement, dans son traité *De natura et origine animae*. Les sermons furent prononcés lors du *dies natalis* de Perpétue et de Félicité. Augustin présente leur passion sous l'éclairage, fort orthodoxe, des Psaumes et des Épîtres pauliniennes. Dans le *Sermon 280,* il commente la masculinisation de Perpétue, en songe, et lui confère un sens spirituel, l'être intérieur n'ayant pas de sexe. Il évoque aussi le songe de l'échelle et la revanche que prend Perpétue, en «montant» sur la tête du serpent responsable de la «chute» de la femme. Enfin, il s'étonne de la miraculeuse insensibilité de Perpétue, lors de son affrontement avec la vache sauvage : il l'interprète, comme l'aurait fait Tertullien, par un ravissement céleste.

Le *Sermon 281* revient sur la transformation de Perpétue en homme, qu'il déchiffre cette fois comme le signe de l'impuissance du démon, traditionnel tentateur de la femme. L'absence du mari de Perpétue sert à éviter à la jeune femme des tentations charnelles. Augustin note néammoins la modération avec laquelle la fille parle à son père. Il insiste également sur le caractère miraculeux de l'accouchement de Félicité et ne résiste pas à l'attrait de la rhétorique, en associant les deux saintes, pour qu'elles soient glorifiées dans une «perpétuelle félicité[1]».

Dans le *Sermon 282,* il justifie la prééminence accordée aux saintes sur les hommes martyrisés avec elle par le triomphe éclatant remporté sur le démon, en dépit de la traditionnelle fragilité féminine : celle-ci était en effet reconnue par les Écritures aussi bien que par les auteurs païens.

Le traité *De natura et origine animae* pose le problème

---

1. AUG., *Serm.* 281, 3, 3 : «ut perpetua felicitate glorientur».

le plus délicat, celui de Dinocrate, qui devait troubler certains esprits contemporains[1]. Aussi Augustin s'empresse-t-il de préciser que le texte n'est pas canonique. Il estime que Dinocrate est mort sans baptême et, convaincu de la force du péché originel, il pense qu'un enfant de sept ans peut commettre bien des fautes. Quant à l'indulgence dont il bénéficie grâce aux mérites de sa sœur, Augustin y voit une grâce exceptionnelle et quelque peu mystérieuse. On ne saurait s'en prévaloir de façon générale[2].

Augustin évoque encore la *Passion de Perpétue* dans l'*Enarratio in Psalmum 47,* 13, pour louer l'attitude de Perpétue à l'égard de ses parents. A travers ses sermons et traités divers, il s'est donc livré à une véritable méditation de la *Passion de Perpétue et de Félicité,* récit pour lequel il témoigne d'une grande vénération, même s'il paraît embarrassé par le problème du pardon accordé à Dinocrate.

Des sermons, longtemps attribués à Quodvultdeus, attestent la présence constante de la *Passion* dans la prédication, ainsi que la célébration du *dies natalis.* Dans le *Sermo de tempore barbarico,* l'auteur insiste surtout, peut-être à la suite d'Augustin, sur la force virile des jeunes femmes et sur la revanche qu'elles ont su prendre sur le démon responsable de la chute d'Ève. Dans le traité *De natali sanctarum Perpetuae et Felicitatis,* l'auteur commente très précisément l'attitude de Perpétue à l'égard de son père et cite la réponse de Félicité au gardien qui ironise sur ses souffrances (15, 6).

Un autre sermon, dont l'attribution à Augustin est douteuse, témoigne de la même connaissance directe de la *Passion.* Il commente particulièrement, à la lumière des

---

1. Voir p. 46.
2. AUG., *Nat. or. an.* 2, 10, 14; 3, 9, 12.

Psaumes et des Évangiles, l'arrivée de Perpétue auprès du Pasteur divin et le combat de l'arène[1].

Le modèle exemplaire que constitue la *Passion de Perpétue* est également sensible dans les autres Passions africaines. Il serait aventuré d'affirmer que les récits de visions de la *Passion de Marien et de Jacques* et de la *Passion de Montanus et de Lucius,* martyrisés en 259, découlent tous des songes de la *Passion de Perpétue et de Félicité.* Le pneumatisme est alors très répandu. Mais certains motifs ressemblent fort à des réminiscences, par exemple le motif de l'ascension ou celui de la coupe, encore que celle-ci soit un archétype[2]. Mais le songe où apparaît Dinocrate a retenu manifestement l'attention de Marien, ou du rédacteur de la *Passion.* Comme dans la *Passion de Perpétue,* une coupe est posée sur la margelle d'une fontaine. Cyprien y boit et la tend à Marien, comme une image du martyre, mais aussi de l'intercession et de l'accès à l'immortalité; de même, le jardin vu en songe par Marien rappelle beaucoup le *uiridiarium* de Saturus. Le souvenir de la coupe de Dinocrate paraît encore sensible dans les coupes de lait que Quartillosa reçoit dans sa prison, dans la *Passion de Montanus et de Lucius*[3]. Ainsi, les visions des martyrs africains, jusqu'aux martyrs donatistes, au milieu du IVᵉ siècle, paraissent avoir subi l'influence des songes de Perpétue et de Saturus.

La *Passion* grecque de *Polyeucte,* sans date historique, mentionne Perpétue aux côtés de la bienheureuse Thècle, autre martyre fort connue.

C'est la popularité de la *Passion de Perpétue et de Félicité* qui explique la rédaction des *Actes* et leur extra-

---

1. Aug., *Serm.* 394 *(De nat. SS Perp. et Fel.),* PL 39, 1715-1716.
2. Voir en particulier, M. Meslin, «Vases sacrés et boissons d'éternité».
3. *Pass. Mont.* 8.

ordinaire diffusion. Ceux-ci ne représentent rien d'autre qu'un résumé commode de la *Passion,* plus facile à utiliser dans la prédication, surtout quand l'original n'était pas aisément accessible. Ainsi donc, les déformations mêmes des *Actes* constituent un hommage à ce texte majeur que représente la *Passion de Perpétue et de Félicité.*

CHAPITRE VII

MANUSCRITS ET ÉDITIONS

1. Les manuscrits latins

La *Passion de Perpétue et de Félicité* nous est parvenue à travers au moins neuf manuscrits latins, assez cohérents : ils ne diffèrent les uns des autres que sur des points de détail, suppression des tours vulgaires ou tardifs, choix de termes synonymes ou variations dans les copules ; le sens lui-même demeure presque toujours inchangé. La dévotion qui entourait ce récit pourrait expliquer cette remarquable fidélité, qui ne caractérise pas au même degré les manuscrits des auteurs païens. Seul le manuscrit du Mont-Cassin *(A)* présente une réelle originalité.

La première édition, celle de L. Holste, bibliothécaire du Vatican, date de 1663 et paraît reposer exclusivement sur le codex du Mont-Cassin. L'œuvre fut ensuite publiée par P. Poussines, à Rome, puis par H. de Valois, à Paris, sur les travaux de L. Holste. Mais il faut attendre J.A. Robinson, en 1891, pour avoir une véritable édition critique : elle repose sur trois manuscrits latins, *A B C.* L'édition de C. van Beek, en 1936, qui fait autorité pour les éditeurs modernes, reflète, elle, l'examen de neuf manuscrits. Malheureusement, C. van Beek préfère avoir recours à la numérotation des manuscrits, ce qui est peu commode, et rompt avec les sigles de ses prédécesseurs. Quoique notre édition repose sur les mêmes manuscrits que celle de C. van Beek, il nous a semblé préférable de revenir aux lettres, présentation plus conforme aux règles de rédaction de l'apparat critique (nous donnons la correspondance avec la numérotation de van Beek).

A (= *1* de van Beek) *Codex Casinensis 204 MM.* C'est un parchemin du XIe siècle, découvert par L. Holste dans la bibliothèque de l'abbaye du Mont-Cassin. Le manuscrit contenait aussi les œuvres de Cyprien. C'est lui qui a servi de base à toutes les éditions anciennes, de L. Holste à D. Ruinart et J.A. Robinson. Il ne fournit pas de titre, mais, en revanche, il est le seul manuscrit latin à donner la Préface. Ce manuscrit est donc le témoin le plus important. Son respect des formes «africaines» ou post-classiques, parfois corrigées dans les autres manuscrits, en fait un reflet tout à fait fidèle de l'original. Il est aussi le moins lacunaire. Par ces traits, il remonte à un archétype bien caractérisé, dont s'écartent davantage les autres manuscrits latins et le manuscrit grec; ceux-ci paraissent remonter plutôt à un autre archétype commun.

B (= *4* de van Beek) *Codex Parisiensis 17626.* Il se trouve à Paris, à la Bibliothèque Nationale. C'est un parchemin daté du Xe siècle. Il a appartenu à l'abbaye de Compiègne et a été utilisé par D. Ruinart. La Préface manque et certaines corrections tendent à démontrer que le manuscrit remonte à une tradition moins ancienne que le manuscrit *A*.

C[1] (= *5*[a] de van Beek) *Codex Cottonianus Nero E.I.* Il se trouve à Londres, au British Museum. C'est un parchemin en deux volumes, attribué au XIe ou XIIe siècle. La *Passion de Perpétue* figure dans le premier volume. Il manque le premier chapitre.

C^2 (= 5^b de van Beek = C dans les éditions anté-rieures) *Codex Oxoniensis Fell 4,* autrefois *Sarisburiensis* selon van Beek. Il se trouve à Oxford, dans la Biblio-thèque Bodléienne. C'est un parchemin attribué au XIe ou XIIe siècle. L'histoire de ce manuscrit est curieuse et un peu conjecturale. Le manuscrit dont s'inspirait D. Ruinart, en 1689, est mentionné par lui comme *Salis-burgensis,* ce qui serait une confusion. En effet, en 1680, fut publiée à Oxford une édition de Lactance, associée à celle de la *Passion de Perpétue,* que l'on a attribuée à T. Spark ou à J. Fell. L'édition de la *Passion* reposait sur le texte de L. Holste, amendé d'après les leçons d'un *codex Sarisburiensis*[1]. J.A. Robinson avoue ne pas avoir trouvé trace de ce manuscrit de Salzburg, dont la col-lection fut dispersée à Vienne et à Münich. La trace du manuscrit paraît cependant avoir été retrouvée par les érudits. En 1640, des volumes provenant de l'Église de Salzburg étaient conservés à Oxford[2]. Ils furent ensuite déposés à la Bibliothèque Bodléienne. C'est l'un d'eux que C. van Beek identifie avec l'ancien *codex Sarisbu-riensis.* Quoiqu'il en soit, on n'a pas retrouvé d'autre trace du *codex Salisburgensis* ou *Sarisburiensis.* Par ailleurs, le *codex Oxoniensis* (C^2) offre une indubitable ressemblance avec l'édition de D. Ruinart.

C^3 (= 5^c de van Beek) *Codex Cottonianus Otho D VIII.* Il se trouve à Londres, au British Museum. Ce parchemin de la fin du XIIe siècle fut sérieusement brûlé en 1731. Ce qu'il en reste est de lecture difficile; le manuscrit lui-même est donc de peu d'intérêt. Mais C. van Beek men-tionne une collation ancienne, qu'il a utilisée (5^c G).

---

1. J.A. ROBINSON, *Ed. Pass. Perp.,* p. 11.
2. M.J. LAWLER, «The mss of the Vita S. Columbani», dans *Transac-tions of the Royal Irish Academy* 32, Dublin 1903, p. 35 s.

C^4 (= 5^d de van Beek) *Codex Cantuarius E 42*. Il se trouve à Canterbury, Chapter Library. Ce manuscrit, attribué au XIIe siècle, ne comporte qu'un extrait de la *Passion*. Tout le début manque.

> Ces quatre manuscrits anglais sont très proches les uns des autres et leurs leçons concordent généralement avec celles du manuscrit *B*. L'existence d'un archétype commun est évidente. Ce sont les manuscrits qui offrent le plus de corrections stylistiques des leçons de *A*.

D (= *2* de van Beek) *Codex Ambrosianus C 210 Inf*. Il se trouve à Milan, dans la Bibliothèque Ambrosienne. Ce *codex* est appelé *M* par W.H. Shewring. Il n'est pas connu de J.A. Robinson. Le manuscrit contient, entre autres, des œuvres d'Augustin. C'est un parchemin très soigneusement écrit, attribué au XIe ou au XIIe siècle. Il fut découvert par les Bollandistes et étudié par eux dans les *Analecta Bollandiana*[1]. Ils notèrent les leçons qui différaient de l'édition de J.A. Robinson. La Préface de la *Passion* manque.

E^1 (= 3^a de van Beek) *Codex Sangallensis 577*. Il se trouve à Saint-Gall, Stiftsbibliothek. C'est un parchemin attribué au IXe ou au Xe siècle; il représente donc le manuscrit le plus ancien que nous possédions actuellement. Il a été daté plus précisément de 920 à 950 par dom E. Mundig[2]. Il comprend plusieurs Vies de saints, mais le texte de la *Passion* est incomplet. Il manque le premier chapitre, les ch. XX et XXI, ainsi que de nombreux détails. Ce manuscrit n'a pas été utilisé avant C. van Beek.

---

1. *AB* 11 (1892), p. 370 s.
2. Voir «Das Verzeichnis der St Galler Heiligenleben und ihrer Handschriften in codex Sangall n° 566 dans *Texte und Arbeiten* (hrsg durch die Erzabtei Beuron) I, Leipzig 1918, p. 99-101.

*E*² (= *3*ᵇ de van Beek) *Codex Einsidlensis 250.* Il se trouve à Einsiedeln, Stiftsbibliothek. C'est un parchemin attribué au xiiᵉ siècle, qui renferme plusieurs Vies de saints. Le texte de la *Passion de Perpétue* est intitulé *Passio sanctorum Reuocati Saturni Perpetuae et Felicitatis.* La Préface manque et la fin de la *Passion* est remplacée par un chapitre des *Acta breuia.*

> Ces deux manuscrits *E*¹ et *E*², très proches l'un de l'autre, ont été utilisés par C. van Beek pour résoudre les incertitudes des éditions antérieures, mais ils ne présentent que très rarement les meilleures leçons.

C. van Beek signale encore l'existence d'au moins deux manuscrits, qu'il n'a pas utilisés et qui paraissent être l'un et l'autre de simples traductions de l'édition de D. Ruinart : *(1)* le *codex A 269*, t. 1 (ancien. *A 43* a, *Brühl 620*), à Dresde, Sächsische Landesbibliothek. C'est un manuscrit du xviiᵉ siècle, en italien ; *(2)* le *codex 7462* à Vienne, Nationalbibliothek, manuscrit du xviiiᵉ siècle, en allemand.

Manuscrits latins perdus

On peut noter particulièrement :

– Un *codex Laureshamensis* du monastère Saint-Nazaire de Laurissa. Il est mentionné dans des catalogues du xixᵉ siècle[1]. La *Passion* est intitulée *Passio sancti Saturnini et sancti Saturis, Felicitatis et Perpetuae.*

– Un manuscrit du monastère des îles de Lérins, mentionné par B. de Montfaucon.

Il existe encore quelques autres mentions dans divers *indices,* mais sans qu'on sache très bien s'il s'agit de la *Passion* ou des *Actes*[2].

---

1. G. Becker, *Catalogi bibliothecarum antiqui,* Bonn 1885, p. 510 ; T. Gottlieb, *Ueber mittelalterliche Bibliotheken,* Leipzig 1890, n° 109.

2. La liste de ces manuscrits est fournie par C. van Beek, *Ed. Pass. Perp.,* p. 44 s. O. Gebhardt, *Ed. Pass. Perp.,* p. VII, fait aussi allusion à des manuscrits non utilisés.

2. Le manuscrit grec

H (= *g* de J.A. Robinson et W.H. Shewring) *Codex Hierosolymitanus 1* (autrefois *S. Sepulcri*). Il se trouve à Jérusalem, dans la *Bibliotheca patriarchalis*. P. Franchi de' Cavalieri attribua d'abord le manuscrit au XIIe siècle, puis diverses datations remontèrent jusqu'au Xe ou XIe siècle. Le manuscrit renferme des Vies de saints du mois de février. Il fut découvert par J.R. Harris et publié par lui-même et S.K. Gifford à Cambridge, en 1890. Les éditeurs estimèrent qu'ils étaient en présence de l'original de la *Passion de Perpétue*. La polémique fut ouverte[1]. Cependant, le texte n'étant pas toujours satisfaisant, de nombreuses corrections furent proposées. Nous nous sommes abstenus de les présenter – sauf si elles sont indispensables à l'intelligence du texte –, nous contentant de fournir le texte de l'unique manuscrit *H,* dont nous avons tenté d'établir qu'il est une traduction, remontant à un archétype latin différent de *A.*

En effet, il faut souligner que le manuscrit *H* donne fréquemment des leçons analogues à celles des manuscrits latins *B C* et *E,* tandis que le manuscrit *A* manifeste une assez grande originalité. La parenté de *B* et *C* avec le manuscrit grec avait déjà frappé J.A. Robinson, ainsi que leur choix commun pour une *lectio facilior;* celui-ci pouvait conclure : «Nous sommes amenés à supposer pour *B C g* un ancêtre indépendant de *A*[2].»

---

1. Voir p. 51.

2. On peut citer, à titre d'exemple de cette parenté, le passage 5, 6 : «scito enim nos non in nostra esse potestate futuros sed in Dei», «sache en effet que nous ne serons pas en notre pouvoir, mais en celui de Dieu», avec une légère variante dans *B C E :* «in Dei non in nostra... futuros». Ce passage est fidèlement reflété en grec et diffère ainsi de la leçon de *A :* «scito... esse potestate constitutos». Ou encore : «cum temptaret pater» *(B C),* reflété par le grec ὡς ἐσπούδαζεν, tandis

Cette constatation reste toujours vraie. Il faut ajouter que ces manuscrits *H B (Parisiensis)* et *C* (manuscrits britanniques) offrent aussi une certaine parenté avec le *codex Ambrosianus (D),* qui passe pour avoir une meilleure autorité; c'est lui qui a conservé le plus souvent les leçons de *A*. De son côté, C. van Beek note que les manuscrits *E* paraissent également dériver du même archétype; leurs leçons sont assez judicieuses, mais ils sont incomplets : l'un mélange la fin de la *Passion* et les *Actes,* tandis que l'autre s'achève avant le supplice de Saturus.

Le *Stemma codicum* le plus vraisemblable est le suivant :

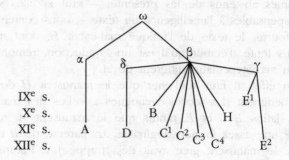

IXᵉ s.	
Xᵉ s.	
XIᵉ s.	
XIIᵉ s.	

---

qu'*A* donne simplement «cum staret» (6, 5). Aussi J.A. ROBINSON (*Ed. Pass. Perp.,* p. 14) écrit : «... we are led to postulate for *B C g* a common ancestor independent of *A*» et (p. 15) : «*A* gives a more difficult reading which commends itself on further investigation, but which is exchanged in *B C g* for something easier, though less idiomatic or less forcible.»

3. Principes de la présente édition

En somme, tous les manuscrits connus à ce jour, sauf *A,* paraissent dériver d'un archétype commun, dont la caractéristique était de corriger ou d'expliquer les leçons de *A.* Pour établir le texte latin, nous avons pris le parti de rester le plus possible fidèle aux leçons de *A,* en conservant les formes orales ou vulgaires; beaucoup appartiennent à la langue des comiques. Nous avons également conservé les tours abrupts et même obscurs. S'il ne nous transmet pas l'original, le manuscrit *A* paraît en être le plus proche, en raison même de ses incorrections, propres au style oral, et de sa syntaxe postclassique. Lorsque les formes de *A* étaient manifestement fautives, nous avons eu recours de préférence au manuscrit *D,* qui concorde le mieux avec *A* – cette parenté étant parfois soulignée par des lacunes communes. Il n'a été fait appel aux autres manuscrits qu'en tout dernier lieu, particulièrement à *B* et *C,* manuscrits qui passent pour les moins fiables. Nous n'avons jamais cherché à amender le texte latin à l'aide du texte grec. Celui-ci nous a paru, comme à J.A. Robinson, être une mouture d'un archétype bien proche des manuscrits *B* et *C,* dont les leçons, de type explicatif, ne sauraient être que postérieures aux tours abrupts de *A.*

Notre édition s'est appuyée sur les éditions de J.A. Robinson et de P. Franchi de' Cavalieri. Mais elle ne peut être que très redevable à la monumentale édition critique de C. van Beek. Comme l'édition récente de A.A.R. Bastiaensen, notre présentation du texte latin ne s'écarte de celui de C. van Beek que sur quelques points.

Comme celle du texte latin, la présentation du texte grec a eu pour base le refus du principe qui a guidé les éditions antérieures, celui d'une similitude parfaite entre le texte latin et le texte grec. Nous avons conservé le texte intégral de *H,* avec ses gloses, et sans les corrections que les éditeurs successifs de Harris à van Beek avaient jugé bon d'adopter, pour une plus grande harmonie avec le texte latin. Ces corrections n'ont été conservées que lorsqu'elles étaient nécessaires à la compréhension.

Pour la traduction, nous avons respecté le plus fidèlement possible le texte latin et le texte grec, toute différence dans la traduction des deux versions correspondant à une différence de texte. Inversement, lorsque la version grecque présente le reflet exact de l'original latin, nous avons adopté dans les deux cas une traduction rigoureusement identique; ceci afin de permettre une claire confrontation des deux versions.

4. Les principales éditions

– Édition princeps : L. Holste, Rome 1663. Selon T. Ruinart, L. Holste s'est uniquement inspiré du codex du Mont-Cassin *(A).* Le texte est suivi des commentaires d'Augustin. L'édition, qui est apparue comme peu soigneuse à J.A. Robinson, est défendue par C. van Beek. Le texte est corrigé par H. de Valois (Paris 1664), qui lui ajoute les *Acta breuia.* Il est repris par les Bollandistes et divisé en chapitres pour les *Acta Sanctorum* de mars.

– Édition d'Oxford, 1680, anonyme et associée au *De morte persecutorum* de Lactance. Elle a été tantôt attribuée à T. Spark, tantôt à J. Fell, opinion suivie par C. van Beek. L'édition diffère de l'*editio princeps* par quelques corrections faites grâce au *codex Sarisburiensis* (voir p. 86).

– Édition de T. Ruinart dans *Acta primorum martyrum sincera et selecta,* Paris 1689. L'auteur dit lui-même qu'il s'est servi du *codex Salisburgensis* et d'un manuscrit de la bibliothèque du monastère de Saint-Corneille à Compiègne, ce qui correspond au manuscrit *B*. Sur l'identité du *codex Salisburgensis* et du *codex Sarisburiensis,* voir p. 86. Le texte de T. Ruinart est repris dans la *Patrologie* de Migne (t. 3), Paris 1844.

– J.R. HARRIS et S.K. GIFFORD, *The acts of the martyrdom of Perpetua and Felicita,* Londres 1890. C'est la première édition du texte grec, faite d'après le manuscrit de Jérusalem *(H).* Le texte latin reprend T. Ruinart, ou peut s'en faut.

– J.A. ROBINSON, *The Passion of S. Perpetua,* Cambridge 1891. Première édition critique du texte latin et du texte grec.

– P. FRANCHI DE' CAVALIERI, *La Passio SS Perpetuae et Felicitatis,* Roma 1896 (= *Studi e Testi* 221, 1962, p. 41-153). Le texte fait état du manuscrit de Milan *(D),* retrouvé par les Bollandistes en 1892 et présente également une édition critique du texte grec.

– R. KNOPF, *Ausgewählte Märtyrerakten,* Tübingen et Leipzig 1901.

– O. VON GEBHARDT, *Acta martyrum selecta,* Berlin 1902. L'édition fournit le texte grec et le texte latin, en collationnant les manuscrits de Saint-Gall et d'Einsiedeln $(E^1$ et E^2).

– G. SOLA, *La Passio della SS Perpetua e Felicita,* Rome 1921. Texte et traduction.

– E.C.E. OWEN, *Some authentic Acts of the early martyrs,* Oxford 1927.

– R.W. MUNCEY, *The Passion of S. Perpetua,* Londres et Toronto 1927.

– W.H. SHEWRING, *The Passion of SS Perpetua and Felicity. A new edition and translation of the Latin text, together with the sermons of S. Augustine upon these saints now first translated into English,* Londres 1931.

– C. VAN BEEK, *Passio sanctarum Perpetuae et Felicitatis,* I, textus graecus et latinus. Accedunt *Acta breuia,* Nimègue 1936.

– C. VAN BEEK, *Passio sanctarum Perpetuae et Felicitatis (Florilegium Patristicum 43),* Bonn 1938. Édition commentée.

– O. HAGEMEYER, *Die Passion der heiligen Perpetua und Felicitas,* Wien 1938.

– P. VANUTELLI, *Atti dei martiri,* I, Citta del Vaticano 1939.

– F. RÜTTEN, *Lateinische Martyrerakten und Martyrerbriefe,* Münster 1961.

– J. CAMPOS, *Passio SS Perpetuae et Felicitatis,* dans *Supplementos de Estudios classicos,* Madrid 1967, p. 24-44.

– H. MUSURILLO, *The Acts of the christian martyrs,* Oxford 1972. Texte et traduction.

– A.A.R. BASTIAENSEN, *Atti e passioni dei martiri,* Milan 1987. Texte, traduction et commentaire.

*
* *

Nous souhaitons remercier toutes les bibliothèques, françaises et étrangères, qui nous ont fait parvenir manuscrits et éditions, spécialement celles de Chantilly, de Strasbourg et de Toulouse. Sans elles cette édition n'eut pas été possible. Elle doit beaucoup également à M. R. BRAUN, qui a revu la *Passion* latine et sa traduction, et à M. J. PÉRON, qui s'est chargé de relire la version grecque. Qu'ils trouvent ici l'assurance de notre reconnaissance.

Sigles des manuscrits et des éditeurs de la *Passion*

SC	Van Beek	Référence
A	1	*Casinensis 204 MM,* XIe s.
B	4	*Parisiensis 17626,* Xe s.
C¹	5ᵃ	*Cottonianus Nero E¹,* XIe-XIIe s.
C²	5ᵇ	*Oxoniensis Fell 4,* XIe-XIIe s.
C³	5ᶜ	*Cottonianus Otho D VIII,* XIIe s. ex.
C⁴	5ᵈ	*Cantuarius E 42,* XIIe s.
D	2	*Ambrosianus C 210 Inf,* XIe-XIIe s.
E¹	3ᵃ	*Sangallensis 577,* IXe-Xe s.
E²	3ᵇ	*Einsidlensis 250,* XIIe s.
H	H	*Hierosolymitanus 1,* Xe-XIe s.

*
* *

Bas.	=	A.A.R. Bastiaensen.
Be.	=	C. van Beek.
Cam.	=	J. Campos.
Fel.	=	J. Fell.
Fra.	=	P. Franchi de' Cavalieri.
Geb.	=	O. von Gebhardt.
Gey.	=	O. Geyer.
Har.	=	J.R. Harris et S.K. Gifford.
Hol.	=	L. Holste.
Laz.	=	G. Lazzati.
Mus.	=	H. Musurillo.
Rob.	=	J.A. Robinson.
Rui.	=	T. Ruinart.
Sal.	=	A. Salonius.
Sol.	=	G. Sola.
She.	=	W.H. Shewring.

L'apparat critique du texte grec est positif, mais il ne relève que les leçons de *H*, *Har.*, *Rob.*, et *Be.*; il indique en outre le premier éditeur de la leçon retenue si celui-ci n'est pas un des trois précédents.

TEXTE
ET
TRADUCTION
DE LA
PASSION

Passio sanctarum Perpetuae et Felicitatis

I. 1. Si uetera fidei exempla, et Dei gratiam testificantia et aedificationem hominis operantia, propterea in litteris sunt digesta ut lectione eorum quasi repensatione rerum et Deus honoretur et homo confortetur, cur non et noua

Titulus : *om.* A C³ non(is) mar(tiis) passio sanctarum perpetuae et felicitatis D incipit passio sanctorum reuocati saturnini perpetuae et felicitatis E¹ incipit passio s. perpetuae et felicitatis quod est non. mart. in ciuitate turbitana C¹ C²
    Cap. I om. B C D E
    I, 2 aedificationem *Hol.* : -ne A ‖ 3 repensatione A : repraesentatione *Har.* repensitatione *Rui.*

Μαρτύριον τῆς ἁγίας Περπετούας καὶ τῶν σὺν αὐτῇ τελειωθέντων ἐν Ἀφρικῇ · τῇ πρὸ τεσσάρων νονῶν φευρουαρίων. Εὐλόγησον.

Ἐπὶ Οὐαλεριανοῦ καὶ Γαλιηνοῦ διωγμὸς ἐγένετο, ἐν ᾧ ἐμαρτύρησαν οἱ ἅγιοι Σάτυρος, Σατουρνῖλος, Ῥεουκάτος, Περπετούα, Φηλικητάτη, νόναις Φευρουαρίαις.

I. 1. Εἰ τὰ παλαιὰ τῆς πίστεως δόγματα, καὶ δόξαν θεοῦ φανεροῦντα καὶ οἰκοδομὴν ἀνθρώποις ἀποτελοῦντα, διὰ τοῦτό ἐστιν γεγραμμένα, ἵνα τῇ ἀναγνώσει αὐτῶν ὡς παρουσίᾳ τῶν πραγμάτων χρώμεθα καὶ ὁ θεὸς δοξασθῇ,

I, 1 δόγματα H *Har. Rob.* : δείγ- *Be.*

Passion des saintes Perpétue et Félicité

I. 1. Si les anciens exemples de foi, qui attestent de la grâce de Dieu et travaillent à l'édification des hommes, ont été consignés par écrit pour que cette lecture, comme par un nouvel examen des événements, serve à honorer Dieu et à redonner force aux hommes, pourquoi ne pas

---

Martyre de sainte Perpétue et de ses compagnons mis à mort en Afrique : quatre jours avant les nones de février. Que Dieu me bénisse.

Sous Valérien et Gallien eut lieu une persécution, dans laquelle subirent le martyre les saints Saturus, Saturnilus, Revocatus, Perpétue, Félicité, aux nones de février.

I. 1. Si les anciennes doctrines de la foi, qui manifestent la gloire de Dieu et réalisent l'édification des hommes, ont été écrites afin que nous nous servions de leur lecture, comme d'une représentation des faits, pour honorer Dieu, pourquoi ne pas rédiger aussi par écrit les

5 documenta aeque utrique causae conuenientia et dige-
rantur? **2.** Vel quia proinde et haec uetera futura quan-
doque sunt et necessaria posteris, si in praesenti suo
tempore minori deputantur auctoritati, propter praesumptam uenerationem antiquitatis. **3.** Sed uiderint qui
10 unam uirtutem Spiritus unius Sancti[a] pro aetatibus iudicent
temporum, cum maiora reputanda sunt nouitiora quaeque,
ut nouissimiora, secundum exuperationem gratiae in ultima
saeculi spatia decretam. **4.** *In nouissimis* enim *diebus,*
dicit Dominus, effundam de Spiritu meo super omnem
15 *carnem et prophetabunt filii filiaeque eorum; et super*
seruos et ancillas meas de meo Spiritu effundam; et iuuenes

12 exuperationem : exuber- *Braun* ‖ 13 decretam *Har.* : -ta *A*

---

5 διὰ τί μὴ καὶ τὰ καινὰ παραδείγματα, ἅτε δὴ ἑκάτερα
ἐργαζόμενα ὠφέλειαν, ὡσαύτως γραφῇ παραδοθείη; **2.** Ἢ
γὰρ τὰ νῦν πραχθέντα οὐ τὴν αὐτὴν παρρησίαν ἔχει, ἐπεὶ
δοκεῖ πως εἶναι τὰ ἀρχαῖα σεμνότερα; Πλὴν καὶ ταῦτα
ὕστερόν ποτε γενόμενα παλαιά, ὡσαύτως τοῖς μεθ' ἡμᾶς
10 γενήσεται καὶ ἀναγκαῖα καὶ τίμια. **3.** Ἀλλ' ὄψωνται
οἵτινες μίαν δύναμιν ἑνὸς ἁγίου πνεύματος[a] κατὰ τὰς
ἡλικίας κρίνουσιν τῶν χρόνων · ὅτε δὴ δυνατώτερα ἔδει
νοεῖσθαι τὰ καινότερα, ὡς ἔσχατα, αὐξανομένης τῆς χάριτος
τῆς εἰς τὰ τέλη τῶν καιρῶν ἐπηγγελμένης. **4.** «Ἐν
15 ἐσχάταις» γὰρ «ἡμέραις, λέγει ὁ κύριος, ἐκχεῶ ἀπὸ τοῦ
πνεύματός μου ἐπὶ πᾶσαν σάρκα, καὶ προφητεύσουσιν οἱ
υἱοὶ ὑμῶν καὶ αἱ θυγατέρες ὑμῶν · καὶ οἱ νεανίσκοι ὑμῶν

6 παραδοθείη Rob. : -δοθεῖς H -δοθῇ Har. Be. ‖ 10 ὄψωνται H Har.
Rob. : ὄψονται Be. ‖ 13 ἔσχατα Geb. Be. : ἔχοντα H Har. Rob.

consigner aussi les témoignages récents qui répondent également à ces deux fins? **2.** Ne serait-ce que pour cette raison : ces exemples aussi, comme les autres, deviendront un jour anciens et indispensables aux générations futures, même si actuellement, en leur temps, on leur accorde moins d'autorité, étant donnée la vénération que l'on ressent d'emblée pour l'antiquité. **3.** Mais qu'importent ceux qui jugent la puissance unique de l'unique Esprit-Saint[a] selon les époques, alors que ce sont tous les exemples les plus récents qui devraient être réputés les plus grands, comme étant les plus ultimes, conformément à la surabondance de grâce promise pour la fin des temps. **4.** «*Dans les tout derniers jours, dit en effet le Seigneur, je répandrai de mon Esprit sur toute chair et leurs fils et leurs filles prophétiseront, et sur mes serviteurs et sur mes servantes je répandrai de mon Esprit, et les*

I. a. Cf. I Cor. 12, 4-11

---

exemples récents, puisque les uns et les autres ont leur utilité? **2.** En effet, les actions accomplies de nos jours ne nous donnent-elles pas la même liberté d'en parler, même si celles d'autrefois paraissent plus vénérables? Ne serait-ce que parce que ces actes, en devenant anciens un jour, seront pareillement indispensables et précieux pour nos descendants. **3.** Mais qu'importent ceux qui jugent la puissance unique de l'unique Esprit-Saint[a] selon les époques; lorsque les exemples les plus récents devraient être jugés les plus efficaces, comme étant ultimes, puisque s'accroît la grâce annoncée pour la fin des temps. **4.** «*Dans les derniers jours, dit en effet le Seigneur, je répandrai de mon Esprit sur toute chair, et vos fils et vos filles prophétiseront; et vos jeunes gens verront*

I. a. Cf. I Cor. 12, 4-11

uisiones uidebunt et senes somnia somniabunt [b].

5. Itaque et nos, qui sicut prophetias ita et uisiones nouas
pariter repromissas et agnoscimus et honoramus, cete-
20 rasque uirtutes Spiritus Sancti ad instrumentum Ecclesiae
deputamus – cui et missus est idem omnia donatiua administraturus in omnibus, prout unicuique distribuit
Dominus [c] – necessario et digerimus et ad gloriam Dei
lectione celebramus, ut ne qua aut imbecillitas aut des-
25 peratio fidei apud ueteres tantum aestimet gratiam diuinitatis conuersatam, siue <in> martyrum siue in reuela-
tionum dignatione, cum semper Deus operetur quae
repromisit, non credentibus in testimonium, credentibus

21-22 administraturus *Be. Mus. Laz.*: -tratus *aut* -tratur *A* -trans *edd.*
-trator *Gey.* ‖ 22 prout *Hol.*: pro *A* ‖ 23 digerimus: ea *add. Bas.* ‖ 25-
26 diuinitatis *Hol.*: -uinatis *A* -uinitus *Geb.* ‖ 26 <in> *add. Rob.* ‖
27 quae *Hol.*: qua *A*

ὁράσεις ὄψονται, καὶ οἱ πρεσβῦται ὑμῶν ἐνυπνίοις ἐνυπ-
νιασθήσονται [b].» **5.** Ἡμεῖς δέ, οἵτινες προφητείας καὶ
20 ὁράσεις καινὰς δεχόμεθα καὶ ἐπιγινώσκομεν καὶ τιμῶμεν,
πάσας τὰς δυνάμεις τοῦ ἁγίου πνεύματος ὡς χορηγεῖ τῇ
ἁγίᾳ ἐκκλησίᾳ – πρὸς ἣν καὶ ἐπέμφθη πάντα τὰ χαρίσματα
ἐν πᾶσιν διοικοῦν ἑκάστῳ ὡς ἐμέρισεν ὁ θεός [c] – ἀναγκαίως
καὶ ἀναμιμνήσκομεν καὶ πρὸς οἰκοδομὴν εἰσάγομεν, μετὰ
25 ἀγάπης ταῦτα ποιοῦντες εἰς δόξαν θεοῦ καὶ ἵνα μή πως
ᾖ ἀβέβαιός τις καὶ ὀλιγόπιστος, ἢ καὶ τοῖς παλαιοῖς μόνον
τὴν χάριν καὶ τὴν δύναμιν δίδοσθαι νομίσῃ, εἴτε ἐν τοῖς
τῶν μαρτύρων εἴτε ἐν τοῖς τῶν ἀποκαλύψεων ἀξιώμασιν,
πάντοτε ἐργαζομένου τοῦ θεοῦ ἃ ἐπηγγείλατο εἰς μαρτύριον

21 χορηγεῖ *Har. Rob. Be.*: χορηγῇ *H* ‖ 26 ᾖ ἀβέβαιός τις *Har. Rob.*
Be.: ἢ ἀβεβαιόστης *H*

jeunes gens verront des visions et les vieillards auront des songes [b].» **5.** C'est pour que nous aussi, qui reconnaissons et honorons aussi bien prophéties que visions nouvelles comme effets de la même promesse, et qui considérons toutes les autres manifestations de puissance de l'Esprit-Saint comme destinées à l'instruction de l'Église – car ce même Esprit lui fut envoyé pour répartir toutes ses largesses entre tous, dans la mesure où le Seigneur les distribue à chacun [c] –, nous devons absolument les consigner par écrit et les proclamer par la lecture publique pour la gloire de Dieu, ceci pour éviter qu'une foi faible ou vide d'espérance ne croie que la grâce divine a existé seulement chez les anciens, qu'il s'agisse de la dignité du martyre ou de celle des révélations; alors que Dieu réalise sans cesse ce qu'il a promis, témoignage pour les

b. Act. 2, 17; Joël 2, 28   c. Cf. Rom. 12, 3; I Cor. 12, 11

---

des visions et vos vieillards auront des songes [b].» **5.** Et nous, qui acceptons, reconnaissons et honorons prophéties et visions nouvelles, toutes les manifestations de puissance de l'Esprit-Saint, comme il dirige la sainte Église – à qui il fut envoyé pour répartir toutes ses grâces entre tous selon la part que Dieu a donnée à chacun [c] –, nous devons absolument en rappeler le souvenir ou les faire servir à l'édification, agissant ainsi avec amour pour la gloire de Dieu, et pour que personne ne chancelle ou ne manque de foi, ou ne pense que la grâce et la puissance divines ne sont données qu'aux anciens, qu'il s'agisse de la dignité du martyre ou de celle des révélations; car Dieu accomplit toujours ce qu'il a promis,

b. Act. 2, 17; Joël 2, 28   c. Cf. Rom. 12, 3; I Cor. 12, 11

in beneficium. **6.** Et nos itaque *quod audiuimus et*
30 *contrectauimus, annuntiamus et uobis,* fratres et filioli,
uti et uos qui interfuistis rememoremini gloriae Domini,
et qui nunc cognoscitis per auditum *communionem*
habeatis cum sanctis martyribus, et per illos cum Domino
nostro *Iesu Christo*[d], cui est claritas et honor in saecula
35 saeculorum. Amen[e]

II. 1. Apprehensi sunt adolescentes catechumeni :
Reuocatus et Felicitas, conserua eius, Saturninus et Secundulus ; inter hos et Vibia Perpetua, honeste nata, libera-

29 audiuimus : et uidimus *add. Rob. Fra.* ‖ 31 uti *aut* ut *edd.* : ut
hii *A*
II, *Incipiunt codices* B C D E
1 apprehensi sunt : *om. D* in ciuitate tuburbitana (tyburtina *E[1]*) minore
praem. E ‖ 2 reuocatus : *incipit B* ‖ 2-3 saturninus et secundulus : satirus
et saturninus *D* secundulus *A* ‖ 3 hos : eos *E* quos *B C* ‖ honeste
nata : honesta *A* honestate *D*

---

30 μὲν τῶν ἀπίστων, εἰς ἀντίλημψιν δὲ τῶν πιστῶν. **6.** Καὶ
ἡμεῖς ἃ «ἠκούσαμεν καὶ ἑωράκαμεν καὶ ἐψηλαφήσαμεν,
εὐαγγελιζόμεθα ὑμῖν», ἀδελφοὶ καὶ τέκνα, «ἵνα καὶ» οἱ
συμπαρόντες ἀναμνησθῶσιν δόξης θεοῦ, καὶ οἱ νῦν δι'
ἀκοῆς γινώσκοντες «κοινωνίαν ἔχητε» μετὰ τῶν ἁγίων
35 μαρτύρων, καὶ δι' αὐτῶν μετὰ τοῦ Κυρίου ἡμῶν «Ἰησοῦ
Χριστοῦ[d]», ᾧ ἡ δόξα εἰς τοὺς αἰῶνας τῶν αἰώνων. Ἀμήν[e].

II. 1. Ἐν πόλει Θουρβιτάνων τῇ μικροτέρᾳ συνελήφθησαν
νεανίσκοι κατηχούμενοι Ῥεουκάτος καὶ Φηλικητάτη σύνδουλοι, καὶ Σατουρνῖλος καὶ Σεκοῦνδος · μετ' αὐτῶν δὲ
καὶ Οὐιβία Περπετούα, ἥτις ἦν γεννηθεῖσα εὐγενῶς καὶ

II, 1 θουρβιτάνων Rob. : θουβριτάνων H θου(βου)ρβιτανῶν Har. Be.

incroyants, bienfait pour les croyants. **6.** Ainsi, *ce que nous avons entendu et touché de nos mains, nous vous l'annonçons à vous,* nos frères et nos enfants, *afin que vous* qui avez été présents, vous vous ressouveniez de la gloire du Seigneur et que vous qui l'apprenez à présent de vos oreilles, *vous soyez en communion* avec les saints martyrs, et à travers eux avec notre Seigneur *Jésus Christ* [d] à qui appartiennent gloire et honneur pour les siècles des siècles. Amen [e].

II. 1. On arrêta de jeunes catéchumènes : Revocatus et Félicité, sa compagne d'esclavage, Saturninus et Secundulus ; parmi eux, il y avait aussi Vibia Perpetua, de noble

d. I Jn 1, 1-3   e. Cf. Rom. 16, 27 ; Hébr. 13, 21

---

témoignage pour les incroyants, secours pour les croyants. **6.** Et *ce que nous avons entendu, vu et touché de nos mains, nous vous l'annonçons à vous,* nos frères et nos enfants, *afin que* ceux qui étaient présents se ressouviennent de la gloire de Dieu, et que vous qui l'apprenez à présent de vos oreilles, *vous soyez en communion* avec les saints martyrs, et à travers eux avec notre Seigneur *Jésus Christ* [d], à qui appartient la gloire pour les siècles des siècles. Amen [e].

II. 1. Dans la ville de Thuburbo Minus furent arrêtés de jeunes catéchumènes, Revocatus et Félicité, compagnons d'esclavage, et Saturnilus et Secundus ; avec eux il y avait aussi Vibia Perpetua, qui était de noble naissance,

d. I Jn 1, 1-3   e. Cf. Rom. 16, 27 ; Hébr. 13, 21

liter instituta, matronaliter nupta, **2.** habens patrem et
5 matrem et fratres duos, alterum aeque catechumenum, et
filium infantem ad ubera. **3.** Erat autem ipsa circiter
annorum uiginti duo. Haec ordinem totum martyrii sui
iam hinc ipsa narrauit, sicut conscriptum manu sua et
suo sensu reliquit :

III. 1. Cum adhuc, inquit, cum prosecutoribus essemus
et me pater uerbis euertere cupiret et deicere pro sua
affectione perseueraret : «Pater, inquam, uides, uerbi
gratia, uas hoc iacens, urceolum siue aliud?» Et dixit :
5 «Video.» **2.** Et ego dixi ei : «Numquid alio nomine
uocare potest quam quod est?» Et ait : «Non.» «Sic et
ego aliud me dicere non possum nisi quod sum, chris-

---

4 matronaliter : naturaliter E^2 || 6 erat autem ipsa : et erat ipsa *B C
D* et ipsa fuit *E* || 7 haec ordinem : hoc ordine *D* || 8 narrauit : -rabit
Hol. Fel. Rui.

III, 1 cum^2 : sub *E* || persecutoribus *E* || essemus : essem *A* ||
2 euertere : auer- *B C D E* || cuperet *D* || 4 iacens : iacet siue *E* ||
6 potest : potes *D* || ait : dixit *B C E*

---

5 τραφεῖσα πολυτελῶς γαμηθεῖσά τε ἐξόχως. **2.** Αὕτη εἶχεν
πατέρα καὶ μητέρα καὶ δύο ἀδελφούς, ὧν ὁ ἕτερος ἦν
ὡσαύτως κατηχούμενος · εἶχεν δὲ καὶ τέκνον, ὃ πρὸς τοῖς
μασθοῖς ἔτι ἐθήλαζεν. **3.** Ἦν δὲ αὐτὴ ἐτῶν εἴκοσι δύο ·
ἥτις πᾶσαν τὴν τάξιν τοῦ μαρτυρίου ἐντεῦθεν διηγήσατο,
10 ὡς καὶ τῷ νοΐ αὐτῆς καὶ τῇ χειρὶ συγγράψασα κατέλιπεν,
οὕτως εἰποῦσα ·

III. 1. Ἔτι, φησίν, ἡμῶν παρατηρουμένων, ἐπεχείρει ὁ
πατήρ μου λόγοις πείθειν με κατὰ τὴν ἑαυτοῦ εὐσπλαγχνίαν
τῆς προκειμένης ὁμολογίας ἐκπεσεῖν. Κἀγὼ πρὸς αὐτόν ·
Πάτερ, ἔφην, ὁρᾷς λόγου χάριν σκεῦος κείμενον ἢ ἄλλο
5 τι τῶν τοιούτων; Κἀκεῖνος ἀπεκρίθη · Ὁρῶ. **2.** Κἀγώ ·
Ἄλλο ὀνομάζειν αὐτὸ μὴ θέμις; Οὐδὲ δύναμαι εἰ μὴ ὅ

naissance, d'éducation libérale, qui avait rang de matrone par son mariage; **2.** elle avait un père, une mère et deux frères, l'un également catéchumène, et un fils en bas âge, encore au sein. **3.** Elle avait environ vingt-deux ans. C'est elle qui, à partir d'ici, a fait elle-même le récit complet de son martyre, comme elle l'a laissé rédigé de sa main, et à sa propre idée.

III. 1. Comme nous étions encore, dit-elle, en compagnie de nos gardes, que mon père cherchait par ses paroles à m'ébranler et, poussé par son affection pour moi, s'entêtait à vouloir ma chute : «Mon père, lui dis-je, vois-tu par exemple ce pichet par terre, c'est un cruchon n'est-ce pas? » Et il dit : «Je le vois.» **2.** Et moi je lui dis : «Pourrait-on l'appeler d'un autre nom que du nom de ce qu'il est? » Et il dit : «Non.» «Pareillement, moi non plus je ne peux me dire autre que je ne suis,

---

avait grandi dans la richesse et fait un brillant mariage. **2.** Elle avait un père, une mère et deux frères, dont l'un était également catéchumène, elle avait aussi un enfant qui têtait encore au sein. **3.** Elle avait vingt-deux ans. C'est elle qui, à partir d'ici, a fait elle-même le récit complet de son martyre, comme elle l'a laissé, rédigé à son idée et de sa main : voici ce qu'elle a dit.

III. 1. Comme nous étions encore sous surveillance, dit-elle, mon père, poussé par son affection pour moi, cherchait par ses paroles à me faire renoncer à la foi que je professais. Et je lui dis : «Mon père, [dis-je,] vois-tu par exemple cet ustensile posé à terre ou tout autre objet de ce genre?» Et lui me répondit : «Je le vois.» **2.** Et moi : «Serait-il permis de l'appeler d'un autre nom? Je ne peux pas davantage m'appeler autrement que je

tiana.» **3.** Tunc pater motus hoc uerbo mittit se in me,
ut oculos mihi erueret, sed uexauit tantum, et profectus
10 est uictus cum argumentis diaboli. **4.** Tunc paucis diebus
quod caruissem patrem, Domino gratias egi et refrigeraui
absentia illius. **5.** In ipso spatio paucorum dierum bap-
tizati sumus; et mihi Spiritus dictauit non aliud petendum
ab aqua nisi sufferentiam carnis. Post paucos dies reci-
15 pimur in carcerem; et expaui, quia numquam experta
eram tales tenebras. **6.** O diem asperum! Aestus ualidus
turbarum beneficio, concussurae militum. Nouissime mace-

8 misit *B C D E* ‖ 9 erueret : euerteret *B C¹ C²* ‖ sed uexauit tantum : et
nimium uexavit (uexans *C³*) me *C* uexauero *B* ‖ 11 patre *C D E*
edd. ‖ refrigeraui : -rauit *A* -raui me *E* -rata sum *B C* ‖ 14-15 recipimur: recepti sumus *C³* ‖ 16 o diem: o die *B* odium *D* ‖
17 nouissime : -mo *B C* o angustiae novissimae *E*

εἰμι, τουτέστιν Χριστιανή. **3.** Τότε ὁ πατήρ μου,
ταραχθεὶς τῷδε τῷ λόγῳ, ἐπελθὼν ἠθέλησεν τοὺς
ὀφθαλμούς μου ἐξορύξαι · ἔπειτα μόνον κράξας ἐξῆλθεν
10 νικηθεὶς μετὰ τῶν τοῦ διαβόλου μηχανῶν. **4.** Τότε ὀλίγας
ἡμέρας ἀποδημήσαντος αὐτοῦ, ηὐχαρίστησα τῷ Κυρίῳ καὶ
ἥσθην ἀπόντος αὐτοῦ. **5.** Καὶ ἐν αὐταῖς ταῖς ἡμέραις
ἐβαπτίσθημεν · καὶ ἐμὲ ὑπηγόρευσεν τὸ πνεῦμα τὸ ἅγιον
μηδὲν ἄλλο αἰτήσασθαι ἀπὸ τοῦ ὕδατος τοῦ βαπτίσματος
15 εἰ μὴ σαρκὸς ὑπομονήν. Μετὰ δὲ ὀλίγας ἡμέρας ἐβλήθημεν εἰς φυλακήν, καὶ ἐξενίσθην · οὐ γὰρ πώποτε τοιοῦτον
ἑωράκειν σκότος. **6.** ῍Ω δεινὴν ἡμέραν καῦμά τε σφοδρόν ·
καὶ γὰρ ἀνθρώπων πλῆθος ἦν ἐκεῖ, ἄλλως τε καὶ
στρατιωτῶν συκοφαντίαι πλεῖσται · μεθ᾽ ἃ δὴ πάντα κατε-

III, 17 ὦ Geb. Be. : ὡς H Har. Rob. ‖ 19 συκοφαντίαι πλεῖσται Geb.
Be. : -τίαις πλῆσται H -τίαις πλείσταις Har. Rob.

chrétienne.» **3.** Alors mon père, irrité par ce mot, se jette sur moi pour m'arracher les yeux, mais il se contenta de me malmener et s'en alla vaincu avec ses arguments du diable. **4.** Puis, pendant quelques jours où je restai sans voir mon père, je rendis grâce au Seigneur et, en l'absence de mon père, je repris des forces. **5.** Dans l'espace précisément de ces quelques jours nous reçûmes le baptême; et l'Esprit me dicta de ne demander à l'eau que la force de supporter la souffrance de la chair. Quelques jours après nous sommes mis en prison; et j'eus peur parce que je n'avais jamais connu de pareilles ténèbres. **6.** Ô jour de terreur! Une chaleur étouffante à cause de la foule, les menaces des soldats. Par dessus tout, je me consumais d'inquiétude pour mon enfant resté

---

ne suis, c'est-à-dire chrétienne.» **3.** Alors mon père, irrité par ce mot, se jeta sur moi et voulut m'arracher les yeux; puis, se contentant de vociférer, il s'en alla vaincu avec ses ruses du diable. **4.** Alors, comme il resta absent quelques jours, je rendis grâce au Seigneur et, en l'absence de mon père, je retrouvai la joie. **5.** Pendant ces mêmes jours, nous reçûmes le baptême; et l'Esprit-Saint me prescrivit de ne demander rien d'autre à l'eau du baptême que la force de supporter la souffrance de la chair. Quelques jours après, nous fûmes jetés en prison et je fus frappée de stupeur : car je n'avais jamais vu de pareilles ténèbres. **6.** Ô jour terrible et chaleur excessive! En effet, il y avait là une foule de gens et surtout mille exactions des soldats; et par-dessus tout, je m'affligeais

rabar sollicitudine infantis ibi. **7.** Tunc Tertius et Pomponius, benedicti diaconi qui nobis ministrabant, consti-
20 tuerunt praemio uti paucis horis emissi in meliorem locum
carceris refrigeraremus. **8.** Tunc exeuntes de carcere
uniuersi sibi uacabant : ego infantem lactabam iam inedia
defectum; sollicita pro eo adloquebar matrem et confor-
tabam fratrem, commendabam filium; tabescebam ideo
25 quod illos tabescere uideram mei beneficio. **9.** Tales sol-
licitudines multis diebus passa sum; et usurpaui ut mecum
infans in carcere maneret; et statim conualui et releuata

18 infantis ibi : infantis. Ibi *B C D E Gey. Bas.* || 19 benedicti diaconi
qui nobis ministrabant : diacones stabant benedicti *D* || diaconi : -conus
C -cones *D E* || 19-20 constituerunt : continuerunt *B* || 20 praemio : -
mium *B C D* pretio *E* || uti *She. Be.* : ut hii *A* ut *B C D E* || 21 refri-
geraremus : -geraremur *C* -geremus *E²* -geremur *B* || exeuntes : exierunt
D || 22-23 inedia defectum : in taedio defecto *D* mane die illuscente
defectum *E* || 25 uideram : -derem *D* -debam *B C E* || meo *B C E* ||
27 conualui : -ualuit *Geb. Fra.* (*graece* ἀνέλαβεν)

20 πονούμην διὰ τὸ νήπιον τέκνον. **7.** Τότε Τέρτιος καὶ
Πομπόνιος εὐλογημένοι διάκονοι οἳ διηκόνουν ἡμῖν, τιμὰς
δόντες ἐποίησαν ἡμᾶς εἰς ἡμερώτερον τόπον τῆς φυλακῆς
μεταχθῆναι. **8.** Τότε ἀναπνοῆς ἐτύχομεν, καὶ δὴ ἕκαστοι
προσαχθέντες ἐσχόλαζον ἑαυτοῖς · καὶ τὸ βρέφος ἠνέχθη
25 πρός με, καὶ ἐπεδίδουν αὐτῷ γάλα ἤδη αὐχμῷ μαρανθέντι ·
τῇ μητρὶ προσελάλουν, τὸν ἀδελφὸν προετρεπόμην, τὸ
νήπιον παρετιθέμην · ἐτηκόμην δὲ ὅτι ἐθεώρουν αὐτοὺς δι᾽
ἐμὲ λυπουμένους. **9.** Οὕτως περίλυπος πλείσταις ἡμέραις
οὖσα, ᾔτησα καὶ τὸ βρέφος ἐν τῇ φυλακῇ μετ᾽ ἐμοῦ
30 μένειν · κἀκεῖνο ἀνέλαβεν καὶ ἐγὼ ἐκουφίσθην ἀπὸ ἀνίας

25 μαρανθέντι Geb. Be. : μαρανθέν H Har. Rob. || 29 ᾔτησα Rob. Be. :
ᾔθησα H εἴθισα Har.

là-bas. **7.** Alors Tertius et Pomponius, les diacres bénis qui veillaient sur nous, obtinrent, moyennant récompense, qu'on nous laissât aller quelques heures dans un meilleur endroit de la prison, pour que nous puissions reprendre des forces. **8.** Alors, en sortant de la prison, chacun était libre de vaquer à ses occupations : pour moi, j'allaitais mon enfant déjà à demi mort de faim. Inquiète pour lui, j'en parlais à ma mère et je tentais de réconforter mon frère, je leur recommandais mon fils; je me consumais de chagrin parce que je les avais vu se consumer par souci de moi. **9.** Telles furent les inquiétudes que je supportai pendant bien des jours; et puis j'obtins que mon enfant restât avec moi en prison; et aussitôt j'allai mieux, je fus soulagée de la peine et de l'inquiétude que

---

du sort de mon enfant nouveau-né. **7.** Alors Tertius et Pomponius, les diacres bénis qui veillaient sur nous, obtinrent, moyennant récompense, qu'on nous fît passer dans un endroit moins pénible de la prison. **8.** Alors nous reprîmes haleine et, une fois mené dehors, chacun était libre de vaquer à ses propres occupations; on m'apporta mon enfant et je l'allaitais, car il était déjà à demi mort de soif; j'en parlais à ma mère, j'exhortais mon frère, je leur confiais mon nouveau-né; je me consumais de chagrin parce que je les voyais s'affliger à cause de moi. **9.** Étant restée ainsi pleine de tristesse pendant plusieurs jours, je demandai que mon enfant restât aussi dans la prison avec moi; celui-ci se rétablit et je me sentis soulagée de mon chagrin et de ma peine, et voici

sum a labore et sollicitudine infantis, et factus est mihi
carcer subito praetorium, ut ibi mallem esse quam alicubi.

IV. 1. Tunc dixit mihi frater meus : «Domina soror,
iam in magna dignatione es, tanta ut postules uisionem
et ostendatur tibi an passio sit an commeatus.» **2.** Et
ego quae me sciebam fabulari cum Domino, cuius bene-
5 ficia tanta experta eram, fidenter repromisi ei dicens :
«Crastina die tibi renuntiabo.» Et postulaui, et ostensum
est mihi hoc : **3.** uideo scalam aeream mirae magnitudinis, pertingentem usque ad caelum et angustam[a], per
quam nonnisi singuli ascendere possent, et in lateribus

29 subito : quasi *B C* ‖ alibi *B C D E*
IV, 2 dignitate *B C* ‖ tanta : *add.* es *E* ‖ 4-5 beneficia : -ficio *C* -facta
E² ‖ 5 fidenter : fidens *B C E* ‖ repromisi ei dicens : repromissionibus
dixi *C* ‖ 7 aeream : auream *B om. A* ‖ 7-8 magnitudinis : longitu- *D
E* ‖ 8 ad : in *C E* ‖ 9 possent : -sint *C¹ C²* -sim *E*

καὶ πόνου, καὶ ἰδοὺ ἡ φυλακὴ ἐμοὶ γέγονεν πραιτώριον,
ὡς μᾶλλόν με ἐκεῖ θέλειν εἶναι καὶ οὐκ ἀλλαχοῦ.

IV. 1. Τότε εἶπέν μοι ὁ ἀδελφός · Κυρία ἀδελφή, ἤδη
ἐν μεγάλῳ ἀξιώματι ὑπάρχεις, τοσαύτη οὖσα ὡς εἰ αἰτήσειας ὀπτασίας, ὀπτασίαν λάβοις ἂν εἰς τὸ δειχθῆναί σοι
εἴπερ ἀναβολὴν ἔχεις ἢ παθεῖν μέλλεις. **2.** Κἀγὼ ἥτις
5 ᾔδειν με ὁμιλοῦσαν θεῷ, οὗ γε δὴ τοσαύτας εὐεργεσίας
εἶχον, πίστεως πλήρης οὖσα ἐπηγγειλάμην αὐτῷ εἰποῦσα ·
Αὔριόν σοι ἀπαγγελῶ. Ἠτησάμην δέ, καὶ ἐδείχθη μοι
τοῦτο · **3.** εἶδον κλίμακα χαλκῆν θαυμαστοῦ μήκους, ἧς
τὸ μῆκος ἄχρις οὐρανοῦ · στενὴ[a] δὲ ἦν ὡς μηδένα δι'
10 αὐτῆς δύνασθαι εἰ μὴ μοναχὸν ἕνα ἀναβῆναι. Ἐξ ἑκατέρων
δὲ τῶν τῆς κλίμακος μερῶν πᾶν εἶδος ἦν ἐμπεπηγμένον

IV, 9 τὸ μῆκος Har. Rob. Be. : τοῦ μήκους Η

me causait mon enfant et sur le champ la prison devint
pour moi un palais, à tel point que j'aurais choisi d'être
là plutôt que partout ailleurs.

IV. 1. Alors mon frère me dit : «Madame ma sœur, tu
es désormais digne de grandes grâces, si grandes que tu
peux demander une vision et qu'il te soit montré si tu
dois attendre la passion ou la libération.» **2.** Et moi qui
savais que je conversais avec le Seigneur, dont j'avais
éprouvé de si grands bienfaits, je le lui promis avec
confiance en disant : «Demain je te donnerai la réponse.»
Puis je priai et j'eus cette vision : **3.** je vois une échelle
d'airain d'une hauteur extraordinaire, qui montait jusqu'au
ciel ; elle était étroite[a] – on n'y pouvait grimper qu'un
par un –, et sur les bords de l'échelle étaient fichés toutes

---

IV. a. Cf. Gen. 28, 12 ; Matth. 7, 13

---

que la prison devint pour moi un palais, à tel point que
j'aurais choisi d'être là plutôt que partout ailleurs.

IV. 1. Alors mon frère me dit : «Madame ma sœur, tu
es désormais digne de grandes grâces, si grandes que tu
peux demander des visions, tu pourrais avoir une vision
pour qu'il te soit montré si tu vas avoir un sursis ou si
tu vas subir la passion.» **2.** Et moi qui savais que je
conversais avec Dieu, dont je recevais de si grands bienfaits, pleine de confiance, je le lui promis en disant :
«Demain je te donnerai la réponse.» Je priai et j'eus
cette vision : **3.** je vis une échelle d'airain d'une hauteur
extraordinaire, dont la hauteur montait jusqu'au ciel ; elle
était si étroite[a] que personne ne pouvait y grimper si ce
n'est un par un. De chaque côté de l'échelle étaient fichés

IV. a. Cf. Gen. 28, 12 ; Matth. 7, 13

10 scalae omne genus ferramentorum infixum. Erant ibi gladii,
lanceae, hami, machaerae, uerruta, ut si quis neglegenter
aut non sursum adtendens ascenderet, laniaretur et carnes
eius inhaererent ferramentis. **4.** Et erat sub ipsa scala
draco[b] cubans mirae magnitudinis, qui ascendentibus
15 insidias   praestabat   et   exterrebat   ne   ascenderent.
5. Ascendit autem Saturus prior, qui postea se propter
nos ultro tradiderat, quia ipse nos aedificauerat, et tunc
cum adducti sumus, praesens non fuerat. **6.** Et peruenit
in caput scalae, et conuertit se et dixit mihi : «Perpetua,
20 sustineo te; sed uide ne te mordeat draco ille.» Et dixi

11 uer(r)uta *Be. Geb.* : uerruti *E om. A B C D* (ὀϐελίσκων *H*) ‖
12 adtendens ascenderet : ascendens adtenderet *B E   om. D* ‖
14 eius : illius *B C¹ C² E*   illis *C³* ‖ 15 praestabat : parabat *B C D* ten-
debat *E¹* ‖ 17 quia ipse nos aedificauerat *om. A* ‖ 18 adducti : adpre-
hensi *B C* ‖ sumus : fuissemus *E* ‖ 19 se : ad me *add. B C*

ἐκεῖ ξιφῶν, δοράτων, ἀγκίστρων, μαχαιρῶν, ὀϐελίσκων, ἵνα
πᾶς ὁ ἀναϐαίνων ἀμελῶς καὶ μὴ ἀναϐλέπων τοῖς ἀκοντίοις
τὰς σάρκας σπαραχθείη. **4.** Ἦν δὲ ὑπ' αὐτῇ τῇ κλίμακι
15 δράκων[b] ὑπερμεγέθης, ὃς δὴ τοὺς ἀναϐαίνοντας ἐνήδρευεν,
ἐκθαμϐῶν ὅπως μὴ τολμῶσιν ἀναϐαίνειν. **5.** Ἀνέϐη δὲ ὁ
Σάτυρος, ὃς δὴ ὕστερον δι' ἡμᾶς ἑκὼν παρέδωκεν ἑαυτόν,
αὐτοῦ γὰρ καὶ οἰκοδομὴ ἦμεν, ἀλλ' ὅτε συνελήφθημεν
ἀπῆν. **6.** Ὡς οὖν πρὸς τὸ ἄκρον τῆς κλίμακος παρεγένετο,
20 ἐστράφη καὶ εἶπεν · Περπετούα, περιμένω σε · ἀλλὰ βλέπε
μή σε ὁ δράκων δάκῃ. Καὶ εἶπον · Οὐ μή με βλάψῃ, ἐν

14 σπαραχθείη Har. Rob. : -χθηέι H   -χθῇ Be.

sortes de pointes de fer. Il y avait là des glaives, des
lances, des crocs, des coutelas, des javelines, si bien que
si quelqu'un montait sans prendre garde ou sans regarder
vers le haut, il serait lacéré et sa chair resterait accrochée
aux pointes de fer.   **4.** Il y avait juste au pied de l'échelle
un serpent[b] couché d'une grosseur extraordinaire, qui
tendait des embûches à ceux qui montaient et qui cherchait à les terrifier pour les empêcher de monter.
5. Saturus monta le premier – il s'était livré après coup,
de lui-même, à cause de nous –, car c'était lui qui nous
avait instruits dans la foi et lorsque nous fûmes emmenés
il s'était trouvé absent.   **6.** Et il parvint au sommet de
l'échelle, se retourna et me dit : «Perpétue, je t'attends ;
mais prends garde que ce serpent ne te morde.» Et je

b. Cf. Gen 3, 15

---

là toutes sortes d'épées, de lances, de crocs, de coutelas,
de javelines, afin que tout homme qui monterait sans
prendre garde et sans regarder vers le haut se déchirât
les chairs à ces lames.   **4.** Il y avait au pied même de
l'échelle un énorme serpent[b], qui guettait ceux qui montaient, les frappant d'épouvante pour qu'ils n'aient pas
l'audace de monter.   **5.** Saturus monta. Il s'était livré après
coup de lui-même à cause de nous – car notre édification était son œuvre –, mais quand on nous avait
arrêtés il était absent.   **6.** Lorsqu'il fut donc parvenu au
sommet de l'échelle, il se retourna et dit : «Perpétue, je
t'attends ; mais prends garde que ce serpent ne te morde.»
Et je lui dis : «Il ne risque pas de me faire de mal, au

b. Cf. Gen 3, 15

ego : «Non me nocebit, in nomine Iesu Christi.» **7.** Et
desub ipsa scala, quasi timens me, lente eiecit caput; et
quasi primum gradum calcarem, calcaui illi caput et
ascendi[c]. **8.** Et uidi spatium immensum horti et in medio
25 sedentem hominem canum[d], in habitu pastoris[e], grandem,
oues mulgentem; et circumstantes candidati milia multa.
9. Et leuauit caput et aspexit me et dixit mihi : «Bene
uenisti, tegnon.» Et clamauit me et de caseo quod mulgebat dedit mihi quasi buccellam; et ego accepi iunctis
30 manibus et manducaui; et uniuersi circumstantes dixerunt :
«Amen»[f]. **10.** Et ad sonum uocis experta sum, conman-

21 non me : nemo *B* ‖ nomine : domini *add. B* domini nostri *add.*
C D ‖ 22 eiecit : eleuauit *B C* ‖ 23 quasi : cum *B C D* ‖ calcarem : -
cassem *B C om. E* ‖ 24 uideo *B C D E* ‖ 25 canum : sanum *A* ‖
26 circumstantes candidati : -stantes -didatos *B C² C³ E¹* -stantium -dida-
torum *D* -stantes -dida *C¹* ‖ 27-28 bene uenisti tegnon : bene uenisti
nunc *C²* bene uenisti nec non *D* bene uenies tegnum *B* bene
uenias *C³* benedixisti nunc *C¹* ‖ 28 caseo : de lacte *add. C³* ‖
31 experta : -perrecta *E¹ edd.* -pergefacta *D*

ὀνόματι Ἰησοῦ Χριστοῦ. **7.** Καὶ ὑποκάτω τῆς κλίμακος,
ὡσεὶ φοβούμενός με, ἠρέμα τὴν κεφαλὴν προσήνεγκεν · καὶ
ὡς εἰς τὸν πρῶτον βαθμὸν ἠθέλησα ἐπιβῆναι, τὴν κεφαλὴν
25 αὐτοῦ ἐπάτησα[c]. **8.** Καὶ εἶδον ἐκεῖ κῆπον μέγιστον, καὶ
ἐν μέσῳ τοῦ κήπου ἄνθρωπον πολιὸν[d] καθεζόμενον,
ποιμένος σχῆμα ἔχοντα[e], ὑπερμεγέθη, ὃς ἤμελγεν τὰ
πρόβατα · περιειστήκεισαν δὲ αὐτῷ πολλαὶ χιλιάδες λευχει-
μονούντων **9.** Ἐπάρας δὲ τὴν κεφαλὴν ἐθεάσατό με καὶ
30 εἶπεν · Καλῶς ἐλήλυθας, τέκνον. Καὶ ἐκάλεσέν με καὶ ἐκ
τοῦ τυροῦ οὗ ἤμελγεν, ἔδωκέν μοι ὡσεὶ ψωμίον · καὶ
ἔλαβον ζεύξασα τὰς χεῖράς μου καὶ ἔφαγον · καὶ εἶπαν
πάντες οἱ παρεστῶτες · Ἀμήν[f]. **10.** Καὶ πρὸς τὸν ἦχον

27 ἤμελγεν Fra. Be. : ἤλμευγεν H Har. Rob.

lui dis : «Il ne me fera aucun mal, au nom de Jésus-Christ.» **7.** Et du pied même de l'échelle, comme s'il avait peur de moi, il sortit lentement la tête; et comme si je posais le pied sur la première marche, je posai le pied sur sa tête et je montai[c]. **8.** Et je vis l'immense étendue d'un jardin et, assis au milieu, un homme à cheveux blancs[d], vêtu comme un pasteur[e], imposant, qui trayait des brebis; et debout, tout autour de lui, une multitude de gens vêtus de blanc.   **9.** Il leva la tête, m'aperçut et me dit : «Tu es la bienvenue, mon enfant.» Et il m'appela et, du fromage qui provenait de la traite, il m'offrit comme une bouchée; et moi je la reçus les mains jointes et je mangeai; et tous les assistants dirent : «Amen»[f].   **10.** Et au son de ces voix, je me réveillai,

c. Cf. Gen. 3, 15   d. Cf. Apoc. 1, 14; Dan. 7, 9   e. Cf. Jn 10, 11; Hébr. 13, 20; Is. 63, 11   f. Cf. Apoc. 7, 9-14

---

nom de Jésus-Christ».   **7.** Et de dessous l'échelle, comme s'il avait peur de moi, il sortit lentement la tête; et, lorsque je voulus monter sur la première marche, je lui foulai la tête[c]. **8.** Et je vis là un jardin immense, et, au milieu du jardin, assis, un homme à cheveux blancs[d], ayant l'aspect d'un pasteur[e], très grand, qui trayait ses brebis; et autour de lui se tenait une multitude de gens vêtus de blanc.   **9.** Levant la tête, il me regarda et dit : «Tu es la bienvenue, mon enfant. » Et il m'appela et, du fromage qui provenait de la traite, il m'offrit comme une bouchée; et je la reçus les mains jointes et je mangeai; et tous les assistants dirent : «Amen[f]».   **10.** Et au son

c. Cf. Gen. 3, 15   d. Cf. Apoc. 1, 14; Dan. 7, 9   e. Cf. Jn 10, 11; Hébr. 13, 20; Is. 63, 11   f. Cf. Apoc. 7, 9-14

ducans adhuc dulce nescio quid. Et retuli statim fratri
meo; et intelleximus passionem esse futuram, et coepimus
nullam spem in saeculo habere.

V. 1. Post paucos dies rumor cucurrit ut audiremur.
Superuenit autem et de ciuitate pater meus, consumptus
taedio, et ascendit ad me, ut me deiceret, dicens:
2. «Miserere, filia, canis meis; miserere patri, si dignus
5 sum a te pater uocari, si his te manibus ad hunc florem
aetatis prouexi, si te praeposui omnibus fratribus tuis: ne
me dederis in dedecus hominum. **3.** Aspice fratres tuos,

32 dulce : -ci *B C¹* -cedine *D om. A* ‖ 33 coepi *E*
V, 1 cucurrit : occur- *C* ‖ ut : quod *B C D E* ‖ 2 superuenit : -ueniret
C³ et superuenit *B C¹ C²* ‖ autem et : autem *D om. C D E* ‖ 4 canis
meis : carnis meae *D* patri *B C* ‖ patri : patris *A* canis meis *B C* ‖
6 si te praeposui : si te proposui *B* et praeposui *D* quia et praeposui te *E* ‖ 7 dedecus : opprobrium *B C*

τῆς φωνῆς ἐξυπνίσθην, ἔτι τί ποτε μασωμένη γλυκύ. Καὶ
35 εὐθέως διηγησάμην τῷ ἀδελφῷ · καὶ ἐνοήσαμεν ὅτι δέοι
παθεῖν. Καὶ ἠρξάμην ἔκτοτε μηδεμίαν ἐλπίδα ἐν τῷ αἰῶνι
τούτῳ ἔχειν.

V. 1. Μετὰ δὲ ἡμέρας ὀλίγας ἔγνωμεν μέλλειν ἡμᾶς
ἀκουσθήσεσθαι. Παρεγένετο δὲ καὶ ὁ πατὴρ ἐκ τῆς πόλεως
ἀδημονίᾳ μαραινόμενος, καὶ ἀνέβη πρός με προτρεπόμενός
με καταβαλεῖν, λέγων · **2.** Θύγατερ, ἐλέησον τὰς πολιάς
5 μου · ἐλέησον τὸν πατέρα σου, εἴπερ ἄξιός εἰμι ὀνομασθῆναι
πατήρ σου · μνήσθητι ὅτι ταῖς χερσὶν ταύταις πρὸς τὸ
τοιοῦτον ἄνθος τῆς ἡλικίας ἀνήγαγον σε, καὶ προειλόμην
σε ὑπὲρ τοὺς ἀδελφούς σου · **3.** ὅρα τὴν σὴν μητέρα καὶ

V, 2-3 τῆς πολέως ἀδημονίᾳ Fra. Be. : τῆς πολλῆς ἀποδημίας H Har.
Rob.

mâchant encore je ne sais quoi de délicieux. Aussitôt je racontai le songe à mon frère, et nous comprîmes que la passion nous attendait et nous commençâmes à n'avoir plus aucun espoir en ce monde.

V. 1. Peu de jours après, le bruit courut que nous allions être interrogés. Survint alors mon père, venant de la cité; il était consumé de chagrin et il monta me voir, pour tenter de provoquer ma chute en disant : **2.** «Aie pitié, ma fille, de mes cheveux blancs; aie pitié de ton père, si je mérite de recevoir de toi le nom de père, s'il est vrai que je t'ai élevée de ces mains jusqu'à la fleur de l'âge où l'on te voit, s'il est vrai que je t'ai préférée à tous tes frères : ne fais pas de moi un objet de honte devant les gens. **3.** Pense à tes frères, pense à ta mère

---

de ces voix, je me réveillai, mâchant encore quelque chose de délicieux. Aussitôt je racontai le songe à mon frère. Et nous comprîmes que nous devions subir le martyre. Et je commençai dès lors à n'avoir plus aucun espoir en ce monde.

V. 1. Peu de jours après, nous sûmes que nous allions être interrogés. Survint alors mon père venant de la cité, il était consumé d'inquiétude et il monta me voir, cherchant à me faire descendre, en disant : **2.** «Ma fille, aie pitié de mes cheveux blancs; aie pitié de ton père, si je mérite d'être appelé ton père : souviens-toi que de ces mains je t'ai amenée jusqu'à cette fleur de l'âge ou l'on te voit, et je t'ai préférée à tes frères; **3.** pense à ta

aspice matrem tuam et materteram, aspice filium tuum,
qui post te uiuere non poterit. **4.** Depone animos; ne
10 uniuersos nos extermines : nemo enim nostrum libere
loquetur, si tu aliquid fueris passa.» **5.** Haec dicebat
quasi pater pro sua pietate, basians mihi manus, et se
ad pedes meos iactans et lacrimans me iam non filiam
nominabat, sed dominam. **6.** Et ego dolebam casum
15 patris mei, quod solus de passione mea gauisurus non
esset de toto genere meo; et confortaui eum dicens :
«Hoc fiet in illa catasta quod Deus uoluerit; scito enim

8 aspice filium tuum : aspice ad fratres tuos, aspice ad filium *B* ‖ 9-
10 ne uniuersos nos extermines : noli nos uniuersos exterminare *B C* ‖
10 nostrum : in saeculo *add.* *D* ‖ 11 loquitur *B* *C¹ C²* *E* ‖
12 basians : osculans *D E* ‖ 13 et lacrimans *Geb.* : etiam lacrimans *C¹*
C² D et iam lacrimans *B C³* lacrimans *E* et lacrimis *A* ‖ 14 nominabat : uocabat *E* ‖ casum : casus *E* causam *A* canos *B C* ‖ 15 gauisus
B C D E ‖ 17 deus : dominus *B C D* ‖ uoluerit : uolet *E²*

τὴν τῆς μητρός σου ἀδελφήν, ἴδε τὸν υἱόν σου ὃς μετὰ
10 σὲ ζῆν οὐ δύναται. **4.** Ἀπόθου τοὺς θυμοὺς καὶ μὴ ἡμᾶς
πάντας ἐξολοθρεύσῃς · οὐδεὶς γὰρ ἡμῶν μετὰ παρρησίας
λαλήσει, ἐάν τί σοι συμβῇ. **5.** Ταῦτα ἔλεγεν ὡς πατὴρ
κατὰ τὴν τῶν γονέων εὔνοιαν, καὶ κατεφίλει μου τὰς
χεῖρας καὶ ἑαυτὸν ἔρριπτεν ἔμπροσθεν τῶν ποδῶν μου,
15 καὶ ἐπιδακρύων οὐκέτι με θυγατέρα, ἀλλὰ κυρίαν ἐπεκάλει.
6. Ἐγὼ δὲ περὶ τῆς διαθέσεως τοῦ πατρὸς ἤλγουν, ὅτι
ἐν ὅλῳ τῷ ἐμῷ γένει μόνος οὐκ ἠγαλλιᾶτο ἐν τῷ ἐμῷ
πάθει. Παρεμυθησάμην δὲ αὐτὸν εἰποῦσα · Τοῦτο γενήσεται ἐν τῷ βήματι ἐκείνῳ <ὃ> ἐὰν θέλῃ ὁ κύριος · γνῶθι

19 ὃ add. Rob. Be.

et à ta tante, pense à ton fils qui après toi ne pourra pas vivre. **4.** Laisse là ton orgueil; ne nous fais pas tous mourir de chagrin : aucun de nous ne pourra plus parler sans crainte, si tu subis quelque condamnation.» **5.** Telles étaient les paroles qu'il me disait en père affectueux qu'il était, en me baisant les mains, en se jetant à mes pieds et en fondant en larmes il ne m'appelait plus «ma fille» mais «Madame». **6.** Et moi je souffrais du malheur de mon père, car il serait le seul de toute ma famille à ne pas se réjouir de ma passion; et je cherchai à le réconforter en disant : «Il arrivera sur cette estrade ce que Dieu aura voulu : sache bien que nous n'avons pas été

---

mère et à la sœur de ta mère, pense à ton fils qui ne peut te survivre. **4.** Laisse là ton orgueil et ne nous fais pas tous mourir de chagrin : aucun de nous ne parlera plus librement, s'il t'arrive quelque chose.» **5.** Telles étaient les paroles qu'il me disait, en père mu par l'affection paternelle, et il me baisait les mains, se jetait à mes pieds et, fondant en larmes, il ne m'appelait plus sa fille mais «Madame». **6.** Et moi je souffrais de l'état de mon père, parce que, seul de toute ma famille, il ne se réjouissait pas de ma passion. Je cherchais à le réconforter en disant : «Il arrivera sur cette estrade la volonté du Seigneur; sache en effet que nous ne serons pas en

nos non in nostra esse potestate constitutos, sed in Dei.»
Et recessit a me contristatus.

VI. 1. Alio die cum pranderemus, subito rapti sumus
ut audiremur. Et peruenimus ad forum. Rumor statim per
uicinas fori partes cucurrit et factus est populus immensus.
2. Ascendimus in catastam. Interrogati ceteri confessi sunt.
5 Ventum est ad me. Et apparuit pater ilico cum filio meo,
et extraxit me de gradu, dicens : «Supplica; miserere
infanti.» **3.** Et Hilarianus procurator, qui tunc loco proconsulis Minuci Timiniani defuncti ius gladii acceperat :

18 esse ... constitutos : esse futuros *D E* futuros *B C* ‖ 19 me : pater
add. B C
VI, 1 cum : dum *D* ‖ 3 cucurrit : -risset *E* concurrit *C* ‖ 5 pater
ilico : illic pater *D* illo pater *E* ibi pater *B C* ‖ 6 dicens supplica : supplicans *A* et dixit supplicans *B* et dixit supplico *E* rogo
add. C ‖ 7 infanti : canos meos *B C¹ C²* canis meis *C³*

20 γὰρ ὅτι οὐκ ἐν τῇ ἡμετέρᾳ ἐξουσίᾳ, ἀλλ' ἐν τῇ τοῦ θεοῦ
ἐσόμεθα. Καὶ ἐχωρίσθη ἀπ' ἐμοῦ ἀδημονῶν.

VI. 1. Καὶ τῇ ἡμέρᾳ ἐν ᾗ ὥριστο ἡρπάγημεν ἵνα
ἀκουσθῶμεν. Καὶ ὥσπερ ἐγενήθημεν εἰς τὴν ἀγοράν, φήμη
εὐθὺς εἰς τὰ ἐγγὺς μέρη διῆλθεν, καὶ συνέδραμεν πλεῖστος
ὄχλος. **2.** Ὡς δὲ ἀνέβημεν εἰς τὸ βῆμα, ἐξετασθέντες οἱ
5 λοιποὶ ὡμολόγησαν. Ἤμελλον δὲ κἀγὼ ἐξετάζεσθαι. Καὶ
ἐφάνη ἐκεῖ μετὰ τοῦ τέκνου μου ὁ πατήρ, καὶ καταγαγών
με πρὸς ἑαυτὸν εἶπεν · Ἐπίθυσον ἐλεήσασα τὸ βρέφος.
3. Καὶ Ἱλαριανός τις ἐπίτροπος, ὃς τότε τοῦ ἀνθυπάτου
ἀποθανόντος Μινουκίου Ὀππιανοῦ ἐξουσίαν εἰλήφει

VI, 2 ὥσπερ ἐγενήθημεν H Har. Rob. : ὡς παρεγενήθημεν Be. ‖
9 ὀππιανοῦ Har. Rob. Be. : ὀπιανοῦ H

remis en notre pouvoir, mais en celui de Dieu.» Et il me quitta fort affligé.

VI. 1. Un autre jour, comme nous étions en train de déjeuner, on nous emmena brusquement en toute hâte pour nous interroger. Et nous arrivâmes au forum. Aussitôt le bruit en courut dans les quartiers voisins du forum et une foule immense se rassembla. **2.** Nous montâmes sur l'estrade. Interrogés, tous les autres confessèrent leur foi. On en vint alors à moi. Et mon père se montra sur le champ avec mon fils, me tira au bas des marches, en disant : «Sacrifie, aie pitié de ton jeune enfant.» **3.** Et le procurateur Hilarianus, qui avait alors reçu le droit de glaive, en lieu et place du défunt Minucius Timinianus,

---

notre pouvoir, mais en celui de Dieu.» Et il me quitta plein de tourment.

VI. 1. Et au jour qui avait été fixé, on vint nous prendre en hâte pour nous interroger. Et lorsque nous fûmes arrivés au forum, le bruit s'en répandit rapidement dans les quartiers voisins et une foule immense accourut. **2.** Lorsque nous fûmes montés sur l'estrade, tous les autres, interrogés, confessèrent leur foi. Moi aussi j'allais être interrogée. Et mon père se montra alors avec mon fils et, me tirant vers lui, il me dit : «Sacrifie par pitié pour ton nourrisson.» **3.** Et un nommé Hilarianus, le procurateur, qui, en raison du décès du proconsul Minucius Oppianus, avait alors reçu le droit de glaive,

«Parce, inquit, canis patris tui, parce infantiae pueri. Fac
10 sacrum pro salute imperatorum!» **4.** Et ego respondi :
«Non facio.» Hilarianus : «Christiana es?» inquit. Et ego
respondi : «Christiana sum.» **5.** Et cum staret pater ad
me deiciendam, iussus est ab Hilariano proici, et uirga
percussus est. Et doluit mihi casus patris mei, quasi ego
15 fuissem percussa : sic dolui pro senecta eius misera.
6. Tunc nos uniuersos pronuntiat et damnat ad bestias;
et hilares descendimus ad carcerem. **7.** Tunc quia
consueuerat a me infans mammas accipere et mecum in
carcere manere, statim mitto ad patrem Pomponium dia-
20 conum, postulans infantem. **8.** Sed pater dare noluit. Et

9 parce inquit canis : dixit parce canos *B C* ‖ 10 respondi : dicens
add. D ‖ 11 facio : faciam *B C* ‖ 12 staret : temptaret *B C* perseuerare
add. C³ ‖ 13 proici : deici *A* ‖ 14 doluit mihi : dolui *C* ‖ mei : *om. D
E* ‖ 15 sic dolui : mihi doluit *C* dolui *B* ‖ misera : -seros *C* -ser *B
(uerbum alteri sententiae iungitur)* ‖ 16 damnat : clamat *C*

10 μαχαίρας, λέγει μοι · Φεῖσαι τῶν πολιῶν τοῦ πατρός σου,
φεῖσαι τῆς τοῦ παιδίου νηπιότητος · ἐπίθυσον ὑπὲρ σωτηρίας
τῶν αὐτοκρατόρων. **4.** Κἀγὼ ἀπεκρίθην · Οὐ θύω. Καὶ
εἶπεν Ἱλαριανός · Χριστιανὴ εἶ; Καὶ εἶπον · Χριστιανή εἰμι.
5. Καὶ ὡς ἐσπούδαζεν ὁ πατήρ μου καταβαλεῖν με ἀπὸ
15 τῆς ὁμολογίας, κελεύσαντος Ἱλαριανοῦ ἐξεβλήθη · προσέτι
δὲ καὶ τῇ ῥάβδῳ τῶν δορυφόρων τις ἐτύπτησεν αὐτόν.
Κἀγὼ σφόδρα ἤλγησα, ἐλεήσασα τὸ γῆρας αὐτοῦ. **6.** Τότε
ἡμᾶς πάντας πρὸς θηρία κατακρίνει · καὶ χαίροντες
κατίημεν εἰς φυλακήν. **7.** Ἐπειδὴ δὲ ὑπ' ἐμοῦ ἐθηλάζετο
20 τὸ παιδίον καὶ μετ' ἐμοῦ ἐν τῇ φυλακῇ εἰώθει μένειν,
πέμπω πρὸς τὸν πατέρα μου Πομπόνιον διάκονον, αἰτοῦσα
τὸ βρέφος. **8.** Ὁ δὲ πατὴρ οὐκ ἔδωκεν. Πλήν, ὡς ὁ

19 κατίημεν H Har. Rob. : κατήειμεν Be.

me dit : «Épargne les cheveux blancs de ton père, épargne
ton enfant en bas âge. Offre le sacrifice pour le salut
des empereurs!» **4.** Et moi je répondis : «Non, je ne le
ferai pas.» «Tu es chrétienne?» me dit Hilarianus. Et moi
je répondis : «Oui, je le suis.» **5.** Comme mon père
restait debout pour tenter de provoquer ma chute, Hilarianus donna l'ordre de le repousser et il reçut un coup
de verge. Le triste sort de mon père me fit mal, comme
si c'était moi qui avais été frappée : ainsi je souffrais de
voir le malheur de sa vieillesse. **6.** Alors le juge prononce notre sentence à tous et nous condamne aux bêtes;
et tout joyeux nous redescendîmes à la prison. **7.** Alors,
comme mon enfant avait l'habitude de recevoir le sein
et de rester avec moi dans la prison, j'envoie aussitôt le
diacre Pomponius trouver mon père pour demander
l'enfant. **8.** Mais mon père refusa de le donner. Et, selon

---

me dit : «Épargne les cheveux blancs de ton père, épargne
ton enfant en bas âge; sacrifie pour le salut des empereurs.» **4.** Et moi, je répondis : «Non, je ne sacrifierai
pas.» Et Hilarianus dit : «Tu es chrétienne?» Et je dis :
«Oui, je le suis.» **5.** Et comme mon père s'efforçait de
me faire renoncer à ma foi, Hilarianus donna l'ordre de
l'expulser; en plus, l'un des gardes le frappa de sa verge.
Et moi je souffris profondément en ayant pitié de sa
vieillesse. **6.** Alors le juge nous condamne tous aux
bêtes; et nous descendîmes tout joyeux à la prison.
7. Puisque j'allaitais l'enfant et qu'il avait l'habitude de
rester avec moi dans la prison, j'envoie le diacre Pomponius trouver mon père pour demander l'enfant.
8. Mais mon père ne le donna pas. Seulement, selon le

quomodo Deus uoluit, neque ille amplius mammas desi-
derauit, neque mihi feruorem fecerunt, ne sollicitudine
infantis et dolore mammarum macerarer.

VII. 1. Post dies paucos, dum uniuersi oramus, subito
media oratione profecta est mihi uox et nominaui Dino-
craten. Et obstupui quod numquam mihi in mentem
uenisset nisi tunc, et dolui commemorata casus eius.
5 **2.** Et cognoui me statim dignam esse et pro eo petere
debere. Et coepi de ipso orationem facere multum et
ingemescere ad Dominum. **3.** Continuo ipsa nocte
ostensum est mihi hoc : **4.** uideo Dinocratem exeuntem

VII, 1 oremus *B*   oraremus *C³* ‖ 2 profecta : perf- *D*   prolatum *B C* ‖
nominaui : -nauit *E¹*   -na *A B* ‖ 4 commemorata casus : memoratum
casum *E*   memorato casu *B C* ‖ 5 petere : patere *B*   pati *C* ‖ 6 de : pro
B C D ‖ multum : -tam *B C* ‖ 7 dominum : deum *B C E* ‖ 8 hoc : in
oromate *add. C D*   in oratione *add. B*

θεὸς ᾠκονόμησεν, οὔτε ὁ παῖς μασθοὺς ἐπεθύμησεν ἔκτοτε,
οὔτε ἐμοί τις προσγέγονεν φλεγμονή · ἴσως ἵνα <μὴ> καὶ
25 τῇ τοῦ παιδίου φροντίδι καὶ τῇ τῶν μασθῶν ἀλγηδόνι
καταπονηθῶ.

VII. 1. Καὶ μετ᾽ ὀλίγας ἡμέρας προσευχομένων ἡμῶν
ἁπάντων, ἐξαίφνης ἐν μέσῳ τῆς προσευχῆς ἀφῆκα φωνὴν
καὶ ὠνόμασα Δεινοκράτην. Καὶ ἔκθαμβος ἐγενήθην, διότι
οὐδέποτε εἰ μὴ τότε ἀνάμνησιν αὐτοῦ πεποιήκειν · ἤλγησα
5 δὲ εἰς μνήμην ἐλθοῦσα τῆς αὐτοῦ τελευτῆς. **2.** Πλὴν
εὐθέως ἔγνων ἐμαυτὴν ἀξίαν οὖσαν αἴτησιν ποιήσασθαι
περὶ αὐτοῦ, καὶ ἠρξάμην πρὸς κύριον μετὰ στεναγμῶν
προσεύχεσθαι τὰ πλεῖστα. **3.** Καὶ εὐθέως αὐτῇ τῇ νυκτὶ
ἐδηλώθη μοι τοῦτο · **4.** ὁρῶ Δεινοκράτην ἐξερχόμενον ἐκ

24 μὴ add. Har. Rob. Be.

la volonté de Dieu, lui n'eut plus envie de prendre le sein et il n'en résulta pour moi aucune inflammation, de sorte que je n'avais plus pour me tourmenter ni inquiétude de mon enfant ni douleur de mes seins.

VII. 1. Peu de jours après, comme nous étions tous en train de prier, tout à coup, au beau milieu de ma prière, ma voix s'éleva et je prononçai le nom de Dinocrate. Et je demeurai stupéfaite, parce qu'il ne m'était jamais venu à l'esprit qu'à ce moment-là et j'éprouvai de la douleur en me remémorant son triste sort. **2.** Et je compris aussitôt que j'étais digne d'une grâce et que je devais la demander pour lui. Je me mis à faire à son intention une longue prière et à me lamenter devant le Seigneur. **3.** Sur le champ, dans la nuit même, me fut montrée cette vision : **4.** je vois Dinocrate sortir d'un

---

plan de Dieu, l'enfant dès lors n'eut plus envie de prendre le sein et je n'en eus aucune inflammation : sans doute pour que je ne fusse pas à la fois accablée d'inquiétude pour l'enfant et de douleurs dans les seins.

VII. 1. Et peu de jours après, comme nous étions tous en train de prier, tout à coup, au beau milieu de ma prière, j'émis une parole et je nommai Dinocrate. Et je demeurai stupéfaite, parce que jamais auparavant il ne m'était venu à la mémoire ; j'éprouvai de la douleur en me remémorant sa fin. **2.** Mais je compris aussitôt que j'étais digne de présenter une requête pour lui, et je me mis à faire maintes prières en me lamentant devant le Seigneur. **3.** Et aussitôt, dans la nuit même, me fut montrée cette vision : **4.** je vois Dinocrate sortir d'un

de loco tenebroso, ubi et complures erant, aestuantem
10 ualde et sitientem, sordido uultu et colore pallido; et
uulnus in facie eius, quod cum moreretur habuit. **5.** Hic
Dinocrates fuerat frater meus carnalis, annorum septem,
qui per infirmitatem facie cancerata male obiit, ita ut mors
eius odio fuerit omnibus hominibus. **6.** Pro hoc ergo
15 orationem feceram; et inter me et illum grande erat
diastema, ita ut uterque ad inuicem accedere non pos-
semus[a]. **7.** Erat deinde in illo loco, ubi Dinocrates erat,
piscina plena aqua, altiorem marginem habens quam erat
statura pueri; et extendebat se Dinocrates quasi bibiturus.

9 erant : loca erant tenebrosa A ‖ 9-10 aestuantem ... sitientem : -tes
... -tes Sol. ‖ 10 uultu : cultu Geb. Be. (cf. ἐσθῆτα H) uultu et cultu
Dölger (uide Comm.) ‖ 13 cancerata : carceratam A macerata C ‖
16 diastema Hol. : diadema A idiantem B diantem C[1] dianten C[2]
spatium C[3] D E ‖ 18 plena : cum E ‖ aqua : aquae B C[3] ‖ altiorem : algorum
B C[1] C[2] algas C[3] ‖ marginem : in -gine C[3] ‖ 18-19 quam erat statura : quam
staturam B C[1] C[2] secundum staturam C[3]

10 τόπου σκοτεινοῦ, ὅπου καὶ ἄλλοι πολλοὶ καυματιζόμενοι
καὶ διψῶντες ἦσαν, ἐσθῆτα ἔχοντα ῥυπαράν, ὠχρὸν τῇ
χρόᾳ · καὶ τὸ τραῦμα ἐν τῇ ὄψει αὐτοῦ περιὸν ἔτι ὅπερ
τελευτῶν εἶχεν. **5.** Οὗτος δὲ ὁ Δεινοκράτης, ὁ καὶ ἀδελφός
μου κατὰ σάρκα, ἑπταετὴς τεθνήκει ἀσθενήσας καὶ τὴν
15 ὄψιν αὐτοῦ γαγγραίνῃ σαπείς, ὡς τὸν θάνατον αὐτοῦ
στυγητὸν γενέσθαι πᾶσιν ἀνθρώποις. **6.** Ἐθεώρουν οὖν
μέγα διάστημα ἀνὰ μέσον αὐτοῦ καὶ ἐμοῦ, ὡς μὴ δύνασθαι
ἡμᾶς ἀλλήλοις προσελθεῖν[a]. **7.** Ἐν ἐκείνῳ δὲ τῷ τόπῳ
ἐν ᾧ ἦν ὁ ἀδελφός μου, κολυμβήθρα ἦν, ὕδατος πλήρης,
20 ὑψηλοτέραν δὲ εἶχεν τὴν κρηπῖδα ὑπὲρ τὸ τοῦ παιδίου
μῆκος. Πρὸς ταύτην ὁ Δεινοκράτης διετείνετο πιεῖν προαι-

VII, 12 περιὸν ἐτί ὅπερ τελευτῶν εἶχεν Har. : τελευτῶν ὅπερ περιὼν
ἔτι εἶχεν H Rob.   τελευτῶν secl. Be.

lieu plein de ténèbres, où se trouvaient bien d'autres gens encore; il mourait de chaleur et de soif, la figure sale et le teint livide; et il gardait sur le visage la blessure qu'il avait au moment de sa mort. **5.** Ce Dinocrate avait été mon frère de sang, âgé de sept ans; il était mort prématurément de maladie, le visage rongé par un ulcère, dans des conditions telles que sa mort parut horrible à tout le monde. **6.** C'était donc à son intention que j'avais fait une prière; nous étions séparés l'un de l'autre par une grande distance, si bien qu'aucun de nous ne pouvait s'approcher de l'autre[a]. **7.** Ensuite, je vis qu'il y avait à l'endroit où se trouvait Dinocrate une piscine pleine d'eau, avec une margelle trop haute pour la taille de l'enfant; et Dinocrate s'étirait, comme s'il voulait boire.

VII. a. Cf. Lc 16, 26

lieu plein de ténèbres, où il y avait encore bien d'autres gens mourant de chaleur et de soif, il avait un vêtement sale et le teint livide; et il gardait encore au visage la blessure qu'il avait en mourant. **5.** Ce Dinocrate, mon frère par le sang, était mort de maladie à l'âge de sept ans, le visage rongé par la gangrène, dans des conditions telles que sa mort parut horrible à tout le monde. **6.** Je voyais donc une grande distance entre lui et moi, si bien que nous ne pouvions nous approcher l'un de l'autre[a]. **7.** En ce lieu où se trouvait mon frère, il y avait une piscine pleine d'eau, mais elle avait une margelle trop haute pour la taille de l'enfant. Dinocrate s'étirait

VII. a. Cf. Lc 16, 26

20 **8.** Ego dolebam, quod et piscina illa aquam habebat, et tamen propter altitudinem marginis bibiturus non esset. **9.** Et experta sum, et cognoui fratrem meum laborare; sed fidebam me profuturam labori eius. Et orabam pro eo omnibus diebus quousque transiuimus in carcerem cas-25 trensem; munere enim castrensi eramus pugnaturi : natale tunc Getae Caesaris. **10.** Et feci pro illo orationem die et nocte gemens et lacrimans, ut mihi donaretur.

VIII. 1. Die quo in neruo mansimus, ostensum est mihi hoc : uideo locum illum quem retro uideram, et Dino-craten mundo corpore, bene uestitum, refrigerantem; et

20 et[1] : de *D* ‖ habebat : -beret *B C* bibebat *D* ‖ 22 experta : -per-recta *B C E²* *edd.* -pergefacta *D* ‖ 23 fidebam : confi- *B* considerabam *C* pro fide uidebam *E* ‖ me profuturam : orationem meam *B C* ‖ 25 enim : caesaris *add.* *E* ‖ eramus : fuer- *E* ‖ 25-26 natale tunc getae (cetae *A*) caesaris *A* : natali gente tunc caesaris *D* natalis caesaris tunc erat *E* natali caesaris *prioribus uerbis iungitur B C*
VIII, 1 neruo : *add.* constricto *D* ‖ 2 uideo : et ecce uideo *E* ‖ uideram : tenebrosum esse lucidum *add. B C*

ρούμενος. **8.** Ἐγὼ δὲ ἤλγουν, διότι καὶ ἡ κολυμβήθρα ἦν πλήρης ὕδατος, καὶ τὸ παιδίον οὐκ ἠδύνατο πιεῖν διὰ τὴν ὑψηλότητα τῆς κρηπῖδος. **9.** Καὶ ἐξυπνίσθην, καὶ ἔγνων 25 κάμνειν τὸν ἀδελφόν μου · ἐπεποίθειν δὲ δύνασθαί με αὐτῷ βοηθῆσαι ἐν ταῖς ἀνὰ μέσον ἡμέραις, ἐν αἷς κατήχθημεν εἰς τὴν ἄλλην φυλακὴν τὴν τοῦ χιλιάρχου · ἐγγὺς γὰρ ἦν τῆς παρεμβολῆς οὗ ἠμέλλομεν θηριομαχεῖν · γενέθλιον γὰρ ἤμελλεν ἐπιτελεῖσθαι Καίσαρος. **10.** Εἶτα προσευξαμένη 30 μετὰ στεναγμῶν σφοδρῶς περὶ τοῦ ἀδελφοῦ μου ἡμέρας τε καὶ νυκτός, δωρηθῆναί μοι αὐτὸν ἠξίωσα.

VIII. 1. Καὶ εὐθὺς ἐν τῇ ἑσπέρᾳ ἐν ᾗ ἐν νέρβῳ ἐμείναμεν, ἐδείχθη μοι τοῦτο · ὁρῶ τόπῳ ἐν ᾧ ἑωράκειν τὸν Δεινοκράτην καθαρῷ σώματι ὄντα καὶ καλῶς ἠμφιεσμένον

8. Moi, je me désolais, parce que cette piscine avait de l'eau et que pourtant la hauteur de la margelle l'empêcherait de boire.   **9.** Et je me réveillai, et je compris que mon frère était dans la peine; mais j'étais sûre de réussir à soulager cette peine. Et je priais pour lui tous les jours, jusqu'au moment où on nous transféra dans la prison militaire; en effet, nous devions combattre dans des jeux militaires : c'était alors l'anniversaire du César Géta.   **10.** Et je priai pour mon frère nuit et jour dans les lamentations et les larmes, pour que sa grâce me fût accordée.

VIII. 1. Le jour où nous restâmes dans les fers, me fut montrée cette vision : je vois cet endroit que j'avais vu auparavant, et Dinocrate le corps propre, bien vêtu,

---

vers elle en essayant de boire.   **8.** Moi je me désolais, parce que la piscine était pleine d'eau et que l'enfant ne pouvait boire à cause de la hauteur de la margelle.   **9.** Et je me réveillai et je compris que mon frère était dans la peine; mais j'étais sûre de pouvoir le secourir dans l'intervalle des jours où nous fûmes transférés dans l'autre prison, celle du tribun militaire : elle était proche du camp où nous allions affronter les bêtes; car on allait célébrer l'anniversaire de César.   **10.** Puis, comme je priais pour mon frère nuit et jour en me lamentant grandement, je me jugeai digne de me voir accorder sa grâce.

VIII. 1. Et immédiatement, le soir où nous restâmes dans les fers, me fut montrée cette vision : je vois, dans l'endroit où j'avais vu Dinocrate, celui-ci, le corps purifié,

ubi erat uulnus, uideo cicatricem; 2. et piscinam illam,
5 quam retro uideram, summisso margine usque ad umbi-
licum pueri, et aquam de ea trahebat sine cessatione;
3. et super marginem fiala aurea plena aqua. Et accessit
Dinocrates et de ea bibere coepit; quae fiala non defi-
ciebat. 4. Et satiatus accessit de aqua ludere more
10 infantium gaudens. Et experta sum. Tunc intellexi translatum eum esse de poena.

IX. 1. Deinde post dies paucos Pudens miles optio
praepositus carceris, qui nos magnificare coepit intellegens
magnam uirtutem esse in nobis; qui multos ad nos admit-

5 retro : prae *B C* ‖ 6 aquam : -qua *C¹ C² Bas.* ‖ trahebat : -bam *D*
cadebat *Geb.*   profluebat *Laz.* ‖ 7 fiala : fiala (-lam *C¹*) erat *B C D
E* ‖ 9 ludere : delu- *B* ‖ 10 gaudens : *uerbis quae sequuntur iungitur
C³* ‖ experta : -perrecta *A C³ E¹* -pergefacta *D* ‖ tunc : et tunc *D* et
B C E ‖ 11 poena : ad requiem sanctam iustorum *add. D*
IX, 1 pudens : prudens *C²* ‖ 2 qui : *del. Fra. Geb. e textu graeco* ‖
magnificare : -gnifice *A* ‖ intellegens : -ligere *A* ‖ 3 uirtutem : dei *add.
B C D E* ‖ qui : *om. B C D She.* ‖ multos : fratres *add. B C D*

___

καὶ ἀναψύχοντα· καὶ ὅπου τὸ τραῦμα ἦν, οὐλὴν ὁρῶ.
5 2. Καὶ ἡ κρηπὶς τῆς κολυμβήθρας κατήχθη ἕως τοῦ
ὀμφαλίου αὐτοῦ· ἔρρεεν δὲ ἐξ αὐτῆς ἀδιαλείπτως ὕδωρ.
3. Καὶ ἐπάνω τῆς κρηπῖδος ἦν χρυσῆ φιάλη μεστή. Καὶ
προσελθὼν ὁ Δεινοκράτης ἤρξατο ἐξ αὐτῆς πίνειν, ἡ δὲ
φιάλη οὐκ ἐνέλειπεν. 4. Καὶ ἐμπλησθεὶς ἤρξατο παίζειν,
10 ἀγαλλιώμενος ὡς τὰ νήπια. Καὶ ἐξυπνίσθην. Καὶ ἐνόησα
ὅτι μετετέθη ἐκ τῶν τιμωριῶν.

IX. 1. Καὶ μετ' ὀλίγας ἡμέρας Πούδης τις στρατιώτης,
ὁ τῆς φυλακῆς προϊστάμενος, μετὰ πολλῆς τῆς σπουδῆς
ἤρξατο ἡμᾶς τιμᾶν καὶ δοξάζειν τὸν θεόν, ἐννοῶν δύναμιν
μεγάλην εἶναι περὶ ἡμᾶς. Διὸ καὶ πολλοὺς εἰσελθεῖν πρὸς

réconforté; et là où il y avait une blessure, je vois une cicatrice; **2.** la piscine que j'avais vue auparavant avait sa margelle abaissée jusqu'au nombril de l'enfant; et il y puisait de l'eau sans arrêt. **3.** Et sur la margelle il y avait une coupe d'or pleine d'eau. Et Dinocrate s'approcha, se mit à boire à la coupe; et celle-ci ne se vidait pas. **4.** Et, rassasié, il s'approcha, tout heureux de jouer avec l'eau comme le font les enfants. Et je me réveillai. Alors je compris qu'il avait eu remise de sa peine.

IX. 1. Peu de jours après, un sous-officier nommé Pudens fut chargé de la prison; il commença à avoir pour nous une grande considération, car il comprenait qu'une grande vertu résidait en nous; il admettait de nombreux visiteurs auprès de nous pour nous permettre

---

bien vêtu, rafraîchi; et là où il y avait une blessure, je vois une cicatrice. **2.** La margelle de la piscine s'était abaissée jusqu'à son nombril; l'eau s'en écoulait sans interruption. **3.** Et sur la margelle, il y avait une coupe d'or pleine d'eau. Et Dinocrate s'approcha, se mit à boire à la coupe et celle-ci ne désemplissait pas. **4.** Et, rassasié, il se mit à jouer, s'amusant comme le font les enfants. Et je me réveillai. Et je compris qu'il avait quitté le lieu des châtiments.

IX. 1. Et peu de jours après, un soldat nommé Pudens, qui était chargé de la prison, commença avec beaucoup de zèle à nous traiter avec honneur et à glorifier Dieu, car il comprenait qu'il y avait en nous une grande force. C'est pourquoi il ne s'opposait pas à ce que beaucoup de gens vinssent nous rendre visite, pour nous permettre

tebat ut et nos et illi inuicem refrigeraremus. **2.** Vt autem
5 proximauit dies muneris, intrat ad me pater meus
consumptus taedio, et coepit barbam suam euellere et in
terram mittere, et prosternere se in faciem, et inproperare
annis suis, et dicere tanta uerba quae mouerent uniuersam
creaturam. **3.** Ego dolebam pro infelici senecta eius.

X. 1. Pridie quam pugnaremus, uideo in horomate hoc :
uenisse Pomponium diaconum ad ostium carceris et
pulsare uehementer. **2.** Et exiui ad eum et aperui ei;
qui erat uestitus discinctam candidam, habens multiplices
5 galliculas. **3.** Et dixit mihi : «Perpetua, te expectamus,

4 refrigeraremus : -geraremur *C D* -geremus *B* ‖ 5 intrauit *B C D*
E ‖ 6 consumptus : finitus *E* ‖ 7 inproperare : -perans se *B* imperans
se *C* ‖ 8 mouerent : -retur *A* uidebantur mouere *C³*
X, 1 hoc : huc *B C²* hunc *E¹* ‖ 3 pulsare : et -santem *E* ‖ 4 discinctam candidam : -ta -da *B C E¹* -tus -de *E²* ueste *add. D* ‖ 5 galliculas : call- *A B D* ex auro et argento *add. B C*

---

5 ἡμᾶς οὐκ ἐκώλυεν εἰς τὸ ἡμᾶς διὰ τῶν ἐπαλλήλων
παραμυθιῶν παρηγορεῖσθαι. **2.** Ἤγγισεν δὲ ἡ ἡμέρα τῶν
φιλοτιμιῶν, καὶ εἰσέρχεται πρός με ὁ πατήρ, τῇ ἀκηδίᾳ
μαρανθείς, καὶ ἤρξατο τὸν πώγωνα τὸν ἴδιον ἐκτίλλειν
ῥίπτειν τε ἐπὶ γῆς, καὶ πρηνὴς κατακείμενος κακολογεῖν,
10 τὰ ἑαυτοῦ ἔτη κατηγορῶν καὶ λέγων τοιαῦτα ῥήματα ὡς
πᾶσαν δύνασθαι τὴν κτίσιν σαλεῦσαι. **3.** Ἐγὼ δὲ ἐπένθουν
διὰ τὸ ταλαίπωρον γῆρας αὐτοῦ.

X. 1. Πρὸ μιᾶς οὖν τοῦ θηριομαχεῖν ἡμᾶς βλέπω ὅραμα
τοιοῦτον · Πομπόνιος ὁ διάκονος, φησίν, ἦλθεν πρὸς τὴν
θύραν τῆς φυλακῆς καὶ ἔκρουσεν σφόδρα. **2.** Ἐξελθοῦσα
ἤνοιξα αὐτῷ · καὶ ἦν ἐνδεδυμένος ἐσθῆτα λαμπρὰν καὶ
5 περιεζωσμένος, εἶχεν δὲ ποικίλα ὑποδήματα. Καὶ λέγει
μοι · Σὲ περιμένω, ἐλθέ. **3.** Καὶ ἐκράτησεν τὰς χειράς

de nous réconforter mutuellement. **2.** Mais lorsque le jour des jeux approcha, voici que mon père vient me voir, consumé de chagrin, et il se mit à s'arracher la barbe, à la jeter sur le sol, à se prosterner face contre terre, à maudire son âge, et à tenir des propos si émouvants qu'ils auraient touché le monde entier. **3.** Pour moi, je souffrais du malheur de sa vieillesse.

X. 1. La veille du jour où nous devions combattre, j'ai cette vision : je vois le diacre Pomponius venir à la porte de la prison et frapper avec force. **2.** Je sortis à sa rencontre et je lui ouvris ; il était vêtu d'une tunique blanche sans ceinture, il portait des sandales à multiples lanières. **3.** Et il me dit : « Perpétue, nous t'attendons : viens. » Et

---

de nous réconforter par des consolations mutuelles. **2.** Le jour des jeux approcha, et voici que mon père vient me voir, consumé de chagrin, et il se mit à s'arracher la barbe, à la jeter sur le sol et, étendu la face contre terre, à se répandre en malédictions, s'en prenant à son âge et disant des paroles si touchantes qu'elles étaient capables d'émouvoir tout l'univers. **3.** Pour moi, je me désolais du malheur de sa vieillesse.

X. 1. La veille du jour où nous devions combattre, j'ai cette vision : le diacre Pomponius, dit-elle, vint à la porte de la prison et frappa avec force. **2.** Je sortis et je lui ouvris : il était revêtu et ceint d'un vêtement d'une blancheur éclatante, il portait des sandales de couleurs variées. **3.** Et il me dit : « Je t'attends, viens. » Et il me prit les

ueni.» Et tenuit mihi manum et coepimus ire per aspera
loca et flexuosa. **4.** Vix tandem peruenimus anhelantes
ad amphitheatrum et induxit me in media arena et dixit
mihi : «Noli pauere : hic sum tecum et conlaboro tecum.»
10 Et abiit. **5.** Et aspicio populum ingentem adtonitum; et
quia sciebam me ad bestias damnatam esse, mirabar quod
non mitterentur mihi bestiae. **6.** Et exiuit quidam contra
me Aegyptius, foedus specie, cum adiutoribus suis, pugnaturus mecum. Veniunt et ad me adolescentes decori, adiu-
15 tores et fautores mei. **7.** Et expoliata sum et facta sum

7 anhelantes : ambulantes *B C* ‖ 8 induxit : introdu- *E* ‖ media arena :
-diam -nam *D*   -dio -nae *B C* ‖ 9 pauere : expauescere *B C D E* ‖
conlaborabo *B C D E* ‖ 11 damnatam : dona- *B C*   datum *A* ‖ 12 mit-
tebantur *B C E* ‖ 13 foedus : turpis *E²*   -pi *E¹* ‖ specie : facie *E²* ‖
14 ueniunt : et ecce ueniunt *E*
16 fauisores : fautores *C D E*   factores *B* ‖ defricare : -frigere *A* perungere *D* ‖ 17 agonem : -ne *B C D E* ‖ 18 afa : aqua *B C*   qua *D*

μου, καὶ ἐπορεύθημεν διὰ τραχέων καὶ σκολιῶν τόπων.
4. Καὶ μόλις παρεγενόμεθα εἰς τὸ ἀμφιθέατρον, καὶ εἰσή-
γαγέν με εἰς τὸ μέσον καὶ λέγει μοι· Μὴ φοβηθῇς·
10 ἐνθάδε εἰμὶ μετὰ σοῦ, συγκάμνων σοι. Καὶ ἀπῆλθεν.
5. Καὶ ἰδοὺ βλέπω πλεῖστον ὄχλον ἀποβλέποντα τῇ θεωρίᾳ
σφόδρα· κἀγὼ ἥτις ᾔδειν πρὸς θηρία με καταδικασθεῖσαν,
ἐθαύμαζον ὅτι οὐκ ἔβαλλόν μοι αὐτά. **6.** Καὶ ἦλθεν πρός
με Αἰγύπτιός τις ἄμορφος τῷ σχήματι μετὰ τῶν ὑπουρ-
15 γούντων αὐτῷ, μαχησόμενός μοι. Καὶ ἔρχεται πρός με
νεανίας τις εὐμορφότατος, τῷ κάλλει ἐξαστράπτων, καὶ
ἕτεροι μετ᾽ αὐτοῦ νεανίαι ὡραῖοι, ὑπηρέται καὶ σπουδασταὶ
ἐμοί. **7.** Καὶ ἐξεδύθην, καὶ ἐγενήθην ἄρρην· καὶ ἤρξαντο

X, 12 κἀγὼ ἥτις Har. Rob. Be. : καὶ εἴ τις H ‖ ᾔδειν Fra. Be. : ἴδεν
H εἶδον Har. Rob.

il me prit par la main et nous commençâmes à avancer par des chemins raboteux et tortueux. **4.** Avec peine nous arrivâmes enfin tout essoufflés à l'amphithéâtre, il me mena au milieu de l'arène et il me dit : «Ne crains rien : je reste ici avec toi et je souffre avec toi.» Et il s'en alla. **5.** Et j'aperçois une foule immense tendue dans l'attente, et comme je savais que j'avais été condamnée aux bêtes, je m'étonnais qu'on ne les lâchât pas sur moi. **6.** Et sortit à ma rencontre un Égyptien de hideuse apparence, accompagné de ses aides, pour se battre contre moi. Viennent aussi vers moi de beaux jeunes gens, mes aides et mes partisans. **7.** On me dépouilla de mes vête-

---

mains et nous nous avançâmes par des chemins raboteux et tortueux. **4.** Et à peine étions-nous arrivés à l'amphithéâtre qu'il me mena en son milieu et me dit : «Ne crains rien : je reste ici avec toi, je souffre avec toi.» Et il s'en alla. **5.** Et voici que j'aperçois une foule immense, les yeux fixés sur le spectacle, intensément; et comme je savais que j'avais été condamnée aux bêtes, je m'étonnais qu'on ne les lâchât pas sur moi. **6.** Et vint à ma rencontre un Égyptien de laide apparence, accompagné de ses aides, prêt à se battre contre moi. Et vient aussi vers moi un jeune homme de très belle apparence, rayonnant de beauté, et avec lui d'autres jeunes gens dans la fleur de l'âge, mes serviteurs et mes partisans. **7.** On me dépouilla de mes vêtements et je devins

masculus; et coeperunt me fauisores mei oleo defricare,
quomodo solent in agonem; et illum contra Aegyptium
uideo in afa uolutantem. **8.** Et exiuit uir quidam mirae
magnitudinis, ut etiam excederet fastigium amphitheatri,
20 discinctatus, purpuram inter duos clauos per medium
pectus habens, et galliculas multiformes ex auro et argento
factas, et ferens uirgam quasi lanista, et ramum uiridem
in quo erant mala aurea. **9.** Et petiit silentium et dixit :
«Hic Aegyptius, si hanc uicerit, occidet illam gladio; haec,
25 si hunc uicerit, accipiet ramum istum.» Et recessit. **10.** Et

aera E^1 aere E^2 ‖ 19 ut : qui D ‖ 20 discinctatus : -ctam habens tunicam
et B C discinctus D E ‖ purpura D E ‖ 21 pectus habens, et *Fra. Be.
Bas.* : pectus, habens *Rob. Geb.* ‖ et : *om.* A D ‖ calliculas A B C D ‖
23 petit B C^1 C^2
    27 uolebat : quaerebat B C ‖ 28 aere : aerem D re B C ‖ 29 quasi :
om. A D E ‖ non calcans : concal- A ‖ 32 fauisores : fautores B C E

οἱ ἀντιλήμπτορές μου ἐλαίῳ με ἀλείφειν, ὡς ἔθος ἐστὶν
20 ἐν ἀγῶνι · καὶ ἄντικρυς βλέπω τὸν Αἰγύπτιον ἐκεῖνον ἐν
τῷ κονιορτῷ κυλιόμενον. **8.** Ἐξῆλθεν δέ τις ἀνὴρ θαυμαστοῦ μεγέθους, ὑπερέχων τοῦ ἄκρου τοῦ ἀμφιθεάτρου,
διεζωσμένος ἐσθῆτα, ἥτις εἶχεν οὐ μόνον ἐκ τῶν δύο ὤμων
τὴν πορφύραν, ἀλλὰ καὶ ἀνὰ μέσον ἐπὶ τοῦ στήθους · εἶχεν
25 δὲ καὶ ὑποδήματα ποικίλα ἐκ χρυσίου καὶ ἀργυρίου ·
ἐβάσταζεν δὲ καὶ ῥάβδον, ὡς βραβευτὴς ἢ προστάτης
μονομάχων · ἔφερεν δὲ καὶ κλάδους χλωροὺς ἔχοντας μῆλα
χρυσᾶ. **9.** Καὶ αἰτήσας σιγὴν γενέσθαι ἔφη · Οὗτος ὁ
Αἰγύπτιος ἐὰν ταύτην νικήσῃ, ἀνελεῖ αὐτὴν μαχαίρᾳ · αὕτη
30 δὲ ἐὰν νικήσῃ αὐτόν, λήψεται τὸν κλάδον τοῦτον. Καὶ

    26-27 προστάτης μονομάχων Har. Rob. Be. : πρὸς τὰ τῶν μονομάχων
Η

ments et je devins homme. Et mes partisans se mirent à me frotter d'huile, comme on le fait habituellement pour une lutte; et je vois l'Égyptien en face de moi se rouler dans la poussière. **8.** Puis sortit un homme d'une taille extraordinaire, si haute qu'elle dépassait même le sommet de l'amphithéâtre; il était vêtu d'une tunique sans ceinture, avec deux bandes de pourpre au milieu de la poitrine, il avait des sandales diversement travaillées, faites d'or et d'argent; il portait une verge comme un laniste et un rameau vert sur lequel il y avait des pommes d'or. **9.** Et il réclama le silence et dit : «Si l'Égyptien que voici remporte la victoire sur cette femme, il la tuera par le glaive; si c'est elle qui remporte la victoire, elle recevra ce

---

homme; et mes aides se mirent à m'oindre d'huile, comme c'est l'usage dans un concours de lutte; et en face je vois cet Égyptien se rouler dans la poussière. **8.** Puis sortit un homme d'une taille extraordinaire, dépassant le sommet de l'amphithéâtre, le vêtement noué à la ceinture, portant de la pourpre non seulement tombant des deux épaules, mais aussi au milieu de la poitrine; il avait aussi des sandales de couleurs variées, faites d'or et d'argent; il portait une verge comme un arbitre ou un maître de gladiateurs; il portait aussi des rameaux verts sur lesquels il y avait des pommes d'or. **9.** Et il réclama le silence et dit : «Si l'Égyptien que voici remporte la victoire sur cette femme, il la tuera par le glaive; si c'est elle qui remporte la victoire sur lui, elle recevra ce rameau.» Et

accessimus ad inuicem et coepimus mittere pugnos; ille
mihi pedes adprehendere uolebat, ego autem illi calcibus
faciem caedebam[a]. **11.** Et sublata sum in aere, et coepi
eum sic caedere quasi terram non calcans. At ubi uidi
30 moram fieri, iunxi manus, ut digitos in digitos mitterem,
et apprehendi illi caput, et cecidit in faciem, et calcaui
illi caput. **12.** Et coepit populus clamare et fauisores mei
psallere. Et accessi ad lanistam et accepi ramum. **13.** Et
osculatus est me et dixit mihi : «Filia, pax tecum.» Et coepi
35 ire cum gloria ad portam Sanauiuariam. **14.** Et experta

fauces oris *D* ‖ 35 sanauiuariam : -ria *A*   sane uiuariam *B C D*   uiuariam
E ‖ experta : -perrecta *C¹ E¹*   -pergefacta *D*

ἀπέστη. **10.** Προσήλθομεν δὲ ἀλλήλοις καὶ ἠρξάμεθα παγκρατιάζειν · ἐκεῖνος ἐμοῦ τοὺς πόδας κρατεῖν ἠβούλετο,
ἐγὼ δὲ λακτίσμασιν τὴν ὄψιν αὐτοῦ ἔτυπτον[a]. **11.** Καὶ
ἰδοὺ ἐπῆρα ἐπ' ἀέρος, καὶ ἠρξάμην αὐτὸν οὕτως τύπτειν
35 ὡς μὴ πατοῦσα τὴν γῆν. Ἰδοῦσα δὲ ὡς οὐδέπω ἤκιζον
αὐτόν, ζεύξασα τὰς χεῖράς μου καὶ δακτύλους δακτύλοις
ἐμβαλοῦσα τῆς κεφαλῆς αὐτοῦ ἐπελαβόμην, καὶ ἔρριψα
αὐτὸν ἐπ' ὄψει καὶ ἐπάτησα τὴν κεφαλὴν αὐτοῦ. **12.** Καὶ
ἤρξατο πᾶς ὁ ὄχλος βοᾶν, καὶ οἱ σπουδασταί μου ἐγαυρίων.
40 Καὶ προσῆλθον τῷ βραβευτῇ καὶ ἔλαβον τὸν κλάδον.
13. Καὶ ἠσπάσατο με καὶ εἶπεν · Εἰρήνη μετὰ σοῦ,
θύγατερ. Καὶ ἠρξάμην εὐθὺς πορεύεσθαι μετὰ δόξης πρὸς
πύλην τὴν λεγομένην Ζωτικήν. **14.** Καὶ ἐξυπνίσθην. Καὶ

34 ἐπ' ἀέρος Förster Be. : ἀπὸ ἀ. H Rob.   ἀέριος Har. *(fortasse)*

rameau.» Et il s'en alla. **10.** Et nous nous approchâmes
l'un de l'autre et nous commençâmes à nous donner des
coups de poings; lui voulait me saisir les pieds, moi je
lui frappais le visage à coups de talons[a]. **11.** Et je fus
soulevée en l'air et je me mis à le frapper pour ainsi
dire sans toucher le sol. Mais quand je vis que le combat
ralentissait, je joignis les mains, en entrecroisant les doigts,
je lui saisis la tête, il tomba sur le visage et je posai le
pied sur sa tête. **12.** Et la foule se mit à pousser des
acclamations et mes partisans à chanter des hymnes. Et
je m'approchai du laniste et je reçus le rameau. **13.** Il
m'embrassa et me dit : «Ma fille, la paix soit avec toi.»
Et je m'avançai dans la gloire vers la porte de la Vie
Sauve. **14.** Et je me réveillai. Et je compris que ce n'était

X. a. Cf. Gen. 3, 15

---

il s'en alla. **10.** Nous nous approchâmes l'un de l'autre
et nous commençâmes à lutter au pancrace; lui voulait
me saisir les pieds, moi je lui frappais le visage à coups
de talons[a]. **11.** Et voici que je m'élevai en l'air et je
me mis à le frapper pour ainsi dire sans toucher le sol.
Voyant que je n'en venais pas encore à bout, je joignis
les mains et, entrecroisant les doigts, je lui saisis la tête,
je le jetai face contre terre et je posai le pied. sur sa
tête. **12.** Et toute la foule se mit à pousser des clameurs, et mes partisans rayonnaient de fierté. Et je m'approchai de l'arbitre et je reçus le rameau. **13.** Il m'embrassa et me dit : «La paix soit avec toi, ma fille.» Et
aussitôt je m'avançai dans la gloire vers la porte que l'on
appelle Porte de Vie. **14.** Et je me réveillai. Et je me

X. a. Cf. Gen. 3, 15

sum. Et intellexi me non ad bestias, sed contra diabolum
esse pugnaturam; sed sciebam mihi esse uictoriam.
15. Hoc usque in pridie muneris egi; ipsius autem muneris actum, si quis uoluerit, scribat.

XI. 1. Sed et Saturus benedictus hanc uisionem suam
edidit, quam ipse conscripsit. **2.** Passi, inquit, eramus et
exiuimus de carne, et coepimus ferri a quattuor angelis in
orientem, quorum manus nos non tangebant. **3.** Ibamus
5 autem non supini sursum uersi, sed quasi mollem cliuum
ascendentes. **4.** Et liberato primo mundo uidimus lucem
immensam, et dixi Perpetuae – erat enim haec in latere

37 esse² : imminere *B C D* permanere *E* ‖ 38-39 hoc – scribat : *om.*
B C

XI, 1 sed : *praem.* visio saturi *A* ‖ 3 carne : carcere *B C* ‖ 4 ibamus :
iuimus *E²* ‖ 5 cliuum : glebam *B C* ‖ 6 liberati *B C* ‖ primo : -mum
iam (*add.* de *C³*) *B C³* -mam iam *C¹ C²* ‖ mundum *D* ‖ uidemus
D ‖ 7 dixit perpetua *B C* ‖ 7-8 erat enim haec in latere meo : quoniam
(*aut* quae) in latere nostro erat *B C E*

ἐνόησα ὅτι οὐ πρὸς θηρία μοι, ἀλλὰ πρὸς τὸν διάβολόν
45 ἐστιν ἡ ἐσομένη μάχη, καὶ συνῆκα ὅτι νικήσω αὐτόν.
15. Ταῦτα ἕως πρὸ μιᾶς τῶν φιλοτιμιῶν ἔγραψα. Τὰ ἐν
τῷ ἀμφιθεάτρῳ γενησόμενα ὁ θέλων συγγραψάτω.

XI. 1. Ἀλλὰ καὶ ὁ μακάριος Σάτυρος τὴν ἰδίαν ὀπτασίαν
αὐτὸς δι' ἑαυτοῦ συγγράψας ἐφανέρωσεν τοιαῦτα εἰρηκώς.
2. Ἤδη, φησίν, ἦμεν ὡς πεπονθότες καὶ ἐκ τῆς σαρκὸς
ἐξεληλύθειμεν, καὶ ἠρξάμεθα βαστάζεσθαι ὑπὸ τεσσάρων
5 ἀγγέλων πρὸς ἀνατολάς, καὶ αἱ χεῖρες ἡμῶν οὐχ ἥπτοντο.
3. Ἐπορευόμεθα δὲ εἰς τὰ ἀνώτερα, καὶ οὐχ ὕπτιοι, ἀλλ'
οἷον ὡς δι' ὁμαλῆς ἀναβάσεως ἐφερόμεθα. **4.** Καὶ δὴ
ἐξελθόντες τὸν πρῶτον κόσμον φῶς λαμπρότατον εἴδομεν ·
καὶ εἶπον πρὸς τὴν Περπετούαν – πλησίον γάρ μου ἦν ·

pas contre des bêtes que j'allais combattre, mais bien contre le diable; mais je savais que la victoire était pour moi. **15.** Voilà le récit de ce que j'ai fait jusqu'à la veille des jeux; mais pour le déroulement des jeux eux-mêmes, le décrive qui voudra.

XI. 1. Mais Saturus béni de Dieu a lui aussi fait connaître sa vision; la voici, rédigée par lui-même. **2.** Nous avions subi le martyre, dit-il, et nous avions abandonné la chair; nous fûmes alors emportés vers l'orient par quatre anges dont les mains ne nous touchaient pas. **3.** Nous avancions non pas sur le dos, le visage tourné vers le haut, mais comme si nous escaladions une pente douce. **4.** Et quand nous eûmes dépassé le premier monde, nous vîmes une lumière infinie, et je dis à Perpétue – elle se tenait en effet à mes côtés:

---

rendis compte que ce n'était pas contre des bêtes mais contre le diable que j'allais combattre, et je compris que je le vaincrai. **15.** Voilà ce que j'ai écrit jusqu'à la veille des jeux. Ce qui se passera dans l'amphithéâtre, le décrive qui voudra.

XI. 1. Mais le bienheureux Saturus a lui aussi rédigé sa vision de sa propre main et il l'a fait connaître en ces termes. **2.** Nous nous trouvions déjà, dit-il, comme si nous avions subi le martyre et abandonné la chair; nous fûmes alors emportés vers l'orient par quatre anges, et leurs mains ne nous touchaient pas. **3.** Nous avancions vers les régions supérieures, non pas couchés sur le dos, mais comme si nous étions portés le long d'une pente douce. **4.** Et quand nous eûmes quitté le premier monde, nous vîmes une lumière resplendissante; et je dis à Perpétue – elle était en effet près de moi: «Voilà ce que

meo : «Hoc est quod nobis Dominus promittebat : percepimus promissionem.» **5.** Et dum gestamur ab ipsis
10 quattuor angelis, factum est nobis spatium grande, quod
tale fuit quasi uiridiarium, arbores habens rosae et omne
genus flores. **6.** Altitudo arborum erat in modum cypressi,
quorum folia canebant sine cessatione. **7.** Ibi autem in
uiridiario alii quattuor angeli fuerunt clariores ceteris; qui,
15 ubi uiderunt nos, honorem nobis dederunt, et dixerunt
ceteris angelis : «Ecce sunt, ecce sunt», cum admiratione.
Et expauescentes quattuor illi angeli, qui gestabant nos,
deposuerunt nos. **8.** Et pedibus nostris transiuimus

9 gestabamur E^2 ‖ 10 grande : -dem A magnum B C ‖ 11 habentes
E^1 ‖ rosae : -sa B C^1 -sam C^2 C^3 -sas D E ‖ 12 flores : -ris B C -
rum D E ‖ 13 canebant *Rob.* : cadebant A B D E arde- C ‖ 15 ubi :
ibi B C^1 C^2 ‖ 16 ecce sunt *(bis)* : ecce sunt *(semel)* B C accesserunt
et D ‖ 16-17 cum admiratione. Et expauescentes : expauescentes cum
admiratione B C ‖ 17 et *om.* B C D E expauescentes : *om.* E

10 Τοῦτό ἐστιν ὅπερ ὁ Κύριος ἡμῶν ἐπηγγείλατο · μετειλή-
φαμεν τῆς ἐπαγγελίας. **5.** Αἰωρουμένων δὲ ἡμῶν διὰ τῶν
τεσσάρων ἀγγέλων, ἐγένετο στάδιον μέγα, ὅπερ ὡσεὶ κῆπος
ἦν, ἔχων ῥόδου δένδρα καὶ πᾶν γένος τῶν ἀνθέων. **6.** Τὸ
δὲ ὕψος τῶν δένδρων ἦν ὡσεὶ κυπαρίσσου μῆκος, ἀκατα-
15 παύστως δὲ κατεφέρετο τὰ δένδρα τὰ φύλλα αὐτῶν.
7. Ἦσαν δὲ μεθ' ἡμῶν ἐν αὐτῷ τῷ κήπῳ οἱ τέσσαρες
ἄγγελοι, ἀλλήλων ἐνδοξότεροι, ὑφ' ὧν ἐφερόμεθα ·
πτοουμένους δὲ ἡμᾶς καὶ θαυμάζοντας καὶ ἀπέθηκαν καὶ
ἀνέλαβον. **8.** Καὶ ὁδὸν λαβόντες διήλθομεν τὸ στάδιον τοῖς

XI, 15 τὰ δένδρα H Har. Rob. : secl. Be. ‖ 18 θαυμάζοντας Har. Rob.
Be. : -ζοντος H ‖ 19 ὁδὸν λαβόντες H Rob. Be. : ἀναλαβόντες τὴν ὁδὸν
Har.

«Voilà ce que le Seigneur nous promettait : nous voyons la réalisation de sa promesse.» **5.** Et tandis que nous étions portés par les quatre anges eux-mêmes, il se fit devant nous une vaste étendue qui avait l'air d'un parc, avec des rosiers et toutes sortes de fleurs. **6.** La hauteur des arbres était celle des cyprès et leurs feuilles chantaient sans fin. **7.** Là dans le parc se trouvaient quatre autres anges, encore plus radieux que les autres; quand ils nous virent, ils nous firent hommage et dirent aux autres anges : «Les voici, les voici», pleins d'admiration. Et les quatre anges qui nous portaient nous déposèrent, fort émus. **8.** Et à pied nous parcourûmes la promenade

---

Notre Seigneur nous a promis : nous avons obtenu l'effet de sa promesse.» **5.** Comme nous étions soutenus en l'air par les quatre anges, apparut une vaste étendue qui ressemblait à un jardin, avec des rosiers et toutes sortes de fleurs. **6.** La hauteur des arbres atteignait la taille des cyprès, et les arbres laissaient sans cesse tomber leurs feuilles. **7.** Dans ce même jardin, nous étions en compagnie des quatre anges, plus magnifiques les uns que les autres, par qui nous étions portés; nous étions saisis d'effroi et d'admiration lorsqu'ils nous déposèrent et nous accueillirent. **8.** Et prenant un chemin, nous parcourûmes

stadium uia lata. **9.** Ibi inuenimus Iocundum et Satur-
20 ninum et Artaxium, qui eadem persecutione uiui arserunt,
et Quintum, qui et ipse martyr in carcere exierat. Et quae-
rebamus de illis, ubi essent ceteri. **10.** Angeli dixerunt
nobis : «Venite prius, introite, et salutate Dominum.»

XII. 1. Et uenimus prope locum, cuius loci parietes
tales erant quasi de luce aedificati[a]; et ante ostium
loci illius angeli quattuor stabant, qui introeuntes uestierunt stolas candidas. **2.** Et introiuimus et audiuimus
5 uocem unitam dicentem : «Agios, agios, agios», sine

19 uia lata : uiolata *A* uiae latae *D* *om.* *E* ‖ 20 saturninum : saturum
E² -tyrum *B* -tirum *D* *om.* *C* ‖ persecutione : passi *add.* *B C D* ‖
22 ubi essent ceteri : ubi essent. Ceteri *A* et dixerunt nobis ceteri
angeli *D* ‖ 23 prius : primum *B C D E* ‖ introite : intro *B C E*
XII, 2 de luce aedificati : -catae *B C¹* dulce aedificium *E²* ‖ 3 angeli
quattuor stabant qui introeuntes uestierunt (nos *add.* *D Bas.*) *A D*
edd.: erant angeli quattuor introeuntes et nos uestiti *B C* ‖ 4 stolas
candidas : -la -da *D* -lis -dis *E* ‖ introiuimus : et uidimus lucem
inmensam *add.* *C D* ‖ uocem : ineffabilem *add.* *C³* ‖ 5 dicentium *B*
C ‖ agios *(ter)*: bis *D*

20 ἡμετέροις ποσίν. **9.** Ἐκεῖ εὕρομεν Ἰουκοῦνδον καὶ Σάτυρον
καὶ Ἀρτάξιον, τοὺς ἐν αὐτῷ τῷ διωγμῷ ζῶντας κρεμασθέντας, εἴδομεν δὲ Κοῖντον τὸν μαρτύρα τὸν ἐν τῇ
φυλακῇ ἀποθανόντα. Ἐζητοῦμεν δὲ καὶ περὶ τῶν λοιπῶν,
ποῦ ἄρα εἰσίν. **10.** Καὶ εἶπον οἱ ἄγγελοι πρὸς ἡμᾶς ·
25 Δεῦτε πρῶτον ἔσω ἵνα ἀσπάσησθε τὸν Κύριον.

XII. 1. Καὶ ἤλθομεν πλησίον τοῦ τόπου ἐκείνου τοῦ
ἔχοντος τοίχους ὡσανεὶ ἐκ φωτὸς ᾠκοδομημένους[a] καὶ πρὸ
τῆς θύρας τοῦ τόπου ἐκείνου εἰσελθόντες οἱ τέσσαρες ἄγγελοι
ἐνέδυσαν ἡμᾶς λευκὰς στολάς. **2.** Καὶ εἰσήλθομεν καὶ ἠκού-
5 σαμεν φωνὴν ἡνωμένην λεγόντων · Ἅγιος, ἅγιος, ἅγιος,

21-22 κρεμασθέντας H Rob. Be. *(uide Comm. ad loc.)*

du parc par sa large avenue. **9.** Là nous trouvâmes Jocundus, Saturninus et Artaxius qui avaient été brûlés vifs lors de la même persécution, ainsi que Quintus, qui lui aussi était mort en martyr dans la prison. Et nous leur demandions où se trouvaient les autres. **10.** Les anges nous dirent : « Venez d'abord, entrez saluer le Seigneur. »

XII. 1. Et nous arrivâmes près d'un endroit dont les murs semblaient construits de lumière[a] ; et devant la porte de cet endroit se tenaient quatre anges qui nous revêtirent à l'entrée de robes blanches. **2.** Et nous entrâmes et nous entendîmes un chœur qui chantait à l'unisson : « Saint,

XII. a. Cf. Apoc. 21, 18

---

le parc à pied. **9.** Là nous trouvâmes Jucundus, Saturus et Artaxius qui avaient été suspendus vivants lors de la même persécution ; nous vîmes aussi Quintus, le martyr qui était mort en prison. Nous leur demandions où donc se trouvaient les autres. **10.** Et les anges nous dirent : « Venez d'abord, entrez saluer le Seigneur. »

XII. 1. Et nous arrivâmes près de cet endroit dont les murs paraissaient construits de lumière[a] ; et devant la porte de cet endroit, après être entrés, les quatre anges nous revêtirent de robes blanches. **2.** Et nous entrâmes et nous entendîmes un chœur qui chantait à l'unisson : « Saint,

XII. a. Cf. Apoc. 21, 18

cessatione[b]. **3.** Et uidimus in eodem loco sedentem quasi hominem canum[c], niueos habentem capillos et uultu iuuenili, cuius pedes non uidimus. **4.** Et in dextera et in sinistra seniores quattuor, et post illos ceteri seniores
10 complures stabant. **5.** Et introeuntes cum admiratione stetimus ante thronum, et quattuor angeli subleuauerunt nos, et osculati sumus illum, et de manu sua traiecit nobis in faciem[d]. **6.** Et ceteri seniores[e] dixerunt nobis : «Stemus»; et stetimus et pacem fecimus. Et dixerunt nobis seniores :
15 «Ite et ludite.» **7.** Et dixi Perpetuae : «Habes quod uis.»

---

6 in eodem loco : in medio loci illius *B C* in medio *E¹* eum *E²* ‖
9 quattuor : uiginti quattuor *B C D* ‖ 10 introiuimus *B C D E* ‖ cum :
magna *add. B C* ‖ 12 illum : scabellum pedum eius *D* ‖ traiecit : tetigit
D ‖ 12-13 in faciem : faciem *D* -cie *C* ‖ 13 stemus : state *C³* ad orationem *add. E om. D* ‖ 15 et ludite : ludite *E* exultate in domino *D*

ἀκαταπαύστως[b]. **3.** Καὶ εἴδομεν ἐν μέσῳ τοῦ τόπου ἐκείνου καθεζόμενον ὡς ἄνθρωπον πολιόν[c] · οὗ αἱ τρίχες ὅμοιαι χιόνος καὶ νεαρὸν τὸ πρόσωπον αὐτοῦ, πόδας δὲ αὐτοῦ οὐκ ἐθεασάμεθα. **4.** Πρεσβύτεροι δὲ τέσσαρες ἐκ δεξιῶν καὶ
10 τέσσαρες ἐξ εὐωνύμων ἦσαν αὐτοῦ, ὀπίσω δὲ τῶν τεσσάρων πολλοὶ πρεσβύτεροι. **5.** Ὡς δὲ θαυμάζοντες εἰσεληλύθαμεν καὶ ἔστημεν ἐνώπιον τοῦ θρόνου, οἱ τέσσαρες ἄγγελοι ἐπῆραν ἡμᾶς, καὶ ἐφιλήσαμεν αὐτόν, καὶ τῇ χειρὶ περιέλαβεν τὰς ὄψεις ἡμῶν[d]. **6.** Οἱ δὲ λοιποὶ πρεσβύτεροι[e] εἶπον πρὸς
15 ἡμᾶς · Σταθῶμεν καὶ προσευξώμεθα. Καὶ εἰρηνοποιήσαντες ἀπεστάλημεν ὑπὸ τῶν πρεσβυτέρων λεγόντων · Πορεύεσθε καὶ χαίρεσθε. **7.** Καὶ εἶπον · Περπετούα, ἔχεις ὃ ἐβούλου.

XII, 17 περπετούα, H Har. Rob. : (εἶπον) -τούᾳ Be.

saint, saint», sans fin[b]. **3.** Et nous vîmes assis dans ce
même endroit quelqu'un qui avait l'apparence d'un homme
à tête blanche[c], avec une chevelure de neige et le visage
d'un jeune homme, mais ses pieds ne nous étaient pas
visibles. **4.** Et à droite et à gauche se tenaient debout
quatre vieillards et, derrière eux, d'autres vieillards en
grand nombre. **5.** Nous entrâmes et, pleins d'admiration,
nous nous tînmes debout devant le trône; les quatre anges
nous soulevèrent et nous embrassâmes l'homme et de sa
main il nous effleura le visage[d]. **6.** Et les autres vieillards[e]
nous dirent: «Levons-nous»; et nous nous levâmes et
nous nous donnâmes la paix. Et les vieillards nous dirent:
«Allez et amusez-vous.» **7.** Et je dis à Perpétue: «Tu

---

b. Cf. Apoc. 4, 8   c. Cf. Apoc. 1, 14   d. Cf. Apoc. 4, 4; 5, 8; etc.
e. Cf. Apoc. 7, 17; 21, 4; Is. 25, 8

---

saint, saint», sans fin[b]. **3.** Et nous vîmes assis au milieu
de cet endroit quelqu'un qui avait l'apparence d'un homme
à tête blanche[c]: ses cheveux étaient pareils à la neige,
et son visage était celui d'un jeune homme, mais ses
pieds ne nous étaient pas visibles. **4.** Quatre vieillards
se tenaient à sa droite et quatre autres à sa gauche, et,
derrière ces quatre, d'autres vieillards en grand nombre.
5. Comme nous étions entrés pleins d'admiration et que
nous nous tenions debout devant le trône, les quatre
anges nous soulevèrent et nous embrassâmes l'homme,
et il nous caressa le visage de la main[d].
6. Les autres vieillards[e] nous dirent: «Levons-nous et
prions.» Et après que nous nous fûmes donné la paix,
les vieillards nous renvoyèrent en disant: «Allez et
réjouissez-vous.» **7.** Et je dis: «Perpétue, tu as ce que

---

b. Cf. Apoc. 4, 8   c. Cf. Apoc. 1, 14   d. Cf. Apoc. 4, 4; 5, 8; etc.
e. Cf. Apoc. 7, 17; 21, 4; Is. 25, 8

Et dixit mihi : «Deo gratias, ut, quomodo in carne hilaris fui, hilarior sim et hic modo[f].»

XIII. 1. Et exiuimus et uidimus ante fores Optatum episcopum ad dexteram et Aspasium presbyterum doctorem ad sinistram, separatos et tristes. **2.** Et miserunt se ad pedes nobis, et dixerunt : «Componite inter nos, 5 quia existis, et sic nos reliquistis.» **3.** Et diximus illis : «Non tu es papa noster, et tu presbyter? Vt uos ad pedes nobis mittatis?». Et moti sumus et conplexi illos sumus. **4.** Et coepit Perpetua graece cum illis loqui, et segre-

---

16 ut : quia *E* quod *C³* ‖ 17 sim : sum *A C¹ C² E²* om. *B* ‖ et hic : etiam *D*
XIII, 2-3 doctorem : -tores *D* -tiorem *C* ‖ 4 nobis : nostros *B C D* ‖ componite : pacem *add. E²* ‖ 5 quia : intrastis et *add. E* ‖ nos : tristes *add. E* ‖ reliquistis : dereli- *D* relinquitis *C* ‖ 6 non : nonne *C¹ C²* ‖ papa : pater *C²* ‖ ut : quid *add. C* ‖ 7 moti sumus : misimus nos *B C*

Καὶ εἶπεν · Τῷ θεῷ χάρις, ἵνα, ὡς ἐν σαρκὶ μετὰ χαρᾶς ἐγενόμην, πλείονα χαρῶ νῦν[f].

XIII. 1. Ἐξήλθομεν δὲ καὶ εἴδομεν πρὸ τῶν θυρῶν Ὀπτάτον τὸν ἐπίσκοπον καὶ Ἀσπάσιον τὸν πρεσβύτερον πρὸς τὰ ἀριστερὰ μέρη διακεχωρισμένους καὶ περιλύπους. **2.** Καὶ πεσόντες πρὸς τοὺς πόδας ἡμῶν ἔφασαν ἡμῖν · 5 Διαλλάξατε ἡμᾶς πρὸς ἀλλήλους, ὅτι ἐξεληλύθατε καὶ οὕτως ἡμᾶς ἀφήκατε. **3.** Καὶ εἴπαμεν πρὸς αὐτούς · Οὐχὶ σὺ πάπας ἡμέτερος εἶ, καὶ σὺ πρεσβύτερος; Ἵνα τί οὕτως προσεπέσατε τοῖς ἡμετέροις ποσίν; Καὶ σπλαγχνισθέντες περιελάβομεν αὐτούς. **4.** Καὶ ἤρξατο ἡ Περπετούα 10 Ἑλληνιστὶ μετ' αὐτῶν ὁμιλεῖν, καὶ ἀνεχωρήσαμεν σὺν

as ce que tu veux.» Et elle me dit: «Grâce soit rendue à Dieu de ce que, joyeuse comme je l'étais dans la chair, je sois encore plus joyeuse ici à présent[f].»

XIII. 1. Nous sortîmes et nous vîmes devant les portes l'évêque Optat à droite et le prêtre docteur Aspasius à gauche, séparés et pleins de tristesse. **2.** Et ils se jetèrent à nos pieds et dirent: «Rétablissez la paix entre nous, puisque vous êtes partis et nous avez laissés ainsi.» **3.** Et nous leur dîmes: «N'êtes-vous pas, toi notre père et toi notre prêtre? Comment pouvez-vous vous jeter à nos pieds?» Et nous fûmes émus et nous les embrassâmes. **4.** Et Perpétue se mit à les entretenir en grec, et nous

f. Cf. I Cor. 15, 57; II Cor. 2, 14

tu voulais.» Et elle dit: «Grâce soit rendue à Dieu de ce que, joyeuse comme je l'étais dans la chair, je me réjouisse encore davantage à présent[f].»

XIII. 1. Nous sortîmes et nous vîmes devant les portes l'évêque Optat et le prêtre Aspasius, du côté gauche, séparés et pleins de tristesse. **2.** Et tombant à nos pieds, ils nous dirent: «Accordez-nous une réconciliation mutuelle, puisque vous êtes partis et nous avez laissés ainsi.» **3.** Et nous leur dîmes: «N'êtes-vous pas, toi notre père et toi notre prêtre? Pourquoi vous êtes-vous jetés ainsi à nos pieds?» Et nous fûmes émus et nous les embrassâmes. **4.** Et Perpétue se mit à s'entretenir en grec avec eux et nous nous retirâmes en leur compagnie

f. Cf. I Cor. 15, 57; II Cor. 2, 14

gauimus eos in uiridiarium sub arbore rosae. **5.** Et dum
10 loquimur cum eis, dixerunt illis angeli : «Sinite illos refrigerent; et si quas habetis inter uos dissensiones, dimittite
uobis inuicem.» **6.** Et conturbauerunt eos, et dixerunt
Optato : «Corrige plebem tuam, quia sic ad te conue-
niunt quasi de circo redeuntes et de factionibus cer-
15 tantes.» **7.** Et sic nobis uisum est quasi uellent claudere
portas. **8.** Et coepimus illic multos fratres cognoscere,
sed et martyras. Vniuersi odore inenarrabili alebamur, qui
nos satiabat. Tunc gaudens expertus sum.

XIV. 1. Hae uisiones insigniores ipsorum martyrum

10 sinite : quiescite *B C D E* ‖ illos : illi *E²* ab illis *D* ‖ refrigerent
: -gerare *E¹* et -gerate *B C* ut -gerent *D* ‖ 17 sed et : *om. B C E* ‖
odore : -ores *E²* -oribus *E¹* ‖ inenarrabili : -biles *E²* -bilibus *E¹* ‖ alebamur : -batur *C¹* alabamus *E* ‖ 18 satiabat : -bant *E* sanabit *B* ‖
expertus : -perrecta *A* -perrectus *E¹ edd.*
XIV, 1 insigniores : esse *add. E²* -niorum *D* sunt *C³* sunt in signo
B C¹ C²

αὐτοῖς εἰς τὸν κῆπον ὑπὸ τὸ δένδρον τοῦ ῥόδου. **5.** Καὶ
λαλούντων αὐτῶν μεθ' ἡμῶν, ἀπεκρίθησαν οἱ ἄγγελοι πρὸς
αὐτούς · Ἐάσατε αὐτοὺς ἀναψῦξαι, καὶ εἴ τινας διχοστασίας
ἔχετε μεθ' ἑαυτῶν, ἄφετε ὑμεῖς ἀλλήλοις. **6.** Καὶ ἐπέ-
15 πληξαν αὐτούς, καὶ εἶπαν Ὀπτάτῳ · Ἐπανόρθωσαι τὸ
πλῆθός σου · οὕτω γὰρ συνέρχονται πρός σε ὡσεὶ ἀπὸ
ἱπποδρομιῶν ἐπανερχόμενοι καὶ περὶ αὐτῶν φιλονεικοῦντες.
7. Ἐνομίζομεν δὲ αὐτοὺς ὡς θέλειν ἀποκλεῖσαι τὰς πύλας.
8. Καὶ ἠρξάμεθα ἐκεῖ πολλοὺς τῶν ἀδελφῶν ἐπιγινώσκειν,
20 ἀλλά γε καὶ τοὺς μάρτυρας. Ἐτρεφόμεθα δὲ πάντες ὀσμῇ
ἀνεκδιηγήτῳ, ἥτις οὐκ ἐχόρταζεν ἡμᾶς. Καὶ εὐθέως χαίρων
ἐξυπνίσθην.

XIV. 1. Αὗται αἱ ὁράσεις ἐμφανέσταται τῶν μαρτύρων

les prîmes à part dans le parc sous un rosier. **5.** Et tandis que nous les entretenions, les anges leur dirent : «Laissez-les goûter le bonheur du ciel; et s'il y a quelque désaccord entre vous, pardonnez-vous réciproquement.» **6.** Et ils les couvrirent de confusion et dirent à Optat : «Corrige ton peuple, car il se rassemble devant toi comme s'il revenait du cirque en se disputant sur les équipes.» **7.** Et nous eûmes l'impression qu'ils voulaient fermer le portail. **8.** Et nous commençâmes à reconnaître en ce lieu beaucoup de nos frères, mais tous des martyrs. Nous nous nourrissions tous d'un parfum ineffable, qui suffisait à nous rassasier. Alors, plein de joie, je me réveillai.

XIV. 1. Telles sont les visions les plus remarquables

---

dans le jardin, sous le rosier. **5.** Et comme nous bavardions ensemble, les quatre anges leur répliquèrent : «Laissez-les se reposer et s'il y a quelque désaccord entre vous, pardonnez-vous réciproquement.» **6.** Et ils les réprimandèrent et dirent à Optat : «Corrige ton peuple; car les gens se rassemblent devant toi comme s'ils revenaient des courses, en se querellant à leur sujet.» **7.** Et nous avions l'impression qu'ils voulaient fermer le portail. **8.** Et nous commençâmes à reconnaître en ce lieu beaucoup de nos frères, mais tous des martyrs. Nous nous nourrissions tous d'un parfum inexprimable, dont nous n'étions pas rassasiés. Et aussitôt, plein de joie, je me réveillai.

XIV. 1. Telles sont les visions les plus éclatantes des

beatissimorum Saturi et Perpetuae, quas ipsi conscripserunt. **2.** Secundulum uero Deus maturiore exitu de
saeculo adhuc in carcere euocauit, non sine gratia, ut
5 bestias lucraretur. **3.** Gladium tamen etsi non anima,
certe caro eius agnouit[a].

XV. 1. Circa Felicitatem uero, et illi gratia Domini
eiusmodi contigit. **2.** Cum octo iam mensium uentrem
haberet – nam praegnans fuerat adprehensa –, instante
spectaculi die in magno erat luctu, ne propter uentrem
5 differretur – quia non licet praegnantes poenae repraesentari – et ne inter alios postea sceleratos sanctum et

2 quas : quasi *E²* *Bas.* ‖ 3 deus : dominus *D E²* *om.* *E¹* ‖ 4 euocauit : re- *B C* uocauit *E* ‖ ut : ad *add.* *C³* ‖ 5 gladium : -dios *D*
gaudium *B C* ‖ etsi non : et non *B* non solum *C*
XV, 3 fuerat : erat *B C¹ C²* *om.* *C³* ‖ instante : expectans *B C* ‖
4 spectaculi : expectaculum *B* et expectaculi *C* ‖ diem *B C* ‖ 5 prae-
gnantibus *E* ‖ 6 alios : aliquos *B C*

———————

Σατύρου καὶ Περπετούας, <ἃς> αὐτοὶ συνεγράψαντο.
2. Τὸν γὰρ Σεκοῦνδον τάχιον ὁ θεὸς ἐκ τοῦ κόσμου
μετεπέμψατο · ἐν γὰρ τῇ φυλακῇ τῆς κλήσεως ἠξιώθη[a]
5 σὺν τῇ χάριτι πάντως κερδάνας τὸ μὴ θηριομαχῆσαι.
3. Πλὴν εἰ καὶ μὴ τὴν ψυχήν, ἀλλ' οὖν γε τὴν σάρκα
αὐτοῦ διεξῆλθεν τὸ ξίφος[b].

XV. 1. Ἀλλὰ καὶ τῇ Φηλικιτάτῃ ἡ χάρις τοῦ θεοῦ
τοιαύτη ἐδόθη. **2.** Ἐκείνη γὰρ συλληφθεῖσα ὀκτὼ μηνῶν
ἔχουσα γαστέρα, πάνυ ὠδύρετο – διότι οὐκ ἔξεστιν
ἐγκύμονα θηριομαχεῖν ἢ τιμωρεῖσθαι –, μήπως ὕστερον
5 μετὰ ἄλλων ἀνοσίων ἐκχυθῇ τὸ αἷμα αὐτῆς τὸ ἀθῷον.

XIV, 2 ἃς add. Har. Rob. Be.

des bienheureux martyrs Saturus et Perpétue, visions qu'ils ont eux-mêmes rédigées. **2.** Quant à Secundulus, Dieu lui accorda une fin plus rapide, en le rappelant du monde quand il était encore en prison, par une grâce particulière, pour qu'il échappât aux bêtes fauves. **3.** Sa chair du moins, sinon son âme, a connu le glaive[a].

XV. 1. En ce qui concerne Félicité, la grâce du Seigneur se manifesta pour elle aussi de la façon suivante. **2.** Comme elle était déjà enceinte de huit mois – en effet elle avait été arrêtée en cet état –, en voyant approcher le jour des jeux, elle tremblait qu'à cause de sa grossesse on ne lui accordât un sursis – car il est interdit de présenter au supplice des femmes enceintes – et que par la suite elle n'ait à répandre son sang pur et innocent,

XIV. a. Cf. Lc 2, 35

---

martyrs Saturus et Perpétue, visions qu'ils ont eux-mêmes rédigées. **2.** Quant à Secundus, Dieu lui fit quitter le monde plus rapidement; c'est en prison en effet qu'il fut jugé digne d'être rappelé[a], avec la grâce qu'il gagna totalement de ne pas combattre les bêtes. **3.** Si ce n'est que ce ne fut pas son âme, mais sa chair que le glaive transperça[b].

XV. 1. Mais à Félicité aussi la grâce de Dieu fut accordée de la façon suivante. **2.** En effet, comme elle avait été arrêtée étant enceinte de huit mois, elle se désolait profondément – parce qu'il est interdit de présenter aux bêtes ou de châtier une femme enceinte –, car elle craignait de répandre plus tard son sang innocent,

XIV. a. Cf. II Thess. 1, 11   b. Cf. Lc 2, 35

innocentem sanguinem funderet. **3.** Sed et conmartyres
grauiter contristabantur, ne tam bonam sociam quasi
comitem solam in uia eiusdem spei relinquerent.
10 **4.** Coniuncto itaque unito gemitu ad Dominum orationem
fuderunt ante tertium diem muneris. **5.** Statim post orationem dolores inuaserunt. Et cum pro naturali difficultate
octaui mensis in partu laborans doleret, ait illi quidam
ex ministris cataractariorum : «Quae sic modo doles, quid
15 facies obiecta bestiis, quas contempsisti cum sacrificare
noluisti?» **6.** Et illa respondit : «Modo patior quod

---

9 comitantem *B C* ‖ 10 coniuncto : consueto *D* ‖ dominum : deum
B C ‖ orationem : omnes *add.* *E* ‖ 11 fuderunt : fecer- *B C D E* ‖
muneris : fun- *A* ‖ 12 inuaserunt : eam *add.* *B C D E* ‖ naturali : -tura
B -turae *C* ‖ 14 catastariorum *C³* ‖ quae sic : quomodo ecce *E* ‖
15 obiecta : cum abiecta fueris *B C*

---

3. Ἀλλὰ καὶ οἱ συμμάρτυρες αὐτῆς περίλυποι ἦσαν σφόδρα
οὕτω καλὴν συνεργὸν καὶ ὡσεὶ συνοδοιπόρον ἐν ὁδῷ τῆς
αὐτῆς ἐλπίδος μὴ θέλοντες καταλείπειν. **4.** Πρὸ τρίτης
οὖν ἡμέρας τοῦ πάθους αὐτῶν κοινῷ στεναγμῷ ἑνωθέντες
10 προσευχὴν πρὸς τὸν Κύριον ἐποιήσαντο. **5.** Καὶ εὐθὺς
μετὰ τὴν προσευχὴν ὠδῖνες αὐτὴν συνέσχον, κατὰ τὴν τοῦ
ὀγδόου μηνὸς φύσιν χαλεπαί. Καὶ μετὰ τὸν τοκετὸν
καμοῦσα ἤλγει · ἔφη δέ τις αὐτῇ τῶν παρατηρούντων
ὑπηρετῶν · Εἰ νῦν οὕτως ἀλγεῖς, τί ἔχεις ποιῆσαι βληθεῖσα
15 πρὸς θηρία, ὧν κατεφρόνησας ὅτε ἐπιθύειν κατεφρόνησας
καὶ οὐκ ἠθέλησας θῦσαι; **6.** Κἀκείνη ἀπεκρίθη · Νῦν ἐγὼ

XV, 12 μετὰ τὸν τοκετὸν H Rob. : κατὰ τὸν τ. Be. μετὰ τοῦ τοκετοῦ
Har. ‖ 15 ὅτε Har. Rob. Be. : ὅτι H

mêlée indistinctement à des criminels. **3.** Mais ses compagnons de martyre eux aussi s'attristaient profondément en craignant d'abandonner celle qui partageait si bien leur sort, en somme leur compagne de route, toute seule sur le chemin qui menait à leur commune espérance. **4.** Aussi unissant leurs cœurs en une même plainte, ils adressèrent au Seigneur un flot de prières deux jours avant les jeux. **5.** Aussitôt après la prière, les douleurs l'envahirent. Et comme, en raison de la difficulté naturelle d'un accouchement au huitième mois, elle peinait et souffrait, un des assistants-geôliers lui dit : «Si tu souffres tellement maintenant, que feras-tu quand tu seras jetée aux bêtes, dont tu as fait peu de cas en refusant de sacrifier?» **6.** Et elle répliqua : «Maintenant c'est moi

---

mêlée indistinctement à des impies. **3.** Mais ses compagnons de martyre eux aussi étaient pleins de chagrin, se refusant à abandonner celle qui leur prêtait si bien son concours, en somme leur compagne de route sur le chemin qui menait à leur commune espérance. **4.** Deux jours avant le martyre, unissant leur cœur en une même plainte, ils adressèrent une prière au Seigneur. **5.** Et immédiatement après la prière, les douleurs l'oppressèrent, violentes comme elles pouvaient l'être naturellement au huitième mois. Et elle peinait et souffrait pendant cet accouchement; un des assistants qui étaient de surveillance lui dit : «Si tu souffres tellement maintenant, que vas-tu faire une fois jetée aux bêtes, ces bêtes que tu as méprisées, lorsque tu as méprisé le sacrifice et refusé de sacrifier? **6.** Et elle répliqua : «Maintenant c'est moi qui

patior; illic autem alius erit in me qui patietur pro me,
quia et ego pro illo passura sum.» 7. Ita enixa est
puellam, quam sibi quaedam soror in filiam educauit.

XVI. 1. Quoniam ergo permisit et permittendo uoluit
Spiritus Sanctus ordinem ipsius muneris conscribi, etsi
indigni ad supplementum tantae gloriae describendae,
tamen quasi mandatum sanctissimae Perpetuae, immo
5 fideicommissum eius exequimur, unum adicientes docu-
mentum de ipsius constantia et animi sublimitate. **2.** Cum
tribunus castigatius eos castigaret, qui ex admonitionibus

18 ego : hic add. E
XVI, 1 permisit : prom- B ‖ 3 indigni : -gna A -gne B C ‖ tantae :
tangere C ‖ gloriae : illorum add. B C E ‖ 5 exequamur B ‖ 6 ipsius
: eius B C E ‖ constantia : continentiae B ‖ 6-7 cum tribunus castigatius eos castigaret (-gari E¹) E Be.: cum a tribuno castigatius eo
tractanti A quia tribuno castigante eos et male tractante B C quia
tribuno castiganti eos et male tractanti D Bas. cum a tribuno castigatius eo tractarentur (-tantur Rob. Geb. Fra.) Hol. Fel. Rui. Har. Rob.
Fra. Geb. quae tribuno castigatius eos tractante She. ‖ 7 qui : D E quia
A edd. quoniam B C

πάσχω ὃ πάσχω · ἐκεῖ δὲ ἄλλος ἐστὶν ὁ πάσχων ὑπὲρ
ἐμοῦ · ἔσται ἐν ἐμοὶ ἵνα πάθῃ, διότι ἐγὼ πάσχω ὑπὲρ
αὐτοῦ. 7. Ἔτεκεν δὲ κοράσιον, ὃ μία τῶν ἀδελφῶν
20 συλλαβοῦσα εἰς θυγατέρα ἀνέθρεψεν αὐτῇ.

XVI. 1. Ἡμῖν δὲ ἀναξίοις οὖσιν ἐπέτρεψεν τὸ ἅγιον
πνεῦμα ἀναγράψαι τὴν τάξιν τὴν ἐπὶ ταῖς φιλοτιμίαις
παρακολουθήσασαν · πλὴν ὡς ἐντάλματι τῆς μακαρίας Περπετούας, μᾶλλον δὲ ὡς κελεύσματι ὑπηρετοῦντες
5 ἀποπληροῦμεν τὸ προσταχθὲν ἡμῖν. 2. Ὡς δὲ πλείους
ἡμέραι διεγίνοντο ἐν τῇ φυλακῇ αὐτῶν ὄντων, ἡ

17 ἄλλος ἐστὶν ὁ H Har. Rob. : add. ἐν ἐμοὶ Be. ‖ 18 ἔσται ἐν ἐμοὶ
ἵνα πάθῃ H Har. Rob. : secl. Be.

qui souffre ce que je souffre; mais là-bas il y aura quelqu'un d'autre en moi qui souffrira pour moi, parce que
moi aussi je vais souffrir pour lui.» **7.** Et elle accoucha
d'une fille, qu'une sœur éleva comme sa propre enfant.

XVI. 1. Ainsi donc puisque l'Esprit-Saint a permis et,
par cette permission, a voulu que l'on décrive le déroulement même des jeux, tout indigne que nous soyons
d'ajouter quelque chose au récit de tant de gloire, nous
remplissons la mission, et même le mandat, dont nous
a chargé la très sainte Perpétue, en ajoutant un trait de
cette âme ferme et sublime. **2.** Le tribun les traitait avec
une plus grande sévérité, car, en raison d'avertissements

---

souffre ce que je souffre; mais là-bas il va y avoir quelqu'un d'autre qui souffrira pour moi : il sera en moi pour
souffrir, parce que moi je souffre pour lui.» **7.** Elle mit
au monde une petite fille qu'une des sœurs recueillit et
éleva comme sa propre enfant.

XVI. 1. Malgré notre indignité, l'Esprit-Saint nous a
confié le soin de décrire le déroulement des événements
qui accompagnèrent les jeux; toutefois, obéissant pour ainsi
dire à la recommandation de la bienheureuse Perpétue et
même à son ordre, nous remplissons la mission qui nous
a été prescrite. **2.** Comme ils avaient passé plusieurs jours
dans la prison, en leur présence, la sublime et vraiment

hominum uanissimorum uerebatur ne subtraherentur de
carcere incantationibus aliquibus magicis, in faciem ei Per-
10 petua respondit : **3.** «Quid utique non permittis nobis
refrigerare noxiis nobilissimis Caesaris scilicet et natali
eiusdem pugnaturis? Aut non tua gloria est, si pinguiores
illo producamur?» **4.** Horruit et erubuit tribunus, et ita
iussit illos humanius haberi, ut fratribus eius et ceteris
15 facultas fuerit introeundi et refrigerandi cum eis, iam et
ipso optione carceris credente.

8 uerebatur : admonebatur et uerebatur *D* ‖ 9 ei : et *B C¹ C³ D* ‖
perpetua : *D E Be.* : *om. A Rob. She. Bas.* ‖ 10 respondit : et dixit *add.*
B C ‖ 11 scilicet : scis quia *B C* ‖ natali : -lis *A* -le *B C* ‖ 12 eiusdem :
eius *B C* ‖ pugnaturis : depug- *D E* sumus pugnaturi *B C* ‖ 15 fuerit :
fieret *B C edd.* ‖ iam et : tamen *A E* tamen et *D* ‖ 16 optione : opi-
nione *D* ‖ credente : crescente *D*

μεγαλόφρων καὶ ἀνδρεία ὡς ἀληθῶς Περπετούα, τοῦ
χιλιάρχου ἀπηνέστερον αὐτοῖς προσφερομένου, τινῶν πρὸς
αὐτὸν ματαίως διαβεβαιωσαμένων τὸ δεῖν φοβεῖσθαι μήπως
10 ἐπῳδαῖς μαγικαῖς τῆς φυλακῆς ὑπεξέλθωσιν, ἐνώπιον
ἀπεκρίθη λέγουσα · **3.** Διὰ τί ἡμῖν ἀναλαμβάνειν οὐκ ἐπι-
τρέπεις, ὀνομαστοῖς καταδίκοις Καίσαρος γενεθλίοις ἀνα-
λωθησομένοις; Μὴ γὰρ οὐχὶ σὴ δόξα ἐστίν, ἐφ' ὅσον
πίονες προσερχόμεθα; **4.** Πρὸς ταῦτα ἔφριξεν καὶ ἐδυσ-
15 ωπήθη ὁ χιλίαρχος, ἐκέλευσεν τε αὐτοὺς φιλανθρωπότερον
διάγειν, ὡς καὶ τὸν ἀδελφὸν αὐτῆς καὶ λοιπούς τινας
δεδυνῆσθαι εἰσελθεῖν καὶ ἀναλαμβάνειν μετ' αὐτῶν. Τότε
καὶ αὐτὸς ὁ τῆς φυλακῆς προεστὼς ἐπίστευσεν.

XVI, 14 πίονες Har. Rob. Be. : πλείονες Η

venus de gens fort peu dignes de foi, il craignait qu'ils
ne s'évadassent de prison à l'aide d'incantations magiques;
alors Perpétue lui jeta à la face : **3.** «Pourquoi ne nous
permets-tu pas le moindre réconfort, à nous qui sommes
les plus nobles des condamnés, puisque nous appartenons
à César et que nous devons combattre pour son anniversaire? N'y va-t-il pas de ta réputation que nous soyons
plus gras pour être menés là-bas?» **4.** Le tribun sursauta
et rougit et il donna l'ordre de les traiter plus humainement : ainsi les frères de la jeune femme et tous les
autres purent visiter les condamnés et avoir le réconfort
de leur compagnie. Déjà le sous-officier chargé de la
prison avait lui aussi la foi.

---

virile Perpétue, au tribun qui les traitait trop durement – car
des gens lui avaient soutenu cette sottise, qu'il fallait craindre
qu'ils ne s'évadassent de la prison par des incantations
magiques – répondit en face par ces mots : **3.** «Pourquoi
ne nous permets-tu aucun réconfort, à nous qui sommes
destinés à périr sous le nom de nobles condamnés de
César? Est-ce qu'il ne va pas de ta réputation que nous
soyons présentés bien gras?» **4.** À ces mots, le tribun
frémit et perdit contenance et il donna l'ordre de les traiter
plus humainement : ainsi son frère et quelques autres
purent les visiter et avoir le réconfort de leur compagnie.
Alors le préposé à la prison reçut la foi.

XVII. 1. Pridie quoque cum illam cenam ultimam quam liberam uocant, quantum in ipsis erat, non cenam liberam sed agapem, cenarent, eadem constantia ad populum uerba ista iactabant, comminantes iudicium Dei, contes-
5 tantes passionis suae felicitatem, inridentes concurrentium curiositatem, dicente Saturo : **2.** «Crastinus satis uobis non est? Quid libenter uidetis quod odistis? Hodie amici, cras inimici. Notate tamen uobis facies nostras diligenter, ut recognoscatis nos in die illo.» **3.** Ita omnes inde
10 adtoniti discedebant ex quibus multi crediderunt[a].

XVII, 1 illa cena *A* ‖ ultimam : -ma *B C D E om. A* ‖ 4 ista : *om.*
B C D E ‖ iactabant : dabant *E* ‖ dei : domini *A E* ‖ 7 quid : qui *B*
E ‖ uidetis : -dentes *A* -distis *B* ‖ quod : quos *E* ‖ 9 die illo : illo
iudicii *B C* ‖ 10 discedebant : -cesserunt *B C D* ‖ crediderunt : *add.* in
christum *E*

XVII. 1. Ἀλλὰ καὶ πρὸ μιᾶς ὅτε τὸ ἔσχατον ἐκεῖνο δεῖπνον, ὅπερ ἐλεύθερον ὀνομάζουσιν, ὅσον δὲ ἐφ' ἑαυτοῖς οὐκ ἐλεύθερον δεῖπνον ἀλλ' ἀγάπην ἀπεκάλουν, τῇ αὐτῶν παρρησίᾳ πρὸς [δὲ] τὸν ὄχλον τὸν ἐκεῖσε παρεστῶτα ῥήματα
5 ἐξέπεμπον, μετὰ πολλῆς παρρησίας αὐτοῖς ἀπειλοῦντες κρίσιν θεοῦ, ἀνθομολογούμενοι τὸν μακαρισμὸν τοῦ πάθους ἑαυτῶν, καταγελῶντες τὴν περιεργίαν τῶν συντρεχόντων, Σατύρου λέγοντος · **2.** Ἢ αὔριον ἡμέρα ὑμῖν οὐκ ἐπαρκεῖ; Τί ἡδέως ὁρᾶτε οὓς μισεῖτε; Σήμερον φίλοι, αὔριον ἐχθροί. Πλὴν
10 ἐπισημειώσασθε τὰ πρόσωπα ἡμῶν ἐπιμελῶς, ἵνα καὶ ἐπιγνῶτε ἡμᾶς ἐν ἐκείνῃ τῇ ἡμέρᾳ. **3.** Οὕτως ἅπαντες ἐκεῖθεν ἐκπληττόμενοι ἐχωρίζοντο · ἐξ ὧν πλεῖστοι ἐπίστευσαν[a].

XVII, 3 ἀπεκάλουν H : ἐπεκ- Har. Rob.   ἀπετέλουν Be. ‖ 4 δὲ secl.
Be. ‖ 8 ἢ H Har. Rob. : ἡ Be. ‖ ὑμῖν Har. Rob. Be. : ἡμῖν H

XVII. 1. De plus, la veille des jeux, comme ils pre-
naient ce dernier repas que l'on appelle «libre», et dont
ils faisaient, autant qu'il était en leur pouvoir, non pas
un repas libre mais des agapes, ils lançaient à la foule
des paroles pleines de la même fermeté, la menaçant du
jugement de Dieu, témoignant de leur félicité à subir la
passion, se moquant de la curiosité de ceux qui accouraient pour les voir; Saturus disait : **2.** «Demain ne vous
suffit-il pas? Quel plaisir prenez-vous à voir ce que vous
détestez? Aujourd'hui amis, demain ennemis. Au moins
notez soigneusement nos visages, pour nous reconnaître
au grand Jour.» **3.** Ainsi tous quittaient cet endroit
remplis d'étonnement et parmi ces gens beaucoup se
mirent à croire[a].

XVII. a. Cf. Act. 4, 4; Jn 11, 45

XVII. 1. Mais aussi, la veille des jeux, comme ils pre-
naient ce dernier repas, que l'on appelle «libre», et qu'ils
qualifiaient, autant qu'ils le pouvaient, non pas de repas
libre mais d'agapes, hardiment ils lançaient leurs paroles
à la foule qui se trouvait là, les menaçant fort hardiment
du jugement de Dieu, témoignant publiquement de la béatitude que leur valait leur passion, se moquant de la
curiosité de ceux qui accouraient pour les voir. Saturus
disait : **2.** «La journée de demain ne vous suffit-elle pas?
Quel plaisir prenez-vous à voir ceux que vous détestez?
aujourd'hui amis, demain ennemis. Au moins notez soi-
gnement nos visages, pour nous reconnaître au grand
Jour.» **3.** Ainsi tous quittaient cet endroit remplis d'étonnement; et parmi ces gens la plupart se mirent à croire[a].

XVII. a. Cf. Act. 4, 4; Jn 11, 45

XVIII. 1. Illuxit dies uictoriae illorum, et processerunt de carcere in amphitheatrum, quasi in caelum, hilares, uultu decori, si forte gaudio pauentes non timore. **2.** Sequebatur Perpetua lucido uultu et placido incessu, 5 ut matrona Christi, ut Dei delicata, uigore oculorum deiciens omnium conspectum. **3.** Item Felicitas, saluam se peperisse gaudens ut ad bestias pugnaret, a sanguine ad sanguinem, ab obstetrice ad retiarium, lotura post partum baptismo secundo. **4.** Et cum ducti essent in portam et 10 cogerentur habitum induere, uiri quidem sacerdotum

XVIII, 2 caelum : add. ituri D caelo E ‖ hilares : et add. B C D E ‖ 3 timore : pauore B C ‖ 4 lucido uultu et placido incessu : Be. Bas. : lucido incessu A Rob. Fra. She. placido incessu E placido uultu et pedum incessu B C D ‖ 5 delicata : dilecta B C ‖ 7 gaudebat D ‖ a sanguine : om. E² carnis pergit add. C³ ‖ 7-8 ad sanguinem : om. A B C¹ C² salutis add. C³ ‖ 8 retiarium : retiarii luctam C³ ‖ partum : primum ad partum secundum add. C³ ‖ 9 baptismo : sanguinis add. E ‖ ducti : dedu- D deductae E delati B C

XVIII. 1. Ἐπέλαμψεν δὲ ἡ ἡμέρα τῆς νίκης αὐτῶν, καὶ προῆλθον ἐκ τῆς φυλακῆς εἰς τὸ ἀμφιθεάτρον ὡς εἰς οὐρανὸν ἀπιόντες, ἱλαροὶ καὶ φαιδροὶ τῷ προσώπῳ, πτοούμενοι εἰ τύχοι χαρᾷ μᾶλλον ἢ φόβῳ. **2.** Ἠκολούθει δὲ 5 ἡ Περπετούα πράως βαδίζουσα, ὡς ματρῶνα Χριστοῦ, ἐγρηγόρῳ ὀφθαλμῷ, καὶ τῇ προσόψει καταβάλλουσα τὰς πάντων ὁράσεις. **3.** Ὁμοίως καὶ ἡ Φηλικιτάτη χαίρουσα ἐπὶ τῇ τοῦ τοκετοῦ ὑγείᾳ ἵνα θηριομαχήσῃ, ἀπὸ αἵματος εἰς αἷμα, ἀπὸ μαίας πρὸς μονομαχίαν, μέλλουσα λούσασθαι 10 μετὰ τὸν τοκετὸν βαπτισμῷ δευτέρῳ, τουτέστιν τῷ ἰδίῳ αἵματι. **4.** Ὅτε δὲ ἤγγισαν πρὸ τοῦ ἀμφιθεάτρου, ἠναγκάζοντο ἐνδύσασθαι σχήματα, οἱ μὲν ἄρρενες ἱερέων

XVIII, 10 δευτέρῳ Rob. Be. : δὲ ὑστέρῳ H Har. ‖ 11 πρὸ τοῦ ἀμφιθεάτρου Rob. : πρω τοῦ ἀμφιθεάτρου H πρὸς τὸν ἀμφιθεάτρον Be.

XVIII. 1. Voici que se leva le jour brillant de leur victoire et ils quittèrent la prison pour se rendre à l'amphithéâtre, comme s'ils allaient au ciel, joyeux, le visage serein; s'ils frémissaient, c'était de joie et non de peur. **2.** Perpétue marchait à leur suite, le visage lumineux et la démarche tranquille, comme une matrone unie au Christ, comme la fille chérie de Dieu; l'éclat de son regard forçait tout le monde à baisser les yeux. **3.** Félicité allait de même, se réjouissant d'avoir accouché heureusement pour pouvoir combattre les bêtes, passant d'un bain de sang à un bain de sang, de la sage-femme au rétiaire, prête à se laver après son accouchement par un second baptême. **4.** Et comme on les avait conduits à la porte et qu'on les forçait à revêtir un costume, pour

---

XVIII. 1. Voici que se leva le jour brillant de leur victoire, et ils quittèrent la prison pour se rendre à l'amphithéâtre, comme s'ils allaient au ciel, joyeux et le visage radieux; s'ils frémissaient, c'était de joie et non de peur. **2.** Perpétue marchait à leur suite, s'avançant calmement, comme une matrone unie au Christ, les yeux pleins de vivacité; par son regard, elle forçait tout le monde à baisser les yeux. **3.** Félicité allait de même, se réjouissant d'avoir accouché en bonne santé pour pouvoir combattre les bêtes, passant d'un bain de sang à un bain de sang, de la sage-femme au combat de gladiateurs, prête à se laver après son accouchement par un second baptême, autrement dit par son propre sang. **4.** Lorsqu'ils approchèrent de l'amphithéâtre, on voulait les forcer à revêtir des costumes, les

Saturni, feminae uero sacratarum Cereris, generosa illa in
finem usque constantia repugnauit. **5.** Dicebat enim :
«Ideo ad hoc sponte peruenimus, ne libertas nostra obduceretur; ideo animam nostram addiximus, ne tale aliquid
15 faceremus; hoc uobiscum pacti sumus.» **6.** Agnouit
iniustitia iustitiam : concessit tribunus, quomodo erant, simpliciter inducerentur. **7.** Perpetua psallebat, caput iam
Aegyptii calcans[a]; Reuocatus et Saturninus et Saturus
populo spectanti comminabantur. **8.** Dehinc ut sub
20 conspectu Hilariani peruenerunt, gestu et nutu coeperunt

---

11 sacratarum : sacrorum *B* sacrarium *C²* ‖ cereris : -rerum *A* -reri
edd. carceris *E²* *om.* *B C* ‖ illa : perpetua *add.* *E* *om.* *B C* ‖
12 dicebat : -bant *A C* dicens *E* ‖ 13-14 obduceretur : abdu- *C³* addu-
B C¹ C² ‖ 14 animam nostram : -mas -tras *B C* -mum -trum *D* ‖
adduximus *A B* ‖ 16 tribunus : ut *add.* *B C D E²* ‖ 17 inducerentur :
introdu- *E* ‖ 19 spectanti : -tante *E* expectanti *B* -tante *C* ‖ dehinc :
de hoc *A D* ‖ 20 nutu : motu *E*

Κρόνου, αἱ δὲ θήλειαι τῆς Δημήτρας · ἀλλ' ἡ εὐγενεστάτη
ἐκείνη Περπετούα παρρησίᾳ ἠγωνίσατο ἕως τέλους.
15 **5.** Ἔλεγεν γάρ · Διὰ τοῦτο ἑκουσίως εἰς τοῦτο ἐληλύ-
θαμεν, ἵνα ἡ ἐλευθερία ἡμῶν μὴ ἡττηθῇ · διὰ τοῦτο τὴν
ψυχὴν ἡμῶν παρεδώκαμεν, ἵνα μηδὲν τῶν τοιούτων
πράξωμεν · τοῦτο συνεταξάμεθα μεθ' ὑμῶν. **6.** Ἐπέγνω
ἡ ἀδικία τὴν δικαιοσύνην · καὶ μετέπειτα ἐπέτρεψεν ὁ
20 χιλίαρχος ἵνα οὕτως εἰσαχθῶσιν ὡς ἦσαν. **7.** Καὶ ἡ Περπετούα ἔψαλλεν, τὴν κεφαλὴν τοῦ Αἰγυπτίου ἤδη πατοῦσα[a].
Ῥεουκάτος δὲ καὶ Σατορνῖλος καὶ Σάτυρος τῷ θεωροῦντι
ὄχλῳ προσωμίλουν. **8.** Καὶ γενόμενοι ἔμπροσθεν Ἱλαριανοῦ κινήμασιν καὶ νεύμασιν ἔφασαν · Σὺ ἡμᾶς, καὶ σὲ

---

14 περπετούα H Har. Rob. : secl. Be. ‖ παρρησίᾳ Har. Rob. : -ρησία H
Be.

les hommes celui des prêtres de Saturne, pour les femmes celui des prêtresses de Cérès, la noble Perpétue résista fermement jusqu'au bout. **5.** Elle disait : «Si nous en sommes arrivés là de notre plein gré, ce n'est pas pour que notre liberté soit voilée; si nous avons livré notre vie, ce n'est pas pour accomplir un tel acte; voilà le pacte que nous avons conclu avec vous.» **6.** L'injustice reconnut la justice : le tribun leur accorda d'être introduits simplement vêtus comme ils l'étaient. **7.** Perpétue chantait un hymne, écrasant déjà la tête de l'Égyptien[a]; Revocatus, Saturninus et Saturus lançaient des menaces à la foule des spectateurs. **8.** Puis, lorsqu'ils arrivèrent en vue d'Hilarianus, par gestes et par signes de tête ils se

XVIII. a. Cf. Gen. 3, 15

hommes celui des prêtres de Kronos, les femmes celui des prêtresses de Déméter; mais la très noble Perpétue tint tête hardiment jusqu'au bout. **5.** Elle disait en effet : «Si nous en sommes arrivés là de notre propre gré, c'est pour que notre liberté ne se laisse pas vaincre; nous avons livré notre vie pour ne pas accomplir d'acte de ce genre; c'est ce dont nous sommes convenus avec vous.» **6.** L'injustice reconnut la justice; à la suite de cela le tribun ordonna qu'ils soient introduits vêtus comme ils l'étaient. **7.** Et Perpétue chantait un hymne, écrasant déjà la tête de l'Égyptien[a]. Revocatus, Saturnilus et Saturus s'adressaient à la foule des spectateurs. **8.** Et une fois arrivés devant Hilarianus, par gestes et par signes de tête, ils lui dirent : «Pour nous

XVIII. a. Cf. Gen. 3, 15

Hilariano dicere : «Tu nos, inquiunt, te autem Deus.» 9. Ad hoc populus exasperatus flagellis eos uexari per ordinem uenatorum postulauit; et utique gratulati sunt quod aliquid et de dominicis passionibus essent consecuti.

XIX. 1. Sed qui dixerat : «*Petite et accipietis*[a]», petentibus dederat eum exitum quem quis desiderauerat. **2.** Nam, si quando inter se de martyrii sui uoto sermocinabantur, Saturninus quidem omnibus bestiis uelle se 5 obici profitebatur, ut scilicet gloriosiorem gestaret coronam. **3.** Itaque in commissione spectaculi ipse et Reuocatus leopardum experti etiam super pulpitum ab urso uexati

21 hilariano : persecutori *add. E* ‖ deus : iudicabit *add. C* ‖ 23 utique : illi *add. B C¹ C² D*
XIX, 1 dixit *B C³* ‖ 2 dedit *B C* ‖ eum : cum *B C* ‖ quem quis : que inquis *B* quem quaesiuit *C¹ C²* quem unusquisque *C³* ‖ desiderauerat : -rauit accepit *B C edd.* -rabat accipere *D* ‖ 5 profitebatur : prophetabatur *C* ‖ 6 ipse et : *om. A D* cum *Fra.* ‖ reuocato *Fra.* ‖ 7 expertus *A D* ‖ 7-8 uexati sunt : erat uexatus *A D* ‖ *post* uexati *desinit E¹ et add.* explicit passio sanctarum perpetuae et felicitatis

25 ὁ θεός. **9.** Πρὸς ταῦτα ἀγριωθεὶς ὁ ὄχλος μαστιγωθῆναι αὐτοὺς ἐβόησεν · ἀλλὰ οἱ ἅγιοι ἠγαλλιάσθησαν ὅτι ὑπέμεινάν τι καὶ ἐκ τῶν κυριακῶν παθῶν.

XIX. 1. Ἀλλ' ὁ εἰπών · «Αἰτεῖσθε καὶ λήψεσθε[a]», ἔδωκεν τοῖς αἰτήσασιν ταύτην τὴν δόξαν οἵαν ἕκαστος αὐτῶν ἐπεθύμησεν. **2.** Εἴ ποτε γὰρ μεθ' ἑαυτῶν περὶ τῆς εὐχῆς τοῦ μαρτυρίου συνελάλουν, Σατορνῖλος μὲν πᾶσιν 5 τοῖς θηρίοις βληθῆναι ἑαυτὸν θέλειν <ἔλεγεν>, πάντως ἵνα ἐνδοξότερον στέφανον ἀπολάβῃ. **3.** Ἐν ἀρχῇ γοῦν τῆς θεωρίας αὐτὸς μετὰ Ῥεουκάτου πάρδαλιν ὑπέμεινεν · ἀλλὰ

XIX, 5 θέλειν H Rob. Be. : ἔθελεν Har. ‖ ἔλεγεν add. Rob. Be.

mirent à s'adresser à Hilarianus : « Pour nous c'est toi le juge, disent-ils, mais pour toi c'est Dieu. » **9.** Cette attitude exaspéra la foule qui réclama qu'on les fît battre de verges devant une rangée de gladiateurs ; et naturellement les martyrs rendirent grâce de ce qu'ils avaient obtenu aussi de prendre part à la passion du Seigneur.

XIX. 1. Mais celui qui avait dit : « *Demandez et vous recevrez*[a] » avait accordé à leurs demandes la mort que chacun avait souhaitée. **2.** En effet, chaque fois qu'ils parlaient entre eux de leur désir du martyre, Saturninus déclarait hautement qu'il voulait être exposé à toutes les bêtes, afin, bien sûr, de remporter la couronne la plus glorieuse. **3.** Aussi, alors qu'à l'ouverture du spectacle lui et Revocatus avaient été attaqués par un léopard, ils furent encore soumis sur l'échafaud à l'assaut d'un ours.

XIX. a. Jn 16, 24

---

c'est toi le juge, mais pour toi c'est Dieu. » **9.** Cette attitude exaspéra la foule qui cria de les fouetter, mais les saints se réjouirent parce qu'ils supportaient aussi une part de la passion du Seigneur.

XIX. 1. Mais celui qui a dit : « *Demandez et vous recevrez*[a] » accorda à leurs demandes la sorte de gloire que chacun avait souhaitée. **2.** Si en effet, en bavardant entre eux, ils venaient à parler de leur vœu de martyre, Saturnilus disait qu'il voulait être exposé à toutes les bêtes, pour remporter vraiment la couronne la plus glorieuse. **3.** Aussi, au début du spectacle, lui et Revocatus subirent l'assaut d'un léopard ; mais plus tard, sur le

XIX. a. Jn 16, 24

sunt. **4.** Saturus autem nihil magis quam ursum abomi-
nabatur; sed uno morsu leopardi confici se iam prae-
10 sumebat. **5.** Itaque cum apro subministraretur, uenator
potius qui illum apro subligauerat, subfossus ab eadem
bestia, post dies muneris obiit; Saturus solummodo tractus
est. **6.** Et cum ad ursum substrictus esset in ponte, ursus
de cauea prodire noluit. Itaque secundo Saturus inlaesus
15 reuocatur.

XX. 1. Puellis autem ferocissimam uaccam, ideoque
praeter consuetudinem conparatam, diabolus praeparauit,
sexui earum etiam de bestia aemulatus. **2.** Itaque dis-

9 conficisse *A B* ‖ 11 apro subligauerat : aprum subministrauerat *B C*
D ‖ 13 substrictus : subreptus *B* -rectus *C* ‖ ponte : porta *C³* ‖ 14 prodire :
exire *B C* ‖ noluit : pudens (prudens *C²*) miles (cum *C²*) de industria
efferatorum adfirmasset portas putris (patris *C¹ C²*) carnibus magis ne
mitteretur efficit *add. B C¹ C² del. Rui. Rob.*

XX, 2 praeparauerat *D*

———————

καὶ ὕστερον ἐπὶ τῆς γεφύρας ὑπὸ ἄρκου διεσπαράχθη.
4. Σάτυρος δὲ οὐδὲν ἄλλο ἢ ἄρκον ἀπεστρέφετο · καὶ ἑνὶ
10 δήγματι παρδάλεως τελειοῦσθαι αὐτὸν ἐπεπόθει. **5.** Ὥστε
καὶ τῷ συῒ διακονούμενος ἐσύρη μόνον, σχοινίῳ προσδεθείς,
ὁ δὲ θηρατὴς ὁ τῷ συῒ αὐτὸν προσβαλὼν ὑπὸ τοῦ θηρὸς
κατετρώθη οὕτως ὡς μεθ᾽ ἡμέραν τῶν φιλοτιμιῶν
ἀποθανεῖν. **6.** Ἀλλὰ καὶ πρὸς ἄρκον διαδεθεὶς ὑγιὴς πάλιν
15 διέμεινεν · ἐκ γὰρ τοῦ ζωγρίου αὐτῆς ἡ ἄρκος οὐκ ἠθέλησεν
ἐξελθεῖν.

XX. 1. Ταῖς μακαρίαις δὲ νεάνισιν ἀγριωτάτην δάμαλιν
ἡτοίμασεν ὁ διάβολος, τὸ θῆλυ αὐτῶν παραζηλῶν διὰ τοῦ
θηρίου. **2.** Καὶ γυμνωθεῖσαι γοῦν καὶ δικτύοις περιβλη-

XX, 3 καὶ δικτύοις περιβληθεῖσαι Fra. Be. : leguntur post πάλιν (l. 7)
H Har. Rob.

4. Quant à Saturus, il n'avait aucune bête en horreur comme l'ours; mais il avait confiance qu'il serait achevé d'une seule morsure de léopard. **5.** Aussi, comme il était offert en pâture à un sanglier, ce fut le chasseur qui l'avait attaché au sanglier qui fut transpercé par la bête, il mourut peu de temps après les jeux; Saturus fut seulement traîné. **6.** Et lorsqu'il fut lié sur le ponton pour être exposé à un ours, l'ours refusa de sortir de sa cage. Ainsi Saturus est ramené indemne pour la seconde fois.

XX. 1. Pour les jeunes femmes, ce fut une vache des plus sauvages que le démon leur prépara, le choix était inhabituel, mais c'était pour faire correspondre à leur sexe celui de la bête. **2.** Aussi furent-elles dépouillées de leurs

———————————

ponton, il fut aussi déchiré par un ours. **4.** Quant à Saturus, il n'avait aucune bête en horreur comme l'ours et il désirait ardemment finir ses jours par une seule morsure de léopard. **5.** Si bien que lorsqu'il fut présenté à un sanglier, il fut seulement traîné, attaché par une corde; mais le chasseur qui l'avait lié au sanglier fut gravement blessé par la bête, de sorte qu'il mourut après le jour des jeux. **6.** Et lorsqu'il fut attaché et exposé à une ourse, il resta encore indemne; en effet l'ourse ne voulut pas sortir de sa cage.

XX. 1. Pour les bienheureuses jeunes femmes, ce fut une génisse des plus sauvages que le démon leur prépara, faisant correspondre leur sexe féminin à celui de la bête. **2.** Ainsi donc, on les présenta nues et enveloppées de

poliatae et reticulis indutae producebantur. Horruit populus
5 alteram respiciens puellam delicatam, alteram a partu
recentem stillantibus mammis. **3**. Ita reuocatae et discinctis indutae. Prior Perpetua iactata est et concidit in
lumbos. **4**. Et ubi sedit, tunicam a latere discissam ad
uelamentum femoris reduxit, pudoris potius memor quam
10 doloris. **5**. Dehinc, acu requisita, et dispersos capillos
infibulauit; non enim decebat martyram sparsis capillis
pati, ne in sua gloria plangere uideretur. **6**. Ita surrexit,
et elisam Felicitatem cum uidisset, accessit et manum ei

4 producebantur : promoueb- *B C* ‖ 5 delicatam : dilect- *B C² C³*
delect- *C¹* ‖ 6 recenti *C* ‖ 6-7 discinctis : -cinguntur *B C* ‖ 7 indutae :
-duuntur *D* -ducitur *B C* ‖ concidit : inci- *B* ceci- *D* ‖ 8 ubi sedit :
ibi consedit *D* ut conspexit *B C*

θεῖσαι προσήγοντο · ὅθεν ἀπεστράφη ὁ ὄχλος, μίαν μὲν
5 τρυφερὰν κόρην βλέπων, τὴν δὲ ἄλλην μασθοῖς στάζουσαν
γάλα, ὡς προσφάτως κυήσασαν. **3**. Καὶ ἀναληφθεῖσαι
πάλιν ἐνδιδύσκονται ὑποζώσμασιν · ὅθεν εἰσελθουσῶν αὐτῶν,
ἡ Περπετούα πρώτη κερατισθεῖσα ἔπεσεν ἐπ' ὀσφύος.
4. Καὶ ἀνακαθίσασα τὸν χιτῶνα ἐκ τῆς πλευρᾶς αὐτῆς
10 συναγαγοῦσα, ἐσκέπασεν τὸν ἑαυτῆς μηρόν, αἰδοῦς μᾶλλον
μνημονεύσασα ἢ πόνων · [αἰδουμένη, μηδαμῶς φροντίσασα
τῶν ἀλγηδόνων]. **5**. Καὶ ἐπιζητήσασα βελόνην τὰ ἐσπα-
ραγμένα συνέσφιγξεν, καὶ τὰς τρίχας τῆς κεφαλῆς περιέδησεν · οὐ γὰρ ἔπρεπεν τῇ μάρτυρι θριξὶν σπαραχθείσαις
15 ὁρᾶσθαι, ἵνα μὴ ἐν τῇ ἰδίᾳ τιμῇ δοκῇ πενθεῖν. **6**. ***

11 αἰδουμένη, μηδαμῶς φροντίσασα τῶν ἀλγηδόνων H Har. Rob. :
secl. Be. ut interpretationem ‖ 14 σπαραχθείσαις Har. Rob. Be. : -θήσαν
H ‖ 15 πενθεῖν H Be. : add. καὶ κερατισθεῖσαν ἰδοῦσα τὴν φιλικιτάτην,
προσῆλθεν αὐτῇ Har. Rob. quae verba cod. om. transiens a καὶ κερατισθεῖσα ad καὶ κρατήσασα

vêtements et revêtues de filets à petites mailles et on les présenta ainsi. La foule fut horrifiée en voyant la délicatesse de l'une des jeunes femmes et chez l'autre qui venait d'accoucher le lait tombant goutte à goutte de ses seins. **3.** On les emmena donc et on les revêtit de tuniques flottantes. La première, Perpétue fut jetée à terre et elle tomba sur les reins. **4.** Et en s'asseyant, sa tunique ayant été déchirée sur le côté, elle en ramena le pan pour voiler sa cuisse, se souciant plus de sa pudeur que de sa douleur. **5.** Puis, elle chercha une épingle et rattacha ses cheveux dénoués; car il ne convenait pas à une martyre de subir sa passion les cheveux épars, pour ne pas avoir l'air de mener le deuil au moment de sa gloire. **6.** Alors elle se redressa, et comme elle avait vu Félicité projetée à terre, elle s'avança, lui tendit la main

---

filets : la foule s'en détourna, en voyant la délicatesse de l'une des jeunes femmes et, chez l'autre, le lait tombant goutte à goutte de ses seins, comme chez une nouvelle accouchée. **3.** On les emmena et on les revêtit cette fois de tuniques ceinturées; puis lorsqu'elles furent revenues, Perpétue, la première fut frappée par les cornes et elle tomba sur les reins. **4.** Et en s'asseyant, elle ramena sa tunique de son côté et en couvrit sa cuisse, se souciant plus de sa pudeur que de sa douleur; [prise de pudeur, sans nul souci de la souffrance]. **5.** Elle chercha une épingle et resserra ce qui était déchiré; et elle rattacha ses cheveux sur sa tête; car il ne convenait pas à la martyre d'être vue les cheveux épars, pour ne pas avoir l'air de mener le deuil au moment de sa gloire. **6.** ... et elle lui prit la main et la releva. **7.** Et elles se

tradidit et suscitauit illam. **7.** Et ambae pariter steterunt.
15 Et populi duritia deuicta, reuocatae sunt in portam
Sanauiuariam. **8.** Illic Perpetua a quodam tunc cate-
chumeno, Rustico nomine, qui ei adhaerebat, suscepta et
quasi a somno expergita – adeo in spiritu et in extasi
fuerat – circumspicere coepit, et stupentibus omnibus ait :
20 « Quando », inquit, « producimur ad uaccam illam nescio
quam ? » **9.** Et cum audisset quod iam euenerat, non
prius credidit nisi quasdam notas uexationis in corpore
et habitu suo recognouisset. **10.** Exinde accersitum
fratrem suum, et illum catechumenum, adlocuta est dicens :

14 suscitauit : subleuauit *B C* ‖ 16 sanauiuariam *edd.* : sane uiuariam
A sane uiua *D om. B C* ‖ 17 qui ei : quia tunc *B* qui et tunc *C* ‖
18 a : de *B C D* ‖ expergita : -pergefacta *B C D* ‖ 20 producimur : proi-
ciemus *D*

καὶ κρατήσασα τῆς χειρὸς αὐτῆς ἤγειρεν αὐτήν. **7.** Καὶ
ἔστησαν ἅμα. Τῆς δὲ σκληρότητος τοῦ ὄχλου ἐκνικηθείσης
ἀνελήφθησαν εἰς τὴν πύλην τὴν Ζωτικήν. **8.** Ἐκεῖ ἡ Περπετούα ὑπό τινος κατηχουμένου ὀνόματι Ῥουστίκου, ὃς
20 παρειστήκει αὐτῇ, ἀναδεχθεῖσα καὶ ὡς ἐξ ὕπνου ἐγερθεῖσα
– οὕτως ἐν πνεύματι γέγονεν ἔκστασιν παθοῦσα – καὶ
περιβλεψαμένη, θαμβούντων ἁπάντων ἔφη · Πότε βαλλόμεθα
πρὸς τὴν δάμαλιν ἣν λέγουσιν; **9.** Καὶ ἀκούσασα ὅτι ἤδη
ἐξεληλύθει πρὸς αὐτήν, οὐ πρότερον ἐπίστευσεν πρὶν ἢ
25 σημεῖά τινα τῆς βλάβης ἐν τῷ ἰδίῳ σώματι ἑωράκει.
10. <Καὶ> καλέσασα τὸν ἴδιον ἀδελφὸν καὶ αὐτὸν τὸν

20 αὐτῇ, ἀναδεχθεῖσα καὶ ὡς Fra. Be. : αὐτῇ ὡς H Rob. ἀναδειχθήσασα καὶ leguntur in H post ἑωράκει (l. 25) ‖ 26 <καὶ> Geb. Be. :
ἀναδειχθήσασα καὶ H ἀναδειχθέντων δὲ Rob.

et la releva. **7.** Et les deux femmes se tinrent pareillement
debout. Et la cruauté de la foule fut vaincue et on les
ramena à la Porte de la Vie Sauve. **8.** Là, Perpétue fut
soutenue par un nommé Rusticus, alors catéchumène, qui
se tenait à ses côtés et, comme tirée du sommeil – tant
elle avait été ravie en esprit et en extase –, elle se mit
à regarder autour d'elle et, à la stupeur générale, elle
prononce ces mots : « Quand, dit-elle, va-t-on nous
exposer à cette fameuse vache, je ne sais laquelle ? »
9. Et quand elle eut entendu que cela avait déjà eu lieu,
elle ne le crut qu'après avoir remarqué des traces de violence sur sa personne et sur son vêtement. **10.** Puis elle
fit venir son frère, avec ce catéchumène, et elle leur parla

tinrent debout ensemble. Et la cruauté de la foule fut
vaincue et on les ramena à la Porte de Vie. **8.** Là, Perpétue fut soutenue par un catéchumène du nom de Rusticus, qui s'était placé à ses côtés, et, s'éveillant comme
au sortir du sommeil – tant elle avait été ravie en esprit,
étant plongée dans l'extase – et regardant autour d'elle,
à la stupeur générale, elle dit : « Quand nous expose-t-
on à cette fameuse génisse ? » **9.** Et quand elle eut
entendu qu'on l'avait déjà lâchée sur elle, elle ne le crut
pas avant d'avoir vu des traces de violence sur sa propre
personne. **10.** Puis, ayant appelé son frère et ce même

25 «In fide state[a] et inuicem omnes diligite[b], et passionibus
nostris ne scandalizemini[c].»

XXI. 1. Item Saturus in alia porta Pudentem militem
exhortabatur dicens : «Ad summam, inquit, certe, sicut
praesumpsi et praedixi, nullam usque adhuc bestiam sensi.
Et nunc de tota corde credas : ecce prodeo illo, et ab
5 uno morsu leopardi consummor.» **2.** Et statim in fine
spectaculi leopardo eiecto de uno morsu tanto perfusus
est sanguine, ut populus reuertenti illi secundi baptismatis

25 in fide state ... omnes diligite : ut in fide starent ... et inuicem
se diligerent *B C* ‖ 26 scandalizabimini *C*
XXI, 2 ad summam, inquit : adsum *B C* ‖ 3 praesumpsi : promisi *C* ‖
4 et nunc : ut *add. C¹ C² D* ‖ ecce : et cum *B* ‖ prodeo : -ducar *B*
-ducor *C D* ‖ illo : -luc *B C D* ‖ 6 eiecto : obiectus *B C D Be. Bas.*

κατηχούμενον, παρεκάλει ἵνα ἐν πίστει διαμείνωσιν[a] καὶ
ἀλλήλους ἀγαπῶσιν[b], καὶ τοῖς παθήμασιν ἐκείνοις μὴ σκαν-
δαλισθῶσιν τοιούτοις οὖσιν[c].

XXI. 1. Καὶ ἐν ἑτέρᾳ πύλῃ ὁ Σάτυρος τῷ στρατιώτῃ
Πούδεντι προσωμίλει · Καθόλου, λέγων ὅτι · κατὰ τὴν
πρόλεξιν τὴν ἐμήν, ὡς καὶ προεῖπον, οὐδὲ ἓν θηρίον ἥψατό
μου ἕως ἄρτι. Ἰδοὺ δὲ νῦν, ἵνα ἐξ ὅλης καρδίας πιστεύσῃς ·
5 προσέρχομαι καὶ ἐν ἑνὶ δήγματι παρδάλεως τελειοῦμαι.
2. Καὶ εὐθὺς ἐν τέλει τῆς θεωρίας πάρδαλις αὐτῷ ἐβλήθη,
καὶ ἐν ἑνὶ δήγματι τοῦ αἵματος τοῦ ἁγίου ἐνεπλήσθη,
τοσοῦτον αἷμα ἐρρύη ὡς λογισθῆναι δευτέρου βαπτισμοῦ

XXI, 3 θηρίον Geb. Be. : θηρίων H Har. Rob. ‖ 7 τοῦ αἵματος τοῦ
ἁγίου ἐνεπλήσθη H Har. Rob. : secl. Be.

en ces termes : «Restez fermes dans la foi[a] et aimez-vous tous les uns les autres[b], et ne soyez pas scanda-lisés par ce que nous avons souffert[c].»

XXI. 1. A une autre porte, Saturus lui aussi exhortait le soldat Pudens en ces termes : «En somme, dit-il, tu le vois bien, comme je l'ai présumé et prédit, je n'ai jusqu'à présent senti l'atteinte d'aucune bête fauve. Et maintenant, crois de tout ton cœur : voici que je m'avance dans l'arène et je vais être achevé d'une seule morsure de léopard.» **2.** Et aussitôt, à la fin du spectacle, on lâcha un léopard et dès la première morsure il fut inondé d'un tel flot de sang que la foule, en le voyant revenir sur ses pas, témoigna par ses cris répétés de ce second

---

XX. a. Cf. I Cor. 16, 13   b. Cf. Jn 13, 34; 15, 12; 15, 17   c. Cf. Matth. 26, 31; 26, 33; Mc 14, 27

---

catéchumène, elle les exhortait à rester fermes dans la foi[a], à s'aimer les uns les autres[b] et à ne pas être scan-dalisés par ces souffrances, quelles qu'elles fussent[c].

XXI. 1. Et à une autre porte, Saturus s'entretenait avec le soldat Pudens en ces termes : «En somme», dit-il, «selon ma prédiction et comme je te l'ai dit auparavant, aucune bête fauve ne m'a touché jusqu'à présent. Regarde maintenant, afin de croire de tout ton cœur; je m'avance et je vais être achevé d'une seule morsure de léopard.» **2.** Et aussitôt à la fin du spectacle, un léopard fut lâché sur lui et en une seule morsure il fut inondé de ce sang qui était saint; un tel flot de sang ruissela qu'il pouvait compter comme témoignage du second baptême; de

---

XX. a. Cf. I Cor. 16, 13   b. Cf. Jn 13, 34; 15, 12; 15, 17   c. Cf. Matth. 26, 31; 26, 33; Mc 14, 27

testimonium reclamauerit : «Saluum lotum, saluum lotum.»
3. Plane utique saluus erat qui hoc modo lauerat.
10 4. Tunc Pudenti militi inquit : «Vale, inquit, et memento
fidei et mei; et haec te non conturbent, sed confirment.»
5. Simulque ansulam de digito eius petiit, et uulneri suo
mersam reddidit ei hereditatem, pignus relinquens illi et
memoriam sanguinis. 6. Exinde iam exanimis proster-
15 nitur cum ceteris ad iugulationem solito loco. 7. Et cum
populus illos in medio postularet, ut gladio penetranti in
eorum corpore oculos suos comites homicidii adiungerent,

8 reclamauerit : -uerint dicentes *D* declarauerat dicens *B* decla-
mauerat (-aret *C³*) *C* || 9 erit *D* || modo lauerat : spectaculo claruerat
C *om. B* || 10 inquit[1] : *om. B D* clamaui *C¹* -uit *C³* -uerat *C²* || uale :
uade *D* *om. C* || inquit[2] : ait *B* *om. C* || memento : memor *A* || 11 et
mei : mei *A B* meae *C* || confirment : confortent *B C* || 12 ansulam :
annulum *C* || 13 ei : beatam *add. B C D* || 14 memoriam : tanti *add.*
B C D || 16 postulasset *B C* || penetrante *B C* || 17 corpora *C³ D* ||
comites : committentes *B C* || homicidii : -dia *B C¹* -dio *C² C³*

μαρτύριον · καθὼς καὶ ἐπεφώνει ὁ ὄχλος βοῶν καὶ λέγων ·
10 Καλῶς ἐλούσω, καλῶς ἐλούσω. 3. Καὶ μὴν ὑγιὴς ἦν ὁ
τοιούτῳ τρόπῳ λελουμένος. 4. Τότε τῷ στρατιώτῃ Πούδεντι ἔφη · Ὑγίαινε καὶ μνημόνευε πίστεως καὶ ἐμοῦ · καὶ
τὰ τοιαῦτα καὶ στερεωσάτω σε μᾶλλον ἢ ταραξάτω.
5. Καὶ δακτύλιον αἰτήσας παρ' αὐτοῦ καὶ ἐνθεὶς αὐτὸ τῷ
15 ἰδίῳ αἵματι ἔδωκεν αὐτῷ μακαρίαν κληρονομίαν, ἀφεὶς
μνήμην καὶ ἐνθήκην αἵματος τηλικούτου. 6. Μετὰ ταῦτα
λοιπὸν ἐμπνέων ἔτι ἀπήχθη μετὰ καὶ τῶν ἄλλων τῷ
συνήθει τόπῳ. 7. Εἰς σφαγὴν δὲ ὁ ὄχλος ᾔτησεν αὐτοὺς
εἰς μέσον μεταχθῆναι, ὅπως διὰ τῶν ἁγίων σωμάτων
20 ἐλαυνόμενον τὸ ξίφος θεάσωνται. Καὶ οἱ μακάριοι μάρτυρες

18 τόπῳ· Εἰς σφαγὴν H Har. Rob. : τόπῳ εἰς σφαγὴν. interpunxit
Be.

baptême : «Bain salutaire, bain salutaire.» **3.** Et certes il avait bien le salut celui qui s'était baigné de cette façon. **4.** Alors il dit au soldat Pudens : «Adieu, souviens-toi de la foi et de moi; et que ces événements ne te troublent pas mais t'affermissent.» **5.** En même temps, il lui demanda l'anneau qu'il portait au doigt, le plongea dans sa blessure et le lui rendit en héritage, lui laissant ainsi un gage et un souvenir de son sang. **6.** Puis, déjà inconscient, il est étendu avec les autres pour être égorgé à l'endroit habituel. **7.** Mais la foule exigeait de les voir au milieu de l'arène, pour qu'au moment où le glaive pénétrerait dans le corps des martyrs, les assistants pussent rendre leurs propres yeux complices du meurtre; alors

---

même la foule l'interpellait à grands cris en disant : «Tu as pris un bon bain, tu as pris un bon bain.» **3.** Et certes il était propre celui qui s'était baigné de cette façon. **4.** Alors il dit au soldat Pudens : «Adieu, souviens-toi de la foi et de moi; et que de tels événements t'affermissent au lieu de te troubler.» **5.** Et il lui demanda l'anneau de son doigt, le trempa dans son propre sang et le lui donna en bienheureux héritage, lui laissant ainsi un souvenir et un gage d'un sang si saint. **6.** Puis finalement, respirant encore un peu, il fut emmené avec les autres à l'endroit habituel. **7.** Pour l'égorgement, la foule demanda qu'on les menât au milieu de l'arène, afin de voir le glaive pénétrer les corps des saints. Et les bien-

ultro surrexerunt et se quo uolebat populus transtulerunt,
ante iam osculati inuicem, ut martyrium per sollemnia
20 pacis consummarent. **8.** Ceteri quidem immobiles et cum
silentio ferrum receperunt : multo magis Saturus, qui et
prior ascenderat, prior reddidit spiritum ; nam et Perpetuam
sustinebat. **9.** Perpetua autem, ut aliquid doloris gustaret,
inter ossa conpuncta exululauit, et errantem dexteram
25 tirunculi gladiatoris ipsa in iugulum suum transtulit.
10. Fortasse tanta femina aliter non potuisset occidi, quae
ab immundo spiritu timebatur, nisi ipsa uoluisset.

22 prior : scalam *add.* B C D ‖ reddidit : -dendo B C ‖ nam et :
om. B C ‖ 23 sustinebat : expectabat B C ‖ ut : ipsa *add.* B C ‖ 24 ossa :
costas B C ‖ exululauit : exultauit D ‖ 25 transtulit : posuit B C ‖ 26 fortasse : enim *add.* B C D

τοῦ Χριστοῦ ἑκόντες ἠγέρθησαν · ἠσχύνοντο γὰρ ὀλίγους
μάρτυρας ἔχειν ἐπὶ τῷ μακαρίῳ θανάτῳ αὐτῶν. Καὶ δὴ
ἐλθόντων αὐτῶν ὅπου ὁ ὄχλος ἐβούλετο, πρῶτον
κατεφίλησαν ἀλλήλους, ἵνα τὸ μυστήριον διὰ τῶν οἰκείων
25 τῆς πίστεως[a] τελειώσωσιν. **8.** Καὶ μετέπειτα ἀσμένως
ὑπέμειναν τὴν διὰ τοῦ ξίφους τιμωρίαν. Πολλῷ δὲ μᾶλλον
ὁ Σάτυρος, ὁ καὶ πρότερος τὴν κλίμακα ἐκείνην ἀναβάς,
ὡς καὶ ἔφησεν τὴν Περπετούαν ἀναμένειν. **9.** Ἡ δὲ Περπετούα, ἵνα καὶ αὐτὴ γεύσηται τῶν πόνων, περὶ τὰ ὀστέα
30 νυγεῖσα ἠλάλαξεν, καὶ πεπλανημένην δεξιὰν ἀπείρου
μονομάχου κρατήσασα προσήγαγεν τῇ κατακλεῖδι ἑαυτῆς.
10. Ἴσως τὴν τοσαύτην γυναῖκα τοῦ ἀκαθάρτου πνεύματος
φοβουμένου καὶ *** φονευθῆναι μὴ βουλομένην.

28 ὡς H Be. : ὃς Har. Rob. ‖ ἔφησεν H Be. : ἔπεισεν Har. Rob. ‖
32 τοῦ Har. Rob. Be. : ὑπὸ H ‖ 33 φονευθῆναι H Har. Rob. : secl. Be.
ut interpretationem ‖ βουλομένην Har. Be. : βουλομένου H Rob.

ils se levèrent d'eux-mêmes et se rendirent là où la foule voulait les voir, après s'être embrassés les uns les autres, afin de conclure leur martyre par le rite de la paix. **8.** Tous reçurent le coup de glaive immobiles et en silence, et particulièrement Saturus, qui était monté le premier et le premier rendit l'esprit; car il attendait Perpétue. **9.** Quant à Perpétue, pour qu'elle goûtât un peu à la douleur, elle reçut un coup sur la jointure des os et jeta un cri aigu, et comme la main du gladiateur novice hésitait, elle la guida elle-même vers son cou. **10.** Peut-être une telle femme n'aurait-elle pu être tuée, elle qui était redoutée de l'esprit immonde, que si elle l'avait elle-même voulu.

---

heureux martyrs du Christ se levèrent d'eux-mêmes; ils rougissaient d'avoir trop peu de martyrs pour la mort bienheureuse qui était la leur. Et après s'être rendus là où la foule le voulait, ils s'embrassèrent d'abord les uns les autres, afin d'achever le mystère par les rites propres à la foi. **8.** Ensuite ils supportèrent avec joie le supplice du glaive. Particulièrement Saturus le premier monté à l'échelle, car il avait dit aussi attendre Perpétue. **9.** Quant à Perpétue, pour qu'elle aussi goûtât un peu aux souffrances, elle reçut un coup sur les os et jeta un cri, et saisissant la main hésitante du gladiateur inexpérimenté, elle le guida vers l'attache de son cou. **10.** Peut-être qu'une femme d'une telle valeur, redoutée de l'esprit impur, et ... être tuée sans sa volonté.

11. O fortissimi ac beatissimi martyres! O uere uocati et electi in gloriam Domini nostri Iesu Christi! Quam qui
30 magnificat et honorificat et adorat, utique et haec non minora ueteribus exempla in aedificationem Ecclesiae legere debet, ut nouae quoque uirtutes unum et eundem semper Spiritum Sanctum usque adhuc operari testificentur, <et> omnipotentem Deum Patrem et Filium eius
35 Iesum Christum Dominum nostrum, cui est claritas et inmensa potestas in saecula saeculorum. Amen[a].

28 uere : uiri *B C¹ C²*   uiros *C³ C⁴ om. D* ‖ 29 quam : quem *D* quoniam *C¹ C² C³ om. B C⁴* ‖ 30 honorificat : -ficant *D*   honorat *C¹ C²* sanctos *add. B C¹ C²*   hos sanctos *add. C³ C⁴* ‖ utique : habebit uitam aeternam *add. B C* ‖ 32 debet : -bebunt *D*   -bemus *B C* ‖ nouas *C* ‖ 33 adhuc : credamus *add. B C* ‖ 33-34 testificentur : -cemur *A*   -cetur *B C* ‖ 34 omnipotentis dei *B C* ‖ 34-35 filium eius iesum christum : filii eius iesu christi   domini nostri gloria *B C* ‖ 35 est : sit *D* ‖ 35-36 et inmensa potestas : una cum spiritu sancto *D*

---

11. Ὦ ἀνδρειώτατοι καὶ μακαριώτατοι μάρτυρες καὶ
35 στρατιῶται ἐκλεκτοί, εἰς δόξαν κυρίου Ἰησοῦ Χριστοῦ κεκλημένοι. Πῶς μεγαλύνωμεν ὑμᾶς ἢ μακαρίσωμεν, γενναιότατοι στρατιῶται; Οὐχ ἧσσον τῶν παλαιῶν γραφῶν, [ἃ] εἰς οἰκοδομὴν ἐκκλησίας ἀναγινώσκεσθαι ὀφείλει ἡ πανάρετος πολιτεία τῶν μακαρίων μαρτύρων, δι' ὧν δόξαν
40 ἀναπέμπομεν τῷ πατρὶ τῶν αἰώνων, ἅμα τῷ μονογενεῖ αὐτοῦ υἱῷ, τῷ κυρίῳ ἡμῶν Ἰησοῦ Χριστῷ, σὺν ἁγίῳ πνεύματι, ᾧ ἡ δόξα καὶ τὸ κράτος εἰς τοὺς αἰῶνας τῶν αἰώνων. Ἀμήν[b].

38 ἃ H Har. Rob. : secl. Be.

11. Ô courageux et bienheureux martyrs! Vous qui avez été véritablement appelés et choisis pour prendre part à la gloire de notre Seigneur Jésus-Christ! Tout homme qui exalte, honore et adore cette gloire se doit assurément de lire pour l'édification de l'Église ces exemples de notre temps, aussi grands que ceux d'autrefois, afin que ces nouveaux traits de courage témoignent que c'est toujours le même et unique Esprit-Saint qui est à l'œuvre jusqu'à nos jours, avec Dieu le Père tout puissant et son Fils Jésus-Christ notre Seigneur, à qui appartiennent gloire et puissance infinie dans les siècles des siècles. Amen[a].

XXI. a. Cf. Apoc. 5, 13; 7, 12

---

11. Ô si courageux et si bienheureux martyrs, soldats d'élite, appelés à la gloire du Seigneur Jésus-Christ. Comment vous glorifier ou célébrer votre béatitude, très nobles soldats? Autant que les anciennes écritures, il est utile de lire pour l'édification de l'Église la conduite toute vertueuse des bienheureux martyrs, par l'intermédiaire desquels nous faisons monter un chant de gloire vers le Père des siècles, en même temps que vers son fils unique, notre Seigneur Jésus-Christ, avec le Saint-Esprit, à qui est la gloire et la puissance pour les siècles des siècles. Amen[a].

XXI. a. Cf. Gal. 6, 10   b. Cf. Apoc. 5, 13; 7, 12

COMMENTAIRE

Titre

Les manuscrits C^1 et C^2 fournissent dans le titre la date de la *Passion* (nones de mars), suivie de la mention *in ciuitate turbitana*. Le manuscrit grec date le martyre des nones de février, mais indique également la même localisation au ch. II. Sur ces problèmes, voir Introd. p. 19 s.

I

La Préface (= ch. I) n'apparaît en latin que dans le seul manuscrit *A* et revêt dans le manuscrit grec une forme quelque peu différente. Il est fort possible que cette préface ait été supprimée dans les autres manuscrits latins, en raison d'une coloration sentie comme proche de l'hérésie montaniste. Le texte grec fait précéder ce premier chapitre d'une attribution au règne de Valérien et de Gallien, datation manifestement fautive (voir Introd., p. 20).

uetera... exempla. Il s'agit des précédents bibliques, des révélations divines par le biais des songes et des visions; on peut évoquer les visions d'Isaïe et d'Ézéchiel, l'apparition à Abraham au chêne de Mambré (*Gen.* 18, 2-5), les songes de Mardochée, (*Esther* 10, 4) et surtout la vision d'Étienne (*Act.* 7, 56). La thématique des *exempla* est classique dans l'historiographie latine. De plus, le terme est familier à Tertullien (voir H. PÉTRÉ, *L'exemplum chez Tertullien*, Dijon 1940). Le style déconcertant de ce prologue et son mélange de rhétorique classique et de présentation biblique ont été étudiés par J. FONTAINE, *Aspects et problèmes...*, p. 68-85. Voir aussi T. SARDELLA, «Strutture temporali e modelli di cultura...», p. 255 s.

testificantia. *Testificor,* en lieu et place du simple *testo* ou *testor*, se retrouve dans la conclusion (21, 11). Ce verbe pourrait correspondre à une recherche cicéronienne plus qu'à un trait expressif, propre à la langue familière (CIC., *Verr.* 5, 17; *Fam.* 2, 4, 2; *Att.* 1, 8, 2). En effet, le souvenir de Cicéron plane lourdement sur cette Préface, riche en groupes binaires et en assonances.

aedificationem hominis. *Aedificatio* est repris en 21, 11 *(in aedificationem Ecclesiae)*. Le mot est banal en ce sens spirituel et moral d'édification des fidèles et de construction de l'Église (grec : οἰκοδομή), et appartient au vocabulaire de la Vulgate (*I Cor.* 14, 5; *I Tim.* 1, 4) comme de TERT., *Res.* 45, 10; *Paen.* 5, 1; *Pat.* 4; etc.).

digesta. *Digerere,* au sens d'«exposer dans l'ordre», apparaît déjà chez TITE-LIVE, 2, 21; voir aussi TERT., *An.* 9, 4.

lectione. Le terme *lectio* définit, non seulement les lectures individuelles, mais surtout les lectures publiques faites à l'assemblée des fidèles. Ces dernières avaient lieu particulièrement lors des anniversaires des martyrs (cf. H. DELEHAYE, *Sanctus. Essai sur le culte des saints dans l'Antiquité*; J. FONTAINE, «Le culte des saints et ses implications sociologiques. Réflexions sur un récent essai de Peter Brown», *AB* 100 (1983), p. 17-41, part. p. 28, qualifie cette lecture de «mémorial liturgique»). Mais ce n'était sans doute pas la seule occasion. On sait que la *Passion de Perpétue et de Félicité* était bien connue d'Augustin.

repensatione. Harris conjecture *repraesentatione,* à partir du grec παρουσία; Ruinart proposait déjà de corriger la leçon de *A, repensatione,* en *repensitatione,* «rappel ou examen». La forme serait alors un *hapax*. Mais il faut noter que les fautes par haplographie sont fréquentes dans le manuscrit *A* (par exemple, en 1, 5 : *diuinatis* pour *diuinitatis*).

confortetur. Terme caractéristique du latin chrétien (*Gen.* 18, 5; *I Macc.* 2, 49; *Ps.* 17, 18; JÉRÔME, *In Ier.* 3, 15, 17; *TLL* 4, 6, 250). Les deux fins de l'*exemplum* sont définies de façon rigoureusement parallèle et assonante. ~ Le manuscrit grec ignore le second groupe et donc la figure de style.

noua documenta. Ces «témoignages récents», c'est-à-dire les confessions de foi des martyrs et leurs révélations, sont mis sur le même plan que les exemples bibliques. C'est cette accentuation qui a souvent paru présenter des relents de montanisme.

uetera futura... sunt. L'argumentation est parfaitement orthodoxe et ne serait pas désavouée par Augustin. Les exemples récents sont intemporels au regard de la grâce divine, mais ils s'insèrent dans l'histoire des hommes et le flux de son devenir. Rattacher uniquement l'*exemplum* à un passé vénéré procède d'un a priori *(praesumptam)*. L'allusion au vieillissement progressif des *exempla,* avec le souci de la postérité qui y cherchera ses leçons, est aussi une démarche familière à Tite-Live. Les références scripturaires se doublent de références à la culture classique, à travers le thème de la *novitas* du christianisme. ~ Le texte grec inverse l'ordre des propositions, ce qui paraît plus logique, mais atténue la valeur des «exemples récents» au profit des anciens.

praesumptam. *Praesumo* signifie «croire d'avance», avec une légère nuance péjorative, tendant vers «croire à tort»: TERT., *Ap.* 8; *Paen.* 10. La nuance n'apparaît pas dans la version grecque : «même si celles d'autrefois paraissent plus vénérables».

uiderint. Le passage est obscur et a été interprété assez diversement. Bastiaensen voit dans cette forme un subjonctif parfait, à valeur d'impératif. La formule est fréquente chez TERT., (*Ap.* 42, 6 : *uiderint qui per capillum odorantur; Paen.* 2, 10; *Nat.* 1, 12, 2); elle introduit une rupture et elle est souvent traduite par «peu importe» ou «tant pis» (voir A. SCHNEIDER, *Ed. Nat.* 1, Rome 1968, p. 250). Mais l'expression apparaît aussi chez AUG., *Ciu. Dei* 8, 19 : «quos (daemonas) uiderit cur censeat honorandos». De fait, la formule appartient à la langue familière classique; elle apparaît déjà chez CICÉRON, où elle est généralement identifiée comme un futur antérieur (*Brut.* 297 : «hi fuerunt oratores, quanti autem tu uideris»; *Phil.* 2, 118; etc.). Le traducteur grec opte également pour un futur. Le sens paraît être celui d'une mise en garde contre l'erreur qui consiste à méconnaître l'unicité de l'Esprit-Saint à travers les époques.

uirtutem. Le mot est employé au sens néotestamentaire de «puissance spirituelle» (δύναμις): *Matth.* 25, 15; *Sir.* 29, 27; AUG., *Gen. ad litt.* 4, 2; etc.

pro est employé en un sens classique (CÉSAR, *Bell. Gall.* V, 8, 1 : *pro tempore et pro re*). Cette conception des âges qui se succèdent face à l'intemporel est en accord avec ce qui précède, et la référence à l'unicité de l'Esprit à travers la diversité rappelle Paul (*I Cor.* 12, 4).

cum... sunt. La construction de *cum,* causal concessif, avec l'indicatif est un trait de latin tardif.

nouitiora... nouissimiora. Ces formes sont des vulgarismes. On trouve *extremissimus* chez Tertullien. L'adjectif *nouitus* paraît avoir été formé, à époque tardive, sur le substantif classique *nouitas.* Ces formes correspondent à un redoublement d'expressivité, auquel s'ajoute une pointe, jouant sur les deux sens de *nouus* «nouveau» et «ultime». Le jeu de mots échappe au traducteur grec. *Nouissimus,* dès l'époque de Varron, était senti comme l'équivalent de l'adjectif *extremus* (*Ling. Lat.* 59); cf. Aulu-Gelle. 10, 21, 1.

in ultima saeculi spatia decretam. Cette allusion au millénarisme n'a rien d'exceptionnel à l'époque, encore qu'il ait perdu de sa vivacité au cours du IIe siècle. Il avait cependant été accentué par les montanistes (cf. P. de Labriolle, *La crise montaniste,* Paris 1913, t. 1, p. 110 s.).

4. **In nouissimis...** Ce passage des *Actes* (2, 17 s.), qui reprend *Joël* 2, 28 s., a été fréquemment cité dans la littérature des premiers siècles. Il est mentionné dans les *Actes de Pierre.* Tertullien le commente à plusieurs reprises, et particulièrement dans *An.* 47, 2; *Marc.* V, 4, 4; 8, 6; 11, 4; 17, 4; *Res.* 10, 2. Il étaie ce texte par l'Évangile de *Luc,* qui situe l'esprit de prophétie dans le prolongement de l'effusion de la Pentecôte. C'est ce sentiment qui pousse Tertullien à faire le procès des incrédules en matière de songes. D'après *Joël,* ce pneumatisme se situe plutôt dans une perspective eschatologique. Mais la forme même de la citation est bien proche de celle de Tertullien. Quelque peu tronquée, elle relève sans doute de la *Vetus Latina* africaine (voir Introd., p. 40).

5. **uisiones nouas.** Le climat reste très proche de Tertullien. On sait combien celui-ci tenait à ce que les fidèles fissent le récit des visions dont ils bénéficiaient (voir Introd., p. 39).

uirtutes. Sur le sens du mot, voir le Commentaire en 1, 3. Les charismes de l'Esprit pouvaient revêtir diverses formes, par exemple celui des langues, de la glossolalie, ou du discernement des esprits. Cette diversité des charismes est expliquée par Paul (*I Cor.* 12, 4-12), à qui ce passage semble faire référence. Voir aussi TERT., *Cor.* 1, 4.

instrumentum Ecclesiae. *Instrumentum* en latin tardif désigne toute forme d'instruction, et particulièrement au moyen des Livres Saints. Cet emploi est courant chez TERT. (*Ap.* 19, 1; 21, 1; 47, 9; *Marc.* IV, 10, 13; etc.), mais aussi chez JÉRÔME (*Adu. Iou.* 1, 4; *In Ier.* IV, 23, 30; *Adu. Ruf.* 2, 24; etc.) ou AUG. (*Serm.* 36, 8). La version grecque ὡς χορηγεῖ, «comme il dirige (la sainte Église)», est plus banale.

donatiua. Chez TERT. (*Marc.* V, 8), le terme est associé à celui de charisme : «data dedit filiis hominum, id est donatiua, quae charismata dicitur.» Cette équivalence paraît remonter à la *Vetus Latina* africaine, comme le suggère J. FONTAINE dans son édition du *De corona* (Paris 1966, p. 48). Mais le terme conserve aussi son ancienne acception militaire celui de la donation en argent que l'empereur avait coutume de faire à ses soldats (*TLL* 5^1, c. 1990). Le mot s'insère donc dans l'imagerie de la *militia Christi,* même chez TERT.(*Cor.* 1). Le chrétien est un soldat du Christ qui attend de son *imperator* le *donatium* de la vie éternelle. De plus, J. FONTAINE (*Ibid.,* p. 81) décèle en ce passage un centon faisant la synthèse de *I Cor.* 12, 11 et de *Hébr.* 1, 14.

lectione. Voir *supra* 1, 1.

celebramus. *Celebrare* signifie «répandre», «publier», ici, par le biais des lectures publiques solennelles, faites particulièrement au jour anniversaire des martyres. ~ Le grec commente assez largement, sans faire d'allusion précise à cette lecture : πρὸς οἰκοδομὴν εἰσάγομεν.

ut ne passe pour une conjonction archaïque, caractéristique de Plaute (J. ANDRÉ, «La portée de la conjonction *ne*», *REL* 35, 1957, p. 164). De fait, le tour est cicéronien et correspond à un renchérissement, «pour éviter absolument que» : *Fam.* 10, 14, 2; *Nat. deor.* 1, 17; etc. Le tour s'inscrit dans la sur-expressivité du passage.

dignatione. *Dignatio* en latin tardif revêt souvent le sens de «charisme», «grâce divine conférant une dignité» (TERT., *Iud.* 1; *Pat.* 11, 4; *Bapt.* 18, 2, mais aussi CYPRIEN, *Ep.* 6, 1; 11, 6; 28, 2; *Mort.* 17; «non est in tua potestate sed in Dei dignatione martyrium»). La grâce du martyre et celle des révélations évoquent à la fois le *De anima* et l'*Ad martyras* ainsi que les *Épîtres* de Cyprien.

6. **quod audiuimus...** Citation lacunaire de *1 Jn* 1, 1-3. Le rédacteur latin a omis *et uidimus* que Robinson et Gebhardt ont proposé de restituer d'après le texte grec (ἑωρακάμεν). L'oubli paraît significatif à Bastiaensen, qui en déduit que l'auteur du prologue n'est pas un témoin oculaire : il ne connaît le martyre que par ouï dire *(audiuimus)* ou par une relation écrite *(contrectauimus)*. De fait, *contrectare* peut aussi avoir le sens de «constater par la vue» (TACITE, *Ann.* 3, 12). Il pourrait y avoir contraction de deux verbes en un seul.

uos qui interfuistis. Le rédacteur latin s'adresse directement à ceux qui «étaient présents», c'est dire qu'il subsiste encore des témoins dans l'assemblée des fidèles lors de la lecture de la *Passion*. Le détail est précieux. ~ Comme l'avait déjà remarqué Robinson, le grec se sert d'une formule générale : οἱ συμπαρόντες.

fratres et filioli. Selon Bastiaensen, les termes désignent les deux catégories de fidèles, les chrétiens et les «fils spirituels» ou catéchumènes. On peut songer aussi à deux générations qui sont dans l'assistance, ceux qui ont «vu» et ceux qui ont «entendu».

communionem. Cf. *I Jn* 1, 3. Le dogme de la communion des saints est apparu très tôt dans l'Église, sans doute en dépendance de la mystique johannique. La *Première épître de Jean*, dont le passage est imprégné, souligne fortement la communauté des chrétiens, le sens de cette unité étant le Christ. Les martyrs sont donc présentés comme les successeurs des apôtres, comme l'a montré M. LODS (dans *Confesseurs et martyrs, successeurs des prophètes dans l'Église des trois premiers siècles,* Neuchâtel-Paris 1958, p. 210 s.). Cette citation scripturaire s'achève par une doxologie qui prépare à la *lectio*.

II

1. **Apprehensi.** Ici commence le texte qui se trouve dans tous les manuscrits. Le ms. *E* lit avant *Apprehensi : in ciuitate tuburbitana (tyburtina E[1]) minore,* qui correspond au grec : ἐν πόλει Θουρβιτανῶν τῇ μικροτέρᾳ. La formule rappelle le titre de *C[1]C[2]* :

in ciuitate Turbitana. Cette localisation, encore reflétée par les *Actes,* repose manifestement sur une tradition. Sur l'identification de cette ville avec Thuburbo Minus, ville située à proximité de Carthage, voir Introd., p. 23, n. 1. La ville apparaît comme le siège de l'arrestation.

conserua. On a parfois compris «épouse», d'après TERT., *Vx.* 1, 1 : *dilectissima mihi in domino conserua.* Mais ici le rédacteur énumère des conditions sociales : «compagne d'esclavage» est donc plus probable. Le grec dit σύνδουλοι. Par ailleurs, les *Actes* présentent Félicité comme la «sœur» de Reuocatus.

Saturninus et Secundulus. Sur ces martyrs, mentionnés sur l'inscription de Mçidfa, voir Introd., p. 36.

honeste nata. Le style est celui d'une épitaphe. L'expression marque la naissance de Perpétue dans une famille de notables provinciaux. Dans les cités du temps, la société se divise en *honestiores* et *humiliores.* Voir aussi TITE-LIVE (26, 2, 11) : *honeste geniti.* On a parfois rapproché le nom de *Vibia* de celui de nombreux aristocrates romains portant le nom de *Vibii,* et dont certains vivaient dans l'entourage impérial (voir A. PILLET, *Histoire de sainte Perpétue...,* p. 69). Rien n'est moins sûr qu'une telle parenté, mais l'adverbe *honeste* implique certainement une réputation honorable.

liberaliter instituta. Sans doute ne faut-il pas voir en cette expression l'équivalent exact de l'éducation «libérale» que recevait le jeune homme, du grammairien au rhéteur ; les jeunes filles recevaient en outre des leçons de musique et de chant (cf. OVIDE, *Ars. am.* 3, 35). Mais la connaissance du grec, nécessaire à l'étude des «classiques», peut fort bien s'expliquer ainsi chez Perpétue. Né dans un milieu moins favorisé, Augustin aura beaucoup de peine à assimiler la langue grecque.

matronaliter nupta. Expression consacrée, ignorée du grec, comme la précédente. Elle apparaît sur une inscription funéraire (*CIL Afr.* 870, 3) : *Presconnia... bonis natalibus nata matronaliter nupta.* Par son mariage, Perpétue a rang de «matrone», sans qu'on sache pour autant si elle appartient réellement au patriciat, comme le suggère le texte grec. Sur le silence qui entoure son mari, voir Introd., p. 30-31.

3. conscriptum manu sua et suo sensu. Le rédacteur annonce clairement qu'il cède la parole à la martyre elle-même, dont il a eu le récit en main. Le grec οὕτως εἰποῦσα est inutile. La double précision élimine la possibilité que Perpétue ait pu dicter son récit et qu'il ait pu être modifié dans sa forme. *Sensu suo* signifie familièrement «à son idée». Perpétue ne fait d'ailleurs que se conformer à des recommandations, comme celles de TERTULLIEN, qui prescrivaient aux fidèles de noter soigneusement et de répandre autour d'eux les monitions dont ils étaient l'objet (*An.* 9).

III

1. Cum... cum. Il n'y a pas lieu de corriger cette répétition; le style répétitif est caractéristique de Perpétue. Mais le génitif absolu grec est plus élégant.

prosecutoribus. Ce terme du latin tardif, dérivé de *prosequor,* «escorter», désigne l'«escorte» qui garde les martyrs après leur arrestation. La version grecque donne ἡμῶν παρατηρουμένων, «comme nous étions sous surveillance». Il n'y a pas lieu de choisir la leçon du manuscrit *E, persecutoribus,* puisque les martyrs n'ont pas encore eu véritablement affaire à leurs persécuteurs. Selon T. MOMMSEN (*Römisches Strafrecht,* Leipzig 1899, p. 390), les martyrs n'étaient pas immédiatement incarcérés dans une prison publique; ils étaient détenus dans une prison privée, confiés à des soldats et à des garants, et leur sort y était relativement supportable : *Vita Cypr.* 15, 5; *Pass. Mont.* 3, 1.

euertere, «retourner». Le mot fait image et paraît meilleur que la leçon *auertere* des manuscrits *BCDE*. Le grec πείθειν est plat.

cupiret (leçon de *A*). Vulgarisme, corrigé dans les autres manuscrits en *cuperet*.

deicere. Autre terme imagé, qui revient à plusieurs reprises dans la bouche de Perpétue. Le mot appartient au vocabulaire de TERTULLIEN (*Apol.* 27, 3), comme de CYPRIEN (*Vnit. eccl.* 1; *Ad Fort.* 1) (Voir H. HOPPE, *Syntax und Stil des Tertullians,* p. 317-318). Il est généralement employé dans un contexte démoniaque. Ce terme, issu du vocabulaire militaire ou pugilistique, exprime souvent les efforts du démon pour «jeter bas» la cuirasse de fermeté des chrétiens. Ceux qui «chutent» sont les *lapsi.* Le grec commente sans relief : «me faire renoncer à la foi que je professais».

pro, au sens causal, est un trait de langue tardive ou familière, courant chez Perpétue comme chez Saturus (5, 5 ; 6, 5 ; 9, 3 ; 15, 5).

urceolum. Diminutif de *urceus*, «cruche» (cf. *Dig.* 31, 2, 2 : *urceolus est uas ad praeparationem bibendi*). Il s'agit du cruchon rempli d'eau qui était mis à la disposition des prisonniers. C'est, semble-t-il, un mot de la langue populaire (PÉTRONE, *Sat.* 95, 5 : *urceolum fictilem*). Ici, c'est à la fois l'image de l'incarcération et d'un certain adoucissement aux souffrances. Cette cruche à boire apparaît aussi dans la vision de Quartillosa (*Pass. Mont.* 8), où elle suggère déjà les coupes sacrées de l'au-delà qui attendent le martyr. ~ Une fois encore, le grec σκεῦος, désignant tout objet de vaisselle, est beaucoup plus plat.

quam quod est. Perpétue refuse de dénaturer la réalité, œuvre de Dieu, et tente de faire comprendre à son père la portée de ce qu'il exige et qui ne se résout pas en un changement de nom. ~ Le sens de cette exigence d'authenticité est escamoté par la version grecque : μὴ θέμις.

uexauit. Le terme est ambigu : il présente un retrait dans la violence par rapport à la tentative précédente et semble donc signifier «secouer violemment», comme chez CICÉRON (*Rep.* 2, 68) ou VIRGILE (*Ecl.* 6, 76), de même qu'OVIDE (*Met.* 11, 340) emploie *se mittere* au sens de «s'élancer». Mais, par affaiblissement de sens, *uexare* peut signifier aussi «malmener en paroles». C'est le sens que choisit le grec : κράξας, «ayant vociféré».

cum argumentis diaboli. En latin tardif, *argumentum* prend souvent un sens péjoratif, avec une nuance de ruse sournoise, que traduit le grec μηχανῶν (*TLL* 2, c. 542 ; TERT., *Scor.* 7 ; AMBROISE, *Hex.* 5, 8, 22). Le père de Perpétue agit passagèrement en possédé ; auxiliaire de Satan, il cherche à faire apostasier sa fille. Sur ce type de possession, voir notre ouvrage, *Songes et visions...*, p. 343.

paucis diebus. Cet emploi de l'ablatif à la place de l'accusatif de durée, est un trait constant de la langue de Perpétue. C'est

une extension tardive d'un emploi qui offre quelques exemples
à l'époque classique, voir A. ERNOUT et F. THOMAS, *Syntaxe
latine,* Paris 1951, p. 111; 135; H. HOPPE, *Syntax und Stil...,*
p. 70.

caruissem patrem. La construction habituelle de *carere* est
l'ablatif, leçon des manuscrits *C D E* et de van Beek. De fait,
l'accusatif représente une construction archaïque, illustrée chez
les Comiques et qui a dû subsister en langue familière. Elle
reparaît en latin tardif (Ps.-CYPR., *Laud. mart.* 6; AUG., *Ep.* 130,
14, 29 : *fructum carere nuptiarum*).

refrigeraui. Le verbe peut être intransitif ou transitif; les manuscrits *B* et *C* donnent la leçon *refrigerata sum,* sans que le sens
soit différent. Ce terme recouvre un éventail de sens, allant du
simple «repos» ou «soulagement» au bonheur du *refrigerium*
paradisiaque. L'origine en est l'image méditerranéenne du «rafraîchissement» à une source glacée par temps de canicule (sur
ce terme, voir C. MOHRMANN, *Études sur le latin des chrétiens,*
t. 2, p. 81 s.; E. LÖFSTEDT, *Late latin,* Oslo-Londres 1959, p. 79).
Le verbe est courant en latin tardif, dans la Vulgate et particulièrement chez TERT., *Ap.* 1, 6, 3; 3, 3, 4; 18, 6; *Iei.* 10;
An. 23, 6). Le grec ἥσθην a un champ sémantique beaucoup
plus restreint (sur l'embarras du traducteur grec devant ce terme,
voir Introd., p. 65, n. 2). Ici, nous avons le sens le plus faible,
celui du simple soulagement, comme dans TERT., *An.* 43 *(sommo
refrigeramus)* et *Pass. Mont.* 4 *(uisitatione fratrum refrige-
rauimus).* Perpétue est «soulagée», non pas d'être débarrassée
de son père, mais de n'avoir pas à affronter en lui une tentation diabolique particulièrement éprouvante.

5. Spiritus – ab aqua. Le grec précise, peu utilement, τοῦ
βαπτίσματος. Le baptême, nouvelle naissance, conférait au fidèle
un état de pure innocence; aussi, la prière que l'on faisait
immédiatement après avait une force particulière (ainsi TERT.,
Bapt. 20, 5 : «lorsque vous remontez du bain très saint de la
nouvelle naissance, ... demandez au Père»; cf. F.J. DÖLGER, «Das
erste Gebet der Täuflinge in der Gemeinschaft der Brüder»,
dans *Antike und Christentum* 2, 1930, p. 142-155). La prière de
Perpétue est «dictée» par l'Esprit (sur sa familiarité avec Dieu,
voir *infra* 4, 2) : il s'agit ici d'une inspiration qui revêt la forme

d'une monition impérative, quelque peu affaiblie en grec (ὑπηγόρευσεν). Ce pneumatisme constant est paulinien, mais se situe
aussi à la frontière du montanisme. Tert., *Fug.* 14, écrit : «le
Paraclet, ... celui qui *exhorte* à tout supporter. Cyprien (*Ep.* 62)
est plus modéré : «L'Esprit-Saint nous a toujours *encouragé* à
supporter la souffrance.»

sufferentiam carnis. Voir Tert., *Pat.* 13. *Sufferentia*, spécifique du latin chrétien, est plus intense que *patientia* (Tert.,
Marc. IV, 15 ; *Or.* 4 ; *Acta Saturn.* 9). L'intensité du style (cf. *dictauit*) correspond à un état quasi extatique, où Perpétue adopte
une soumission parfaite (sur l'extase, propre aux monitions sur-
naturelles, voir Tert., *An.* 47). Le terme *sufferentia* traduit aussi
chez Perpétue l'appréhension de la souffrance physique qu'elle
exorcisera par le songe de l'échelle aux pointes acérées.

recipimur in carcerem. Après la mise sous surveillance
(*supra* 3, 1), il s'agit de l'incarcération – sans doute dans la
prison municipale de Carthage –, résultant probablement du
baptême des catéchumènes. La procédure suit son cours normal.
Recipere peut avoir le sens juridique de «déclarer recevable une
accusation», comme chez Cic., *Fam.* 8, 8, 2 ou Tacite,
Ann. 4, 21 : *reum recipere aliquem,* «retenir une accusation
contre quelqu'un»; cf. *Pass. Mont.* 12, 3. Le grec ἐβλήθημεν est
moins riche.

tenebras. Les prisons romaines comportaient généralement deux
étages, l'étage inférieur étant celui des cachots, extrêmement
ténébreux. Les ténèbres sont aussi le premier supplice des
martyrs dans la Lettre des martyrs de Lyon et de Vienne (Eus.,
HE V, 1, 6). Ces ténèbres font de la prison un lieu maudit,
qui est la demeure favorite du démon : «La prison est la maison
du diable dans laquelle il maintient toute sa famille» (Tert.,
Mart. 1, 4). C'est le reflet terrestre de l'enfer, mais les martyrs
sont «lumière» dans la prison diabolique (Tert., *Fug.* 14, 1 ;
Cyprien, *Ep.* 6, 1 ; 37, 2 ; *Pass. Mont.* 4).

Aestus. Un des autres supplices de l'incarcération était la chaleur
étouffante résultant du manque d'aération et de l'entassement
des prisonniers. Il n'était pas rare de voir l'un des captifs mourir
d'asphyxie : Tert., *Ap.* 44, 3 ; Cyprien, *Ep.* 22, 2 («la chaleur
due à notre entassement était tellement intolérable que personne

ne pouvait la supporter»); *Pass. Mont.* 4 («Rien ne peut exprimer positivement les tourments de la prison, et nous n'avons aucune crainte de dire l'atrocité de ce lieu telle qu'elle est.»)

beneficio. A l'époque tardive, *beneficio* s'emploie couramment en fonction de préposition, dans le sens de *propter, causa* ou *gratia* (*TLL* 2, c. 1888; CYPRIEN, *Op. et el.* 16 : *beneficio filiorum*). Voir *infra* 3, 8.

concussurae militum. *Concussura* a d'abord le sens technique de «concussion», «extorsion de fonds»; le grec traduit littéralement par συκοφαντίαι, ce qui ignore l'idée de brutalité impliquée par le thème verbal de *concutere* «secouer». Il s'agit probablement ici des menaces ou brutalités calculées que les soldats infligeaient aux prisonniers, pour en obtenir de l'argent. De telles pratiques étaient courantes dans les prisons romaines, dès l'époque de CICÉRON (*Suppl.* 5, 45). *Concussio* est aussi employé chez TERTULLIEN au sens de «chantage par la menace» (*Scor.* 10; *Ap.* 7 : *ex concussione milites*); *concussura* est sans doute plus intense (cf. TERT., *Fug.* 13, 1 : *me dabo in causa elemosinae, non in concussurae*).

7. **benedicti diaconi.** L'épithète de *benedictus* correspond à une marque d'affection et de respect religieux qui se donnait entre chrétiens (cf. *infra* 11, 1 : *Saturus benedictus; TLL* 2, c. 1870). On sait que les diacres, qui recevaient une ordination, étaient chargés de toutes sortes de tâches pratiques au sein de la communauté : distribution des aumônes, administration des fonds. Entre autres missions, ils veillaient particulièrement sur les fidèles incarcérés, à qui ils apportaient le soutien de toute la communauté. ~ Sur l'hypothèse qui ferait de Pomponius le rédacteur de la *Passion,* voir Introd., p. 69.

constituerunt praemio. C'est ce que voulaient obtenir les soldats par leurs brutalités; ceci éclaire le sens de *concussurae* (*supra* 3, 6).

uti... refrigeraremus. Sur ce verbe, voir *supra* 3, 4; il signifie ici «reprendre des forces» soit à l'étage supérieur de la prison, soit dans une cour intérieure. ~ Le grec escamote le verbe, ainsi que la précision temporelle *paucis horis.*

8. **inedia defectum.** Au sens d'*exhaustum;* voir *TLL* 5[1], c. 327.

Le détail peut surprendre. Il semble que la famille de Perpétue n'ait pas songé à recourir à une nourrice, pratique pourtant habituelle dans les nobles familles romaines. Il faut en conclure que le père de Perpétue, en ne cherchant pas à faire nourrir le bébé, a voulu exercer sur sa fille le plus odieux des chantages. La vie du nourrisson sera le principal argument du père égaré par la douleur. ~ Le grec précise, sans utilité, que «l'enfant lui fut apporté».

tabescebam... tabescere. Reprise intensive absente du grec : ἐτηκόμην... λυπουμένους. Le verbe latin fait image : il évoque la décomposition de l'âme par le chagrin : voir CYPRIEN, *Ep.* 43, 4 ; *Ps.* 106, 26 ; AUG., *Conf.* 2, 1 : *contabuit species mea.*

beneficio. Voir *supra* 3, 6.

multis diebus. Sur cet emploi de l'ablatif, voir *supra* 3, 4.

usurpaui. Ce verbe n'est guère attesté avec ce sens d'«obtenir» que chez TERT., *Scorp.* 12, 9 («martyrum animae... candidam claritatis usurpant»). Le grec se contente du banal ἤτησα ; de fait, *usurpare* appartient à la langue juridique, au sens de «recouvrer un bien perdu» (CIC., *Or.* 3, 110). Le verbe a parfois le sens péjoratif d'une appropriation injuste (TERT., *Ap.* 39). Ici il peut souligner la réparation du tort causé à la jeune femme.

conualui. Forme donnée par tous les manuscrits latins ; il paraît inutile de la corriger en *conualuit,* comme l'ont fait Gebhardt et Franchi de' Cavalieri, pour harmoniser avec le grec ἀνέλαβεν. *Conualui* répond à l'état dépressif où se trouvait Perpétue *(tabescebam).*

praetorium. Déjà à l'époque classique, le terme pouvait désigner le palais du préteur : (CIC., *Verr.* 4, 65). VIRGILE (*Georg.* 4, 75) et JUVÉNAL (10, 161) l'emploient au sens de palais. Cet emploi se répand chez les auteurs chrétiens (CYPRIEN, *Ep.* 77, 3 : JÉRÔME, *Adu. Iou.* 2, 14 ; AUG., *Conf.* 10, 8, 12 : *praetoria memoriae).* L'antithèse *carcer/praetorium* constitue un effet d'expressivité, dans un style dépourvu de recherche stylistique («ut ibi mallem esse quam alicubi»). Cependant, il y a sans doute chez Perpétue une pointe d'humour, si l'on considère que la prison est vraisemblablement située dans le palais du préteur *(Pass. Mont.* 18, 4 ; PROCOPE DE CÉSARÉE, *Bell. Vand.* I, 20, 4).

IV

1. frater meus. On ne peut guère savoir le sens qu'il faut donner
à cette appellation. Ce «frère» est-il le catéchumène, ou est-ce
Saturus? Voir Introd., p. 32.

Domina soror. Les termes *dominus* et *domina* s'utilisaient dans
les relations courantes comme des formules de politesse, souvent
teintées d'affection (voir *TLL* 5[1], c. 1939; SÉNÈQUE, *Ep.* 3, 1;
AUG., *Serm.* 14, 3, 4). VICTOR DE VITE (*Pers. Vand.* 2, 30) met
le mot «curre, domne meus» dans la bouche d'une grand-mère
s'adressant à son petit-fils. Ici, l'appellation donnée par le frère,
puis par le père de Perpétue, représente à la fois une marque
d'affectueux respect et le reflet des habitudes de langage du
milieu où vit Perpétue, qui est *matrona*. «Monsieur» et
«Madame» s'utilisaient pareillement entre proches au xviie siècle
français.

dignatione. Voir *TLL* 5[1], c. 1135 et *supra* 1, 5. Ici, le sens est
légèrement différent : *dignatio* est employé de façon quasi classique, très proche de *dignitas* (grec ἀξιώματι), au sens de considération, honneur dont on jouit (CIC., *Ep.* 10, 9, 2; TITE-
LIVE, 10, 7, 12; TACITE, *Ann.* 4, 52; etc.). Dans toutes les
Passions africaines, le martyre confère le charisme des visions.

postules uisionem. La nuance impérative du verbe *postulare*
est certes affaiblie à époque tardive, mais il ne perd pas tout
à fait son sens de «réclamation». Cette vivacité peut surprendre.
TERT., *An.* 9, se contente du conseil de noter les songes et les
visions dont le Seigneur veut bien nous gratifier. Il s'agit de
phénomènes spontanés, que l'on peut appeler par le jeûne ou
la prière, mais la liberté divine concède seule le charisme. Cette
demande pressante est quelque peu inhabituelle, et on a évoqué
le montanisme. Cependant, elle peut refléter la vivacité de Perpétue elle-même (*fabulari cum Domino*, «converser avec le
Seigneur»), ou l'assurance de Saturus.

ostendatur. C'est le verbe classique qui exprime les scènes
imagées vues en songe ou en vision. Il correspond chez les
auteurs chrétiens au terme d'*ostensio*, qui conserve encore la
coloration prodigieuse du classique *ostentum*. *Ostendere*, et
surtout le parfait *ostensum est* (*infra* 4, 2), est le verbe qui

exprime les révélations divines. Sur ce vocabulaire, voir
M. DULAEY, *Le rêve dans la vie et la pensée...*, p. 51; TERT.,
Marc. 5, 11; AUG., *Gen. ad litt.* 12, 14, 12; *Pass. Mont.* 5
(ostensum est ei produci singulos). La formule passive exprime
mieux la passivité du visionnaire. Le grec délaie très lourdement :
εἰ αἰτήσειας ὀπτασίας, ὀπτασίαν λάβοις ἄν.

commeatus. Terme du langage militaire signifiant «congé»,
«permission». CYPRIEN l'emploie au sens de «délivrance» après
la persécution (*Ep.* 55, 13; 10, 5; *Mort.* 19). De fait, pour un
chrétien, cette délivrance n'est pas définitive. Ce n'est qu'un
«sursis» qui risque de déboucher à nouveau sur la *passio,* toujours conçue comme l'imitation de la passion du Christ. Ce
vocabulaire militaire correspond à la conception du martyre
comme *militia Christi* (cf. H.A. HOPPENBROUWERS, *Recherches sur
la terminologie du martyre de Tertullien à Lactance,* Nimègue
1961). Le grec ἀναβολήν ne se situe pas dans le même contexte.

fabulari. Ce verbe, plus familier que le grec ὁμιλεῖν, appartient
à la langue des Comiques (PLAUTE, *Cist.* 774 : TÉRENCE,
Phormio 654). Le mot suggère des conversations quotidiennes
avec Dieu, à la manière des saintes filles dont TERTULLIEN brosse
le portrait dans *Vx.* 1, 4, 4 : «C'est avec lui qu'elles vivent,
avec lui qu'elles s'entretiennent, c'est de lui qu'elles s'occupent
jour et nuit.» *Sermocinari* est employé par le rédacteur
(*infra* 19, 2).

experta eram. Cheville du style de Perpétue (*supra* 3, 5), qui
n'apparaît pas dans le texte grec.

fidenter repromisi. La confiance de Perpétue est totale; le
rédacteur grec le souligne : πίστεως πλήρης οὖσα. L'intensité de
cette assurance, qui repose exclusivement sur le pneumatisme,
peut évoquer à nouveau le montanisme.

scalam aeream. Ce songe et le motif de l'échelle ont été
souvent étudiés. Voir, entre autres M.L. VON FRANZ, «Die Passio
Perpetua, Versuche einer psychologischen Deutung»; L. BEIR-
NAERT, «Le symbolisme ascensionnel dans la liturgie et la mystique chrétiennes», *Eranos Jb* 19 (1950), p. 41-63; P. HADOT,
«Patristique latine», *Annuaire EPHE* 75 (1968-1969), p. 184-189;
voir aussi notre ouvrage, *Songes et visions...*, p. 66 s. La scène

est représentée sur le sarcophage de Bureba (cf. F. SCHLUNK, «Zu den Frühchristichen Sarcophagen aus der Bureba», *MDAI (M)* 6 (1965), p. 139-166 : Saturus soutient l'échelle. P. Hadot a signalé le lien qui existe au IIe siècle entre le songe de Jacob et le martyre. Le songe s'inspire de *Gen.* 28, 12 et il est fait également allusion au songe de Jacob dans la *Passio Montani* 7. De fait, le motif de l'échelle est l'image de l'ascension céleste dans l'ancienne Égypte, sur les disques de Tarente et dans les mystères de Mithra. On peut parler, en termes jungiens, d'archétype spontané, illustrant l'une des images du voyage vers l'au-delà. A époque tardive, le motif de l'échelle s'associera non plus au martyre, mais à l'ascèse monastique ; il sera souvent représenté dans l'iconographie. La leçon *aeream* est la plus probable, en raison des instruments de fer qui bordent l'échelle. Ce sont des images de la souffrance. Peut-être peut-on évoquer aussi une ancienne croyance, d'origine sans doute babylonienne, où des montagnes d'airain marquaient l'entrée du séjour des dieux. Cette croyance se reflète dans *Zach.* 6, 1.

mirae magnitudinis. L'expression est un leitmotiv du style de Perpétue (4, 4 ; 10, 8).

angustam. Comme la porte étroite réservée aux élus (*Matth.* 7, 14).

ferramentorum. Pas de terme correspondant en grec. C'est un collectif qui désigne l'ensemble des armes que Perpétue va énumérer. Sur l'interprétation psychologique de ces armes, voir Introd., p. 29. On a parfois pensé à une image de la *catasta,* souvent garnie d'instruments de torture (SALVIEN, *Gub. Dei* 5, 6). De fait, Perpétue témoigne d'une étonnante connaissance des armes de combat utilisées par les gladiateurs. Ceci confirme la thèse de L. Robert sur la familiarité de Perpétue avec les spectacles de l'arène (Introd., p. 43). Les glaives, *gladii* et les lances ou piques, *lanceae,* n'ont rien que de très courant ; les crocs ou *hami* paraissent une arme plus spécifique de l'arène : ils sont représentés sur un bas-relief de Pompéi dans une *uenatio ;* ils pouvaient servir contre les fauves ; les *machaerae* sont des sabres à pointe légèrement recourbée : le *miles gloriosus* s'en sert déjà (PLAUTE 424 ; voir aussi SUÉTONE, *Claudius* 15) ; c'est aussi l'arme dont se sert dans l'arène le gladiateur appelé le

Thrace. L'énumération s'arrête là dans *A B C D*. Mais *E* ajoute
uerruti, qui correspond au grec ὀϐελίσκων. Il s'agit cette fois
d'une arme de jet, mentionnée par CÉSAR (*Bell. Gall.* 5, 44, 7).
Le public aime assister à l'affrontement de gladiateurs diversement armés.

inhaererent. Image réaliste des lambeaux de chair accrochés
aux pointes, que la version grecque ignore.

draco. Au serpent de la *Genèse* se joint sans doute le souvenir du dragon de l'*Apocalypse* johannique et celui de la Bête
du *Pasteur d'Hermas*. Sur le contenu historique de cette image,
voir R. MERKELBACH, art. «Drache», *RAC* 4, c. 226-250. Il existe,
notamment en Proconsulaire, un dieu Draco, qui passe pour
avoir été combattu par Salsa (P. MONCEAUX, *La vraie légende
dorée*, p. 299-300). Le «dragon» ou «serpent», représentation
chtonienne, illustrant couramment le principe du mal en Orient,
s'identifie avec le démon, qui se manifeste par la persécution
(cf. Lettre des Églises de Lyon et de Vienne : EUS., *HE* V, 1, 42 :
τῷ μὲν σκολιῷ ὄφει; 5, 1, 57 : ἀγρίου θηρός). Sur ce symbolisme, voir A. QUACQUARELLI, *Il leone e il drago nella simbolica
dell' età patristica,* Bari 1975, p. 53 s.

insidias praestabat. Tour de la langue vulgaire concurrençant
insidiari ou *insidias facere*.

exterrebat. La peur est la meilleure arme du démon; il faut
vaincre la tentation de fuir : TERT., *Fug.* 10, 2 : «fugitiuum cum
diabolo te reddidisti».

prior. Saturus monte le premier, comme il est premier dans
l'ordre de la responsabilité. L'adjectif manque en grec.

ultro. Recherche du martyre, conforme aux conseils de Tertullien, mais aussi trait du caractère de Saturus.

aedificauerat. *Aedificare* correspond à l'*aedificatio* (1, 1), au
sens d'«instruction» dans la foi, s'adressant ici à des catéchumènes (AUG., *Serm.* 57, 1 : «ordo est aedificationis uestrae ut
discatis prius»). C'est le terme de la Vulgate en *I Cor.* 14, 3.5,
correspondant au grec οἰκοδομή, le substantif étant choisi de
préférence au verbe οἰκοδομέω, de sens plus général.

adducti sumus. Le style de Perpétue est riche en verbes familiers, au sens plutôt allusif, ici «amener» (en prison); le grec συλλαμβάνω s'emploie plus précisément au sens d'«arrêter». ~ On remarque aussi en grec une discordance temporelle avec le plus-que-parfait *fuerat*.

6. sustineo. Sens post-classique : le verbe est utilisé comme un intensif de *exspecto* (TERT., *Iud.* 8; CYPRIEN, *Ep.* 31, 6; 30, 8; JÉRÔME, *Ep.* 17). En l'occurrence, le verbe doit aussi retenir une part de son sens classique de «soutien». Le grec περιμένω ne paraît pas avoir cette ambiguïté. Le sarcophage de Bureba illustre la scène (voir *supra* 4, 3 et B. DE GAIFFIER, dans *AB* 98 (1980), p. 152 : Saturus «soutient» l'échelle de la sainte.

uide ne = *caue ne*. Le tour, fréquent dans la Vulgate, est parfaitement classique, mais appartient sans doute à la langue familière (CIC., *Mil.* 70 : «uideant consules ne quid respublica detrimenti capiat»).

me nocebit. La construction transitive de *nocere* est postclassique; elle apparaît dans la Vulgate (*Lc* 4, 35) et chez TERT., (*Exh.* 12, 5). Voir H. HOPPE, *Syntax und Stil...,* p. 43.

in nomine Iesu Christi. C'est l'exorcisme par le nom du Christ, expliqué par ORIGÈNE, *C. Celsum* 1, 6 (Voir J. DANIÉLOU, art. «Exorcisme», *DS* 4[2], c. 1995-2004).

7. desub. Préposition composée postclassique (FLORUS 2, 3, 2; VÉGÈCE, *Mul.* 2, 19).

calcarem... calcaui. La répétition imagée n'apparaît pas dans le texte grec, ἐπιβῆναι... ἐπάτησα. Le terme *calcare* appartenait à la Bible africaine, au lieu de *conterere* dans la Vulgate. Ce geste illustre la prophétie de *Gn* 3, 15, où il est dit que la femme visera le serpent à la tête. C'est aussi le geste du triomphe impérial, fréquemment représenté sur les monnaies, où le souverain met le pied sur la nuque de l'ennemi vaincu; attitude évoquée également dans les *Ps.* 18, 40; 109, 1. ~ Par ailleurs, l'expression *calcare diabolum* est devenue une formule consacrée (cf. F.J. DÖLGER, «Der Kampf mit dem Aëgypter...», p. 177-188). Elle apparaît chez TERT., *Spec.* 29; CYPRIEN, *Ep.* 58, 9; *Acta Fructuosi* 7; PRUDENCE, *Perist.* 14, 112-118; HILAIRE, *In Matth.* 3, 4; etc. Le passage est commenté par AUGUSTIN (*Serm.* 280) : il y voit la revanche de la femme sur le péché originel.

ascendi. Cette scène a inspiré de nombreuses représentations iconographiques, à partir du IVe siècle. Outre le sarcophage hispano-romain de Bureba (cf. *supra* 4, 3), on peut citer une fresque de l'*arcosolium* de la catacombe de Marc et Marcellin (G. WILPERT, *Le pitture...*, p. 357, fig. 43). A époque plus tardive, cette ascension sera représentée dans un contexte monastique, des démons ailés s'efforçant souvent de retenir les moines qui escaladent les barreaux de l'échelle, comme sur le manuscrit de Jean Climaque ou le *Martyre* copte *de Théodore,* du Xe siècle (cf. J. QUASTEN, «A coptic counterpart to a vision in the Acts of Perpetua and Felicitatis», *Byzantion* 15 (1940-1941), p. 1-9.

spatium immensum horti. L'expression est résumée dans le texte grec : κῆπον μέγιστον.

canum. Souvenir du Christ de l'*Apocalypse* (1, 14), d'après *Dan.* 7, 9. Mais ce détail suggère également une image du Père, explicable dans l'état de déchirement que vit Perpétue à l'égard de son père terrestre (voir *infra* 12, 3).

in habitu pastoris. Les études consacrées au thème paléochrétien du Pasteur sont multiples. Voir, en particulier, W. JOST, *Poimen, Das Bild vom Hirten in der biblischen Überheferung und seine christologische Bedeutung,* Giessen 1939. Le point est fait par J. FONTAINE, «La conversion du christianisme à la culture antique», *BAGB* (1978) 1, p. 50-75. On peut se demander si le motif du Pasteur était déjà illustré dans l'iconographie chrétienne à l'époque de Perpétue, ou si elle représente simplement le Pasteur biblique du *Psaume* 22, qui inspire l'inscription d'Abercius : «Je suis disciple d'un saint pasteur, qui fait paître ses troupeaux de brebis par monts et par vaux; il a des yeux très grands qui voient tout» (*AS*, 22 oct., p. 493). Il faut y joindre le souvenir de la parabole évangélique du bon pasteur (*Matth.* 18, 12; *Lc* 15, 4; *Jn* 10, 11) et, peut-être, une réminiscence du *Pasteur d'Hermas.* Le motif iconographique lui-même est plus fréquent dans les catacombes romaines qu'en Afrique à la fin du IIe siècle. Cependant, TERT., *Pud.* 7, 10; 10, 12, mentionne l'habitude de faire reproduire le pasteur sur les calices.

grandem. *Grandis,* en langue vulgaire, remplace souvent *magnus* (voir 7, 6; 11, 5), mais le mot peut revêtir des nuances particulières : ici, à la fois «grand» et «imposant»; il peut aussi signifier «âgé» (Cɪc., *Phil.* 5, 47). Le grec ὑπερμεγέθη ne renferme que la notion de taille.

oues mulgentem. Ce n'est pas l'attitude classique du Pasteur portant la brebis sur ses épaules. L'image de la traite n'est pas très courante dans l'iconographie du temps. Elle apparaît cependant à la fin du ɪɪᵉ siècle, en Italie (G. Wɪʟᴘᴇʀᴛ, *Le pitture...*, pl. 117, 93 et *I sarcofagi...*, pl. 3, 4). Mais cette scène est évoquée, de façon allusive, par le vase de lait, dès la première moitié du ɪɪᵉ siècle, sur la voûte de la crypte de Lucine (G. Wɪʟᴘᴇʀᴛ, *Le pitture...*, pl. 25; 38; 66; etc.). Par ailleurs, les baptistères paléochrétiens, tel celui de Doura-Europos, quasi contemporain de la *Passion,* présentent le Pasteur entouré de brebis dans un décor d'arbres, d'eau et de fleurs (J. Qᴜᴀsᴛᴇɴ, «Das Bild des Guten Hirten in den altchristlichen Baptisterien», dans *Mélanges Dölger,* Münster 1939, p. 220-224 et L. ᴅᴇ Bʀᴜʏɴᴇ, «La décoration des baptistères paléochrétiens», dans *Mélanges Mohlberg,* Rome 1949, p. 188-189).

candidati milia multa. *Candidati* est substantivé; la Bible africaine employait *candidare,* au lieu de *dealbare,* dans la Vulgate. L'image représente sans doute le souvenir des vieillards vêtus de blancs qui entourent le trône de l'agneau (*Apoc.* 4, 4) ou de «ceux qui furent égorgés pour la parole de Dieu», et à qui on donne une robe blanche (*Apoc.* 6, 9; 7, 13).

9.   tegnon. Grec familier qui témoigne que le rédacteur suit fidèlement le récit de Perpétue. Le mot a déconcerté les copistes des manuscrits *B* et *C.* Sur l'argumentation qu'on en a tirée, voir Introd., p. 55. De fait, il s'agit d'une forme, sans doute affective, empruntée à la langue orale africaine.

clamauit me. Le verbe est déjà transitif chez Pʟᴀᴜᴛᴇ, au sens d'«appeler à grands cris» (*As.* 391).

de caseo quod mulgebat. Formule paradoxale qui a intrigué les commentateurs et qui est respectée en grec (voir M. Mᴇsʟɪɴ, «Vases sacrés...», p. 147 s.). Il s'agit manifestement d'une brachylogie familière, si l'on conserve à *caseus* le sens de «fromage», «lait caillé», qui correspond à *buccellam,* diminutif familier de *bucca* et au verbe *manducaui.* Le symbole eucharistique est patent, mais il ne doit pas être interprété à la lettre.

La communion est l'indispensable préparation au martyre, mais Perpétue ne se rattache pas pour autant, comme on l'a dit parfois, à la secte des Artotyrites, qui communiaient avec du fromage. Le fromage est la nourriture attendue de cette scène imaginaire qui tient de la bucolique (voir aussi *Is.* 1, 15.22).

iunctis manibus. Rite habituel de la communion, voir Eus., *HE* VI, 43, 18; Cyrille de Jérusalem, *Cat. myst.* 5, 21.

manducaui. C'est le verbe qu'utilise *Jean* (6, 52) dans le discours sur le pain de vie : «si quis manducauerit ex hoc pane». Le terme grec ἔφαγον est plus plat.

dixerunt : «Amen». Le détail suggère le souvenir d'une célébration, peut-être celle de la première communion, où l'on distribuait du lait et du miel, comme après le baptême. Sur cette acclamation des fidèles, voir Justin, *Apol.* 1, 65, 3 : πᾶς ὁ παρὼν λαὸς ἐπευφημεῖ λέγων Ἀμήν, «tout le peuple présent accompagne en disant : Amen». Mais il y a sans doute aussi une réminiscence d'*Apoc.* 7, 12, où les anges et les vivants se répandent en actions de grâces.

ad sonum uocis. Construction tardive, Végèce, *Mul.* 4, 3, 13 : «orniculum perforas ad acum».

experta. Leçon de la plupart des manuscrits que Bastiaensen conserve avec raison : c'est manifestement une crase pour *experrecta* et une forme de latin vulgaire, corrigée dans *D* en *expergefacta*.

commanducans. Verbe rare, reprise de *manducaui,* avec un préverbe d'aspect; l'expérience est courante dans les songes inspirés, surtout dans l'incubation : le songeur conserve une trace de la véracité du rêve.

dulce nescio quid. Image de la communion et de sa *gustatio* de lait et de miel : Tert., *An.* 3, 3 : «Inde suscepti lactis et mellis concordiam praegustamus.» L'image se double du symbolisme des nourritures paradisiaques, le paradis est en effet «la terre ruisselante de lait et de miel» (*Ex.* 3, 8).

saeculo. Le terme, qui s'oppose au monde éternel, est courant dans la Vulgate comme chez Tertullien ou Cyprien. L'expression grecque ἐν τῷ αἰῶνι τούτῳ, «en ce temps», lui correspond imparfaitement.

V

1. **ut audiremur.** Ce sens juridique d'«accorder une audience» est parfaitement classique : César, *Bell. Gall.* 4, 13, 1 : «legatos audire». Cette audience est l'interrogatoire, qui porte essentiellement sur la qualité de chrétien, voir Pline, *Ep.* 10, 16, 2-4.

   deiceret. Voir *supra* 3, 1.

2. **miserere canis meis.** Ellipse familière de *capillis.* La construction de *misereor* avec le datif est un trait de syntaxe tardive, constant dans la *Passion.* Le style, d'allure tragique, est aussi conforme à la *miseratio* oratoire.

   te praeposui. Aveu qui souligne la place que pouvait occuper une femme, fille ou épouse, à l'intérieur d'une famille romaine d'un certain rang. Voir Introd., p. 29.

   dedecus. Pour un notable attaché aux valeurs romaines, avoir une fille chrétienne est une honte. On connaît, à travers Tertullien et Minucius Felix, les calomnies que répandaient les païens; la *passio* est un supplice infamant, réservé aux criminels. Ce passage révélateur manque dans le texte grec.

3. **fratres tuos.** La mention manque en grec; de fait le pluriel étonne. Sur ce problème, voir Introd., p. 31. L'énumération paraît se conformer aux formules traditionnelles de la *miseratio.*

   matrem tuam et materteram. Effet d'allitération oratoire, mais aussi note d'authenticité. A cette énumération familiale, il manque pourtant le mari.

   uiuere non poterit. Sur cette allégation, qui participe du chantage, voir *supra* 3, 8.

4. **depone animos.** *Animi,* au pluriel, a classiquement le sens d'«audace» ou d'«orgueil» (Virgile, *Aen.* 11, 366 : «pone animos»). La formulation de cette prière relève du style traditionnel de la «supplication», avec ses tonalités épique et tragique; mais c'est aller un peu loin que d'y déchiffrer une prière comme pour l'adoration d'une déesse (J. den Boeft et J. Bremmer, «*Notiunculae martyrologicae 2*»).

   ne extermines. L'expression de la défense au subjonctif présent est un tour familier. *Extermino* a son sens postclassique d'«anéantir», non dénué d'emphase (*TLL* 5², c. 2015).

libere loquetur. Voir *supra* 5, 2 : *dedecus.* Au chagrin véritable se joint le souci taraudant de l'opinion publique et surtout un sens assez compréhensible de l'honneur familial.

aliquid fueris passa. Tour de style oral ; l'assertion paraît vague ; le père ne sait encore jusqu'où Perpétue mènera sa «passion» et préfère désigner par un euphémisme le supplice ou la mort qui la menace.

quasi. Au sens de *ut* comparatif.

pro. Sens causal, voir *supra* 3, 1.

pietate. Le terme s'emploie déjà au sens d'affection paternelle chez Plaute, *Poen.* 12, 77. Le traducteur grec délaie : «τὴν τῶν γονέων εὔνοιαν».

basians. A l'époque classique, le verbe est surtout employé par les poètes, comme Catulle, puis Martial. Le fait de «baiser les mains» constitue un geste de supplication. Toute sincère qu'elle soit, la scène est empreinte d'un certain théâtralisme, inhérent sans doute au caractère du père de Perpétue.

dominam. Sur la nuance affective familière de ce terme, voir *supra* 4, 1. Robinson signale que c'est aussi un titre de respect souvent donné aux frères et aux fils dans l'épigraphie funéraire (*CIL,* Afr. 333 et 2862 : «filio et domino meo»). Faut-il en déduire que le père de Perpétue voit déjà sa fille morte ? En tout cas, par toute son attitude, il témoigne qu'il a la tête tout à fait perdue, ce que suggère aussi le grec διαθέσεως (cf. *infra* § 6).

casum : «sort malheureux.» Le grec διάθεσις est susceptible d'une acception plus médicale (Hippocrate, *Vet. med.* 10).

solus... de toto genere meo. Ceci est apparu généralement comme une exagération (voir 3, 8). Cette précision semble signifier que les deux frères, la mère et la tante de Perpétue étaient également chrétiens ou de sympathie chrétienne. Voir Introd., p. 30. Cette joie à l'annonce du martyre est conforme à l'esprit de l'*Ad martyras.*

confortaui. Voir *supra* 1, 1.

catasta. Le terme paraît avoir deux acceptions. Le premier sens, celui qu'emploie Perpétue, désignait l'estrade élevée où siégeait le tribunal qui interrogeait les confesseurs (*Pass. Iacobi et Mariani* 6 : «le sommet haut dans les airs d'un tribunal élevé... là où se trouvait une estrade *(catasta)* divisée en de nombreuses marches...»). C'est sensiblement le sens du grec βήματι. Mais la *catasta* pouvait aussi désigner l'estrade où les martyrs subissaient la torture (*Pass. Rogat.* 6; PRUDENCE *Perist.* 156; 2, 399; SALVIEN *Gub. Dei* 3, 6 : «Ils se sont fait des échelles (pour monter au ciel) ... avec des chevalets et des échafauds *(catasta)*»). Le mot a donc une connotation sinistre.

esse... constitutos : leçon de *A*. Le futur grec ἐσόμεθα s'accorde avec la leçon *futuros* des manuscrits *B C D E*. Le texte latin de *A* énonce une vérité générale sur la volonté divine (tour analogue chez TERT. *Prax.* 11 : «ils établissent que chaque personne s'appartient à elle-même»; pour le sens, voir IGNACE D'ANTIOCHE, *Polyc.* 7, 3 : «Le chrétien ne dispose pas de lui-même, mais son temps est à Dieu»). *B C D E* et *H* comprennent, de façon discutable qu'il s'agit de ce qui se passera sur la *catasta*.

contristatus. Le terme latin, avec son préverbe intensif, est plus fort que le grec ἀδημονῶν. Le mot se rencontre dans les *Psaumes* pour exprimer l'affliction (34, 14; 37, 7; 41, 10; 54, 3). Voir aussi TERT., *An.* 45.

VI

1. pranderemus. Notation horaire, puisque le *prandium* se prenait vers midi. Aussi la leçon de *H*: τῇ ἡμέρᾳ ἐν ᾗ ὥριστο, «au jour qui avait été fixé», est apparue depuis longtemps comme corrompue. A. DUCHESNE, dans *Comptes rendus des séances de l'Académie des Inscriptions et Belles Lettres,* 19 (1892), p. 50, et, après lui, P. Franchi de' Cavalieri ont proposé de rétablir ἐν ᾧ ἠριστῶμεν.

audiremur. Voir *supra* 5, 1; c'est l'audience officielle du magistrat.

forum. Le forum de Carthage; voir Introd., p. 23.

factus est. Style plus oral que le grec συνέδραμεν, qui exprime d'ailleurs mieux l'idée de «grande affluence» populaire.

catastam. Voir *supra* 5, 6.

confessi sunt. Chez les auteurs chrétiens, le verbe *confiteri* a pris les sens correspondant aux substantifs *confessor* et *confessio,* soit «confesser sa foi», souvent devant les juges (TERT., *Fug.* 5; JÉRÔME, *In Ez.* 4, 15). Le grec ὁμολόγειν a reçu la même acception.

uentum est ad me. Style plus alerte que le grec ἤμελλον δὲ κἀγὼ ἐξετάζεσθαι, «moi aussi j'allais être interrogée».

gradu. Il s'agit de la «marche» menant à l'estrade et non, comme on l'a parfois compris d'un synonyme du mot *catasta.* Le détail est omis dans la version grecque; aussi bien, *extraxit* est plus brutal que καταγαγών.

supplica. Cette leçon du seul manuscrit *D* est néanmoins meilleure que la leçon *supplicans* de *A B C.* Dès l'époque classique, le verbe a le sens courant d'«offrir des prières» ou un «sacrifice» aux dieux (SALLUSTE, *Iug.* 63; APULÉE, *Plat.* 1, 4; MINUCIUS FÉLIX 22, 4: «vulneribus suis supplicat»). Le sacrifice permettait d'éprouver les chrétiens de façon indubitable (PLINE, *Ep.* 10, 16; *Acta Scillit.* 3): en aucun cas, les véritables chrétiens ne devaient accepter de sacrifier aux idoles, c'est-à-dire aux démons (TERT., *Apol.* 10, 1: «Vous n'honorez pas les dieux et vous ne vous acquittez pas des sacrifices pour les empereurs»). Le grec ἐπίθυσον constitue donc un équivalent valable, encore employé plus bas comme la traduction de *fac sacrum.*

Hilarianus procurator. Il s'agit du *procurator Augusti,* chargé de l'administration financière de la province, qui remplit provisoirement les fonctions du proconsul défunt. D'abord simples agents financiers, les procurateurs purent être chargés, surtout à partir des Antonins, de l'administration d'une partie de la province, en tant que *praeses* (cf. V. DURUY, *Histoire des Romains,* Paris 1879, t. 5, p. 95; H.G. PFLAUM, *Les procurateurs équestres sous le haut-empire romain,* Paris 1950, p. 120 s.). Le personnage d'Hilarianus nous est connu par TERT., *Scap.* 3, 1, comme se plaisant à faire couler des flots de sang chrétien.

proconsulis Minuci Timiniani. Le proconsul est le magistrat normalement chargé du gouvernement d'une province sénatoriale, où ne se posent plus de problèmes militaires. Le nom du proconsul n'est pas bien attesté. Il peut avoir appartenu à la *gens* célèbre des *Minucii*. En revanche, son *cognomen* a souvent paru étrange. Comme l'a soutenu Harris, le grec Ὀππιανοῦ est certes plus courant.

ius gladii. L'expression définit la juridiction criminelle qui était l'apanage du gouverneur, avec l'*imperium* traditionnel (cf. ULPIEN, *Dig.* 2, 1, 3 : «Seul l'*imperium* peut avoir le pouvoir du glaive sur les criminels, ce que l'on appelle aussi le Pouvoir»; P. GARNEY, «The criminal juridiction of governors», *JRS* 58, 1968, p. 51 s.). En l'absence du proconsul et face à un crime de lèse-majesté, Hilarianus a donc le droit d'infliger la peine capitale. En principe, les citoyens romains étaient condamnés à la décapitation. Mais le cas des chrétiens faisait exception. Un rescrit de Trajan faisait un crime d'État de la manifestation publique de la foi chrétienne. Cependant, Pline lui-même préférait ne pas avoir à prendre de décision et se débarrassait des citoyens en les envoyant à Rome.

parce. Le procurateur reprend, mais en un style plus sec, les arguments du père de Perpétue. Peut-être ce dernier était-il intervenu auprès de lui. De telles interventions étaient courantes.

fac sacrum. Voir *supra* 6, 2 *(supplica)*.

pro salute imperatorum. Formule officielle, parodiée par TERT., *Scap.* 2, 1 : «Sacrificamus pro salute imperatoris, sed Deo nostro». Le refus d'un tel sacrifice constituait un crime de lèse-majesté. Les empereurs sont alors Septime-Sévère et ses deux fils Caracalla et Géta (*infra* 7, 9).

4. christiana es? C'est l'interrogatoire classique : voir PLINE, *Ep.* 10, 16, 2 et le rescrit de Trajan. La réponse est celle de la profession de foi : *Pass. Scillit.* 10, 13; *Mart. Pol.* 10, 1; TERT., *Cor.* 1 : «Christianus sum, respondit.»

5. staret. Le terme fait image, mieux que le grec ἐσπούδαζεν.

ad me deiciendam. Voir *supra* 3, 1; 5, 1. Le verbe peut aussi se comprendre au sens propre : «pour m'entraîner». L'ambiguïté est détruite en grec.

uirga percussus est. Le grec explique : τῶν δορυφόρων τις ἐτύπτησεν αὐτόν. Le passage est commenté par AUG., *Serm.* 281, 22, qui voit dans ces coups la vengeance du diable dont Perpétue a triomphé. De fait, la condition de citoyen exemptait normalement du châtiment des verges, réservé aux esclaves et aux enfants.

doluit mihi. Voir 5, 6. Sobre commentaire de l'humiliation; la comparaison «quasi ego fuissem percussa» manque en grec; le renchérissement *fuissem,* en lieu et place d'*essem* est un trait de langue tardive ou familière.

pro. Au sens de *propter* dans tout le récit de Perpétue (voir *supra* 3, 1).

pronuntiat et damnat. Les deux verbes sont voisins : le premier signifie «proclamer publiquement la sentence» (CIC., *Fin.* 2, 36; TERT., *Apol.* 46); le second énonce la nature de la condamnation. Le grec ignore cette distinction et se contente du seul verbe κατακρίνει.

hilares. L'adjectif a toujours été porteur d'une joie spirituelle : illumination de Scipion (CIC., *Rep.* 8, 7); joie stoïcienne de Pline l'Ancien (PLINE, *Ep.* 6, 16, 12); SÉNÈQUE, *Ep.* 23, 3. Dans les textes chrétiens, *hilaris* qualifie souvent les apparitions angéliques (*Vita Cypr.* 15, 2; *Pass. Mont.* 13, 2). Le grec χαίροντες ne présente pas ces connotations.

descendimus ad carcerem signifie, soit la descente de l'estrade (cf. *supra* § 2 : *ascendimus*), soit plutôt le retour dans la prison souterraine, si ténébreuse.

diaconum. Sur le rôle des diacres, voir *supra* 3, 7.

noluit. A nouveau, insistance sur l'entêtement du père, émoussée en grec : οὐκ ἔδωκεν.

quomodo Deus uoluit. Voir *supra* 5, 6 : «quod Deus uoluerit»; la reprise n'apparaît pas en grec : ὡς ὁ θεὸς ᾠκονόμησεν.

feruorem fecerunt. Style oral; il faut suppléer le sujet *mammae.* Le grec προσγέγονεν φλεγμονή est plus littéraire. La conséquence d'un sevrage trop brutal est de provoquer une «fièvre de lait» et une inflammation qui s'accompagne de douleurs dans la poitrine. C'est apparemment ce dernier sens qui prédomine.

ne. Sens consécutif final, courant en latin tardif : TERT., *Carn.* 3; *Apol.* 47; *Paen.* 98.

macerarer. Verbe imagé (cf. *tabescere* : 3, 8); il appartient à la langue des Comiques (PLAUTE, *Pseud.* 4; TÉRENCE, *Andr.* 685). C'est sans doute un trait de langue familière.

VII

1. **profecta est mihi uox.** Le sens du verbe et sa forme médio-passive implique un phénomène de type ominal, où le sujet agit à son insu : il est exprimé au datif d'intérêt; la forme personnelle ἀφῆκα φωνήν est donc inexacte. Il s'agit d'une inspiration divine, comme celle de la sainte femme dont parle TERT., *An.* 49. Cette croyance chrétienne se manifeste encore au IVe siècle par le cri d'enfant qui désigne Ambroise évêque et l'*omen* du jardin de Milan, qui bouleverse Augustin.

   doluit... casus. Formule chère à Perpétue (cf. *supra* 6, 5), mais ici *casus* approche du sens de «mort».

   commemorata. Forme déponente, fréquente à époque tardive, souvent construite comme *memini* (*Sir.* 48, 23; *Pass. Mont.* 7, 8).

2. **dignam.** Voir *supra* 4, 1 *(in magna dignatione)*. Le mot qualifie un état de grâce; il lui est suggéré d'en faire bénéficier Dinocrate. Le grec subordonne, ce qui donne un sens légèrement différent.

   de ipso. Sens peu différent de *pro hoc* (7, 6).

   ingemescere/-miscere ad Deum. Formule de prière héritée des lamentations bibliques (*Tob.* 3, 1; *Mc* 7, 34). On la retrouve chez AUG., *Ep.* 157, 16 et SALVIEN, *Gub. Dei* 7, 83. Sur la prière pour les défunts, voir Introd., p. 48, n. 2.

3. **ostensum est.** Formule traditionnelle du songe inspiré (4, 2; 8, 1).

4. **loco tenebroso.** La nature de ce lieu a fait couler beaucoup d'encre : voir Introd., p. 47. S'agit-il de ce lieu où se rendent, après leur vie, les morts prématurés ou *aôroi,* évoqués par Tertullien dans le *De anima* (voir J.H. WASZINK, «Mors immatura», *VChr* 3, 1949, p. 107-112)? Dans la Bible, la *uia tenebrosa* est

celle des impies (*Prov.* 4, 19; 2, 13). Ces lieux obscurs, proches du *shéol,* destinés au vulgaire, se dessineront surtout dans les visions postérieures (*Acta Thom.* 53; *Mir. Steph.* 1, 6; Aug., *Gen ad litt.* 12, 3, 14; *Cur. mort. ger.* 2, 15; Sulpice Sévère, *Vita Mart.* 7, 6). De fait, il s'agit bien d'une sorte de purgatoire, ou, si l'on veut, d'enfer, puisque Tertullien affirme que toutes les âmes y descendent après leur mort et reçoivent un châtiment ou une récompense provisoire, en attendant le jugement dernier.

aestuantem... sitientem évoque à la fois la fièvre de l'enfant malade et le feu de l'enfer, ce « trésor de feu mystérieux et souterrain, destiné au châtiment » : Tert., *Apol.* 47, 12. Le grec attribue chaleur et soif à l'ensemble des habitants du lieu. Cette imagerie passe par la représentation des enfers païens et du Periphlegeton. Le défunt dans l'au-delà a traditionnellement soif des liquides de vie (cf. *Lc* 16, 24).

sordido uultu. La correction *cultu* de Gebhardt s'inspire de la version grecque et du détail *bene uestitum* (8, 1). Mais elle va à l'encontre de la tradition manuscrite. F. Dölger (« Antike Parallelen... », p. 18) propose *uultu et cultu,* d'après *Pass. Mont.* 21; « uultu pariter et cultu nimis claro ». De fait, *uultus* peut avoir le sens général d'« apparence », s'opposant à *mundo corpore* (8, 1). L'adjectif *sordidus,* « crasseux », constitue un argument en faveur de la condition païenne de Dinocrate, comme l'avait déjà vu Augustin. Dinocrate n'a pas été lavé dans l'eau du baptême et ne porte pas la robe blanche des élus, des *candidati* (voir *supra* 4, 8).

colore pallido. C'est la couleur de la mort. Les défunts païens « reviennent » presque toujours sous l'aspect du cadavre (voir notre ouvrage, *Songes et visions...,* p. 266 s.).

uulnus in facie. Cf. *facie cancerata* (§ 5) : encore un trait du revenant païen qui garde des traces de sa maladie (voir la note précédente).

fuerat. Plus-que-parfait justifié par son antériorité par rapport à *habuit.*

carnalis. Précision utile, puisque les chrétiens s'appellent « frères » : « fratres uocamus, ut unius dei parentis homines »

(Minucius Félix 31, 8), d'après *Éphés.* 2, 19 et *Lc* 3, 21 : «Ma mère et mes frères sont ceux qui écoutent et mettent en pratique la parole de Dieu.»

facie cancerata. Le grec est encore plus réaliste, «le visage rongé par la gangrène». On peut certes penser à un chancre, mais l'hypothèse la plus vraisemblable est celle d'un ulcère d'origine lépreuse, qui explique doublement l'horreur qu'il inspire à tous, la lèpre étant une maladie impure (*Lév.* 13, 9; Pline 20, 181; 22, 156; 24, 48). Pour Aug., *Nat. or. an.* 1, 4, 18-27, cette plaie symbolise la souillure de l'âme : «Ecce uulnus erat in anima Dinocratis».

male obiit. «S'en est allé à la male heure» : la formule souligne le caractère de mort prématurée, ce que ne fait point le grec τεθνήκει.

6. **grande... diastema.** Conjecture fort probable, quoique le terme soit technique et employé peut-être en son sens astrologique; on le trouve chez Sidoine (*Ep.* 8, 11, 9, cf. *TLL* 5, c. 954). Le passage rappelle *Lc* 16, 26 : χάσμα μέγα... ὅπως οἱ θέλοντες διαβῆναι ἔνθεν πρὸς ὑμᾶς μὴ δύνωνται. Est-ce la distance incommensurable qui sépare le pays de la vie de celui de la mort, ou plutôt l'image de la conversion chrétienne qui situe le paradis à mille lieues de l'au-delà païen?

uterque ad inuicem. Renchérissement qui souligne la séparation de deux mondes radicalement différents. L'emploi de *inuicem,* en lieu et place du pronom réciproque, est un trait de langue tardive et familière, fréquent dans le récit de Perpétue (9, 1; 10, 10; 13, 5).

7. **piscina.** Le mot évoque la piscine de Bézatha qui guérit les malades (*Jn* 5, 1-9), mais aussi l'image de la piscine baptismale du temps (voir T. Klauser, «Taufe in lebendigen Wasser», dans *Mélanges Dölger,* Münster 1939, p. 157-160). L'impossibilité pour les païens de s'abreuver aux eaux vives est commentée par Cyprien, *Ep.* 69, 2 : «Si (l'Église) est une fontaine scellée, celui-là n'y peut boire ni recevoir la marque du sceau, qui, étant du dehors, n'a pas accès à la fontaine.» Voir F. Braun, «L'eau et l'esprit», *Revue Thomiste* 49 (1949), p. 5-30.

quasi bibiturus. Cf. *quasi timens* (4, 7). *Quasi* avec le participe est déjà présent chez Cicéron; de plus, à époque tardive, le participe futur s'emploie souvent avec valeur finale (AMMIEN MARCELLIN 14, 11, 13). *Quasi* est une cheville du style de Perpétue et de Saturus.

bibiturus non esset. Le participe futur a ici sa valeur de possibilité, traduite par le grec (οὐκ) ἠδύνατο. La disjonction modale entre *habebat,* fait réel, et *esset* est syntaxique; le subjonctif s'explique par l'idée d'éventualité et son rattachement à *dolebam.*

experta. Voir *supra* 4, 10.

me profuturam. Des sacrifices pour les morts sont attestés en *II Macc.* 12, 40-45. Sur les prières pour les défunts et la *commendatio animae* qui va inspirer l'iconographie chrétienne, voir Introd., p. 48, n. 2. TERTULLIEN recommande de prier pour les défunts, afin qu'ils obtiennent le *refrigerium* (*Mon.* 10, 4). C'est exactement ce que fait Perpétue.

orabam. Précision éludée par la version grecque.

omnibus diebus. Voir *supra* 3, 4.9.

carcerem castrensem. Jusque là, l'incarcération semble avoir eu lieu dans la prison municipale, dont les gardiens sont des esclaves municipaux. Les prisonniers passent désormais sous l'autorité du tribun militaire, commandant la garnison, ce que précise le grec (χιλιάρχον), qui ajoute : «elle était proche du camp (où nous allions affronter les bêtes)». La garnison de Carthage semble avoir appartenu à la *III Augusta,* cantonnée à Lambèse. Certains commentateurs pensent que le camp était assorti d'un amphithéâtre militaire; d'autres estiment, après Franchi de' Cavalieri, que Perpétue a trouvé la mort dans l'amphithéâtre de la cité.

munere. Ensemble de jeux, comportant généralement des combats de gladiateurs. Sur l'origine funéraire du *munus,* voir TERT., *Spect.* 12, 1. Cette origine est encore attestée sous Commode; le *munus* est donné «pour le salut du prince» (MOMMSEN, *IN,* 4040).

eramus pugnaturi. Le «combat» des martyrs s'inscrit dans la *militia Christi,* qui lutte contre le démon. Le verbe est illustré par la vision de Perpétue.

Getae Caesaris. La mention est précieuse, mais elle n'est l'apanage que du seul manuscrit *A* (sous la forme *cetae*); les autres manuscrits, y compris le grec, ne se réfèrent qu'à César. J.A. ROBINSON, *The Passion of S. Perpetua,* p. 25, n. 3, pense que le nom de Géta a pu être supprimé parce qu'il était dangereux de le nommer. Sur ce problème voir Introd., p. 20, n. 2.

10. **gemens et lacrimans.** Forme de supplication traditionnelle : voir *supra* 7, 2.

ut mihi donaretur. Le verbe *donare* est normalement transitif : TERT., *Marc.* 2, 26, 4 : «Moysi... donatus est populus». Ici, le tour peut se comprendre comme un impersonnel, au sens classique d'«accorder une grâce», ou plutôt avec Dinocrate pour sujet, au sens tardif d'«accorder la vie» ou «le pardon» (*Act.* 27, 24; CYPRIEN, *Dom. orat.* 22 : «peccata donare»; TERT., *Pud.* 9 : «moechum... poenitentia donare»). Ce sens implique que Dinocrate a un certain degré de culpabilité. Le grec est plus classique : δωρηθῆναι μοι... ἠξίωσα.

VIII

1. **neruo.** Forme de supplice. FESTUS, *Verb. sign.* 165, le définit ainsi : «Nous appelons *neruus* un lien, même en fer, qui entrave les pieds et même le cou.» Il peut également s'agir d'entraves de bois creusées de trous pour les membres, que l'on serrait (*Acta Scillit.* 2 : «ponantur in ligno»); ce sens est aussi suggéré par la glose du manuscrit *D (constricto).* Voir aussi TERT., *Cult.* 2, 13; *Mart.* 2, 10 : «la jambe ne sent rien dans les fers *(neruo)* lorsque l'esprit est dans le ciel.» A. FRIDH (*Le problème de la passion...,* p. 53) pense que ce mot désigne la partie la plus secrète de la prison; le terme ne paraît pas employé comme le synonyme exact de *carcer.* Le mot n'est pas compris par le traducteur grec, qui se contente de le calquer (νέρβῳ).

ostensum est. Voir *supra* 7, 3. La grâce divine vient éclairer un jour particulièrement dur.

retro. Au sens, postclassique, d'*antea* (TERT., *Apol.* 1, 6, 18; *An.* 38; CYPRIEN, *Ep.* 75, 10).

refrigerantem. Voir *supra* 3, 4. Ici, le mot est très proche de son sens étymologique et surnaturel à la fois : Dinocrate jouit du *refrigerium*. Le grec ἀναψύχοντα est beaucoup moins riche.

cicatricem confirme l'exégèse augustinienne (cf. *supra* 7, 5 : *facie cancerata*), et complète l'image du corps purifié, *mundo corpore,* par celle du pardon.

trahebat. *Trahere* s'emploie au sens d'«aspirer» de l'air ou un liquide (OVIDE, *Met.* 15, 330 : «amnem gutture trahere»; CIC., *Nat. deor.* 2, 120; HORACE, *Ep.* 14, 4). Le texte grec a une image voisine : «il en faisait couler l'eau». Il n'y a pas lieu de corriger cette leçon de *A B C E* en *cadebat* ou *profluebat* (leçon soutenue par G. LAZZATI, «Note critiche...», p. 31). Il n'y a pas lieu non plus de penser avec Franchi de' Cavalieri à un texte corrompu.

fiala. Le terme grec est depuis longtemps intégré à la langue latine (JUVÉNAL 5, 17; MARTIAL 8, 33, 2). Il est courant dans la Vulgate (en particulier *Apoc.* 5, 8; 15, 7; 16, 1; etc.). Le symbolisme des coupes dans les Passions africaines a été particulièrement étudié par M. MESLIN, «Vases sacrés et boissons d'éternité...». Dans l'iconographie grecque, la coupe apparaît souvent aux mains des dieux et des déesses qui y boivent l'immortalité. Ici, l'image réalise la promesse d'*Apoc.* 21, 6 : «sitienti dabo de fonte aquae uitae gratis». La coupe *(calix)* est aussi l'image du «lot» conféré par Yahvé (*Ps.* 15, 5). Pour Dinocrate, grâce à l'intercession de sa sœur, c'est le *refrigerium,* mais non le paradis. La *fiala* de la *Passio Mariani et Iacobi* 6 représente sans doute un souvenir de ce passage. Voir aussi les coupes de lait de Quartillosa, dans la *Passio Montani et Lucii* 8.

accessit. Selon V. Reichmann (*Römische Literatur...,* p. 118), ce verbe a ici la valeur de *coepit;* mais ce sens n'est pas indispensable ici.

de aqua. Tour partitif, proche de l'ablatif instrumental (cf. 12, 5; 21, 1); il est classique (CIC., *Att.* 13, 38, 1 : «de eodem loco exaraui»; TERT., *Herm.* 11 : «cum... de serpentibus luserint»).

translatum... esse de poena. *Transferre* est employé dans la Vulgate au sens de «libérer» (*II Sam.* 12, 13); l'expression apparaît aussi chez AUGUSTIN (*Nat. or. an.* 1, 10, 12 : «a poenis transferri ad requiem»). Le tour restant en suspens dans la *Passion*, le manuscrit *D* a complété par «ad requiem sanctam iustorum». Ce «transfert» hors d'un lieu de châtiment implique la croyance à une sorte de «purgatoire» des âmes après leur mort. Les «jeux» de l'enfant sont le reflet de ceux du paradis (cf. *infra* 12, 6). Le songe a été étudié par F. DÖLGER, «Antike Parallelen zum leidenden Dinocrates...».

IX

1. optio miles. Le grade manque dans le texte grec. Les gardes de la prison sont des militaires. L'*optio* est normalement le sous-officier qui sert de second aux décurions et centurions; il est choisi par eux. Mais l'*optio carceris* est aussi le gardien responsable d'une prison (voir *infra* 16, 4; *Act.* 16, 23.27.36; AMBROISE, *Ep. ad Eph.* 4; AUG., *Serm.* 256, 1: «alius dicit de optione, alius de carcere liberatus»).

qui[1] est généralement supprimé par les éditeurs, comme étant superflu, et par comparaison avec le texte grec; mais la première partie de la phrase peut être sentie comme une phrase nominale (cf. 8, 3).

magnificare. Le verbe est familier au sens d'«honorer». Il appartient à la langue des Comiques (PLAUTE, *Men.* 370; TÉRENCE, *Hec.* 260). Il est aussi courant dans la Vulgate, au sens plus fort de «glorifier» (*I Sam.* 26, 24; *Act.* 5, 13). La version grecque ressemble à une glose: «Il commença avec beaucoup de zèle à nous traiter avec honneur et à rendre gloire à Dieu.»

uirtutem. *Virtus* paraît employé ici au sens courant de «valeur» et non, comme dans la Préface, au sens chrétien de «puissance spirituelle».

multos ad nos admittebat. L'isolement des prisonniers n'a jamais été total. Perpétue pouvait recevoir les membres de sa famille et le diacre Pomponius. Désormais, la permission s'étend aux membres de la communauté. Ceci n'a rien d'exceptionnel (cf. *Vita Cypr.* 15, 5).

refrigeraremus. Sur l'éventail de sens de ce verbe, voir *supra* 3, 4. Perpétue l'emploie ici, à peu près comme en 3, 7, au sens de «réconfort». C'est la nuance que choisit également la version grecque en ce passage : παρηγορεῖσθαι.

proximauit. Verbe du latin tardif, utilisé intransitivement par Apulée (*Met.* 5, 3) et dans la Vulgate (*I Macc.* 9, 12; *Hébr.* 7, 19; *Matth.* 26, 46).

barbam suam euellere. En signe de deuil. Le caractère excessif du père de Perpétue a déjà été noté.

in terram mittere est ambigu faut-il comprendre qu'il jette sa barbe sur le sol, ou ne faut-il pas sous-entendre *se*, exprimé après *prosternere* (cf. 3, 3 : *mittit se in me*)? Sur ce geste désespéré, voir Hérodien, *Exc. Marc.* 1, 13, 7.

prosternere se in faciem. En signe de désespoir, comme un refus de voir la lumière (Stace, *Silu.* 2, 1, 170), et aussi comme un geste de supplication (comme plus haut : 5, 5). Le grec κακολογεῖν évoque plutôt des injures.

inproperare annis suis. Argument déjà évoqué plus haut (5, 2). Le verbe appartient à la langue familière (Pétrone, *Sat.* 38, 11). Cette insistance sur l'âge s'inscrit dans le style de la *deploratio*. Elle correspond aussi à la crainte particulièrement romaine d'avoir un vieillesse privée de descendance, puisqu'un âge trop avancé ne permettra plus au père de Perpétue d'avoir une autre enfant. Perpétue paraît avoir été la dernière née.

creatura. Terme du latin chrétien : Tert., *Apol.* 30; Ambroise, *Parad.* 2, 7; *Mc* 10, 6.

dolebam. Cf. 5, 6.

pro. Le sens causal existe dès Cicéron, mais est plus courant chez les auteurs chrétiens : *Gen.* 27, 41; Jérôme, *Ep.* 15, 2; Tert., *Pal.* 4. Voir *supra* 3, 1.

X

horomate. Forme latinisée du terme grec spécifique ὅραμα, «vision», fourni par la version grecque. Le mot est employé en concurrence avec *horama*. C'est peut-être une trace de style biblique : Aug., *C Faustum* 31, 3. En effet, c'est le charisme des prophètes : Dieu parle à son disciple ἐν ὁράματι (*Act.* 9, 10).

Cependant *horoma* peut être aussi une forme de style oral (cf. Pétrone, *Sat.* 53); *horoma* est employé parallèlement à *uisio* par Juvencus (*Eu. hist.* 3, 340). C'est la première fois que Perpétue présente un songe autrement que par *uideo*. Cette précision, ainsi que la forme grécisante, peut être une référence aux traités, fort répandus, d'onirocritique grecque, comme le traité d'Artémidore, encore reflété par Macrobe. Chez ce dernier (*Comm. somn. Scip.* 1, 3, 19), l'*orama,* ou *uisio,* correspond au songe «théorématique» d'Artémidore : cette catégorie illustre la représentation claire des événements à venir. Dans une stricte classification, ce terme relèverait donc d'un type de monition bien défini, à la fois païen et biblique.

Pomponium diaconum. Le grec intercale ensuite un φησίν superflu. L'image de Pomponius est une expression caractéristique de l'ambiguïté onirique : il est à la fois lui-même et une représentation du Christ qui soutient le martyr.

2. uestitus discinctam candidam. Il paraît normal de conserver l'accusatif, leçon du manuscrit *A,* puisque *uestire* se retrouve construit avec un double accusatif en 12, 1, ce qui est peut-être un trait de style familier. *Veste (D)* n'est pas indispensable, le terme *candida* pouvant à lui seul signifier une robe blanche (Spartien, *Seu.* 3, 3). La tunique sans ceinture est communément l'apanage des anges (*Passio Mar.* 7, 3 : «iuuenem... cuius uestitus discincta erat in tantum candida luce»). C'est aussi la tenue des orants dans l'iconographie. En revanche, la tunique classique se porte habituellement serrée à la taille. Le détail exprime donc le caractère surnaturel des apparitions. On peut aussi le rapprocher de l'injonction évangélique de ne pas emporter de monnaie dans la ceinture (*Mc* 6, 8). Le grec περιεζωσμένος, «portant ceinture», paraît un contresens.

multiplices galliculas. Le texte grec donne ποικίλα ὑποδήματα, «sandales de diverses couleurs». Le terme *gallicula* ou *callicula* a étonné les commentateurs. Certains ont voulu y voir des ornements circulaires de vêtements, représentés dans l'iconographie tardive (H. Leclercq, art. «callicula», *DACL* 2², c. 1655-1657). En ce cas, l'adjectif *multiplices* se comprend mal. De fait, *gallicula* désigne une petite sandale chez Jérôme (*Reg. Pach.* 4), et c'est ce mot qu'emploie Gaudence de Brescia (*Serm.* 5

= *PL* 20, 875 A) à propos des «sandales» dont doivent être chaussés les apôtres selon *Mc* 6, 9 (voir aussi *TLL* 6[2], c. 1681). *Multiplices* désigne sans doute les multiples lanières qui constituent communément cette chaussure dans tout l'Orient et que porte généralement le Bon Pasteur (cf. G. WILPERT, *Le pitture...*, pl. 47). Le traducteur grec suggère que ces lanières sont faites d'or et d'argent, à la manière biblique (E. BEURLIER, art. «chaussures», *Dictionnaire de la Bible*, c. 631 s.; *Jud.* 10, 3; *Cant.* 7, 1). Mais, en réalité, cette précision n'est apportée que pour les sandales précieuses de l'arbitre du combat.

te expectamus, ueni. Les monitions oniriques, de type oraculaire, sont toujours brèves: voir P. COURCELLE, *Les Confessions de saint Augustin dans la tradition littéraire,* Paris 1963, p. 127-129.

per aspera loca et flexuosa. L'image a une source, celle du chemin raboteux qui mène à la prison, ou à l'amphithéâtre, situés sur la colline de Carthage (cf. *supra* 5, 1). Mais Perpétue charge ce souvenir de la symbolique du martyre comme voie extrême et difficile. Robinson a aussi rapproché cette image de la voie escarpée suivie par Hermas (*Past. Herm.*, Vis. 1, 1). Voir aussi *Pass. Mar.* 7 («inter illa itineris confragosa») et, de façon générale, P. COURCELLE, «*Trames ueritatis.* La fortune patristique d'une métaphore platonicienne», dans *Mélanges E. Gilson,* Toronto 1959, p. 203-221.

anhelantes. La version grecque ignore cette image.

in media arena. La construction classique exigerait l'accusatif. C'est un trait de langue de Perpétue ou du parler populaire.

conlaboro tecum. Le verbe, comme d'autres composés du préverbe *con,* est exclusivement chrétien (voir *TLL* 3, c. 1574 et C. MOHRMANN, *Études...*, t. 2, p. 238; t. 3, p. 261). Le verbe n'est pas très usité en ce sens, pourtant étymologique (cf. grec συγκάμνων). A l'image du diacre se superpose celle du Christ. Ce sentiment de la présence du Christ à leurs côtés est éprouvé par tous les premiers martyrs, par exemple Blandine (EUS., *HE* 5, 3, 3) ou Polycarpe (*Mart. Pol.* 3). Voir aussi, pour Félicité, *infra* 15, 6.

adtonitum. L'adjectif exprime souvent une attente anxieuse

(Sénèque, *Ep.* 72, 8; 118, 3: «omnes attoniti uocem praeconis exspectant»; Tert., *Fug.* 1; *Idol.* 24; *Spect.* 25, 1). Le sens est en accord avec le grec ἀποϐλέποντα τῇ θεωρίᾳ, «les yeux fixés sur le spectacle», mais qui est plus plat.

6. Aegyptius. L'Égyptien, ou l'Éthiopien, en raison de sa couleur noire, devient la représentation spontanée du diable chez tous les premiers chrétiens. Déjà, chez les païens, les noirs étaient l'image des habitants de l'enfer et les rencontrer était de mauvais augure (Juvénal 5; Plutarque, *Brut.* 48; Florus, *Epit.* 2, 17; Suétone, *Cal.* 57; Spartien, *Seu.* 22, 4). Pour les chrétiens, l'image se renforçait du poids de la condamnation biblique de l'Égypte : *Éz.* 39, 3 («Pharao, rex Aegypti, draco magne»); Tert., *Marc.* III, 13, 10; Lact., *Diu. inst.* 7, 15 («L'Égypte sera la première à subir le châtiment de ses stupides superstitions»). Parmi la nombreuse bibliographie consacrée à cette représentation (cf. Introd., p. 46, n. 4), voir F.J. Dölger, *Die Sonne der Gerechtigkeit und der Schwarze. Eine religionsgeschichtliche Studie zum Taufgelöbnis,* Münster 1918, p. 51 s.; L.G. Ruggini, «Il negro buono e il negro malvagio nel mondo classico», dans *Conoscenze etniche e rapporti di convivenza nell'antichità* 6, Milan 1979. Les séides du diable sont tout naturellement représentés par des démons noirs aux cheveux crépus (*Acta Thom.* 64; Aug., *Ciu. Dei* 22, 8, 5; etc.).

adiutoribus. Ce sont les séides qui assistent normalement un gladiateur fameux. Ils représentent ici la troupe des démons, voir ci-dessus.

pugnaturus mecum. Sur cet emploi du participe futur avec valeur de but, voir *supra* 7, 7.

adolescentes decori. Ce sont les anges. Le grec choisit le singulier, ce qui suggère l'image de l'ange gardien, ou du Christ, et renchérit sur sa beauté : τῷ κάλλει ἐξαστράπτων. Ce passage pourrait être commenté par Cyprien, *Ep.* 58, 8 : «Voici l'épreuve sublime et magnifique... Dieu regarde, les anges regardent, le Christ aussi regarde.»

7. facta sum masculus. La psychologie des profondeurs n'a pas manqué d'interpréter cette «masculinisation» de Perpétue (voir Introd., p. 31). Certains critiques ont été frappés par les aspects masculins de sa nature. De fait, le changement de sexe est la conséquence normale de la nudité de l'athlète qui s'apprête à la lutte. Par ailleurs, il s'agit aussi d'une mutation spirituelle, qui transcende la condition féminine pécheresse, avec la faiblesse et les défaillances qu'on lui attribue communément à l'époque (AUG., *Serm.* 280, 1, 1 et S. POQUE, *Le langage symbolique dans la prédication d'Augustin d'Hippone. Images héroïques,* Paris 1984, t. 1, p. 82; t. 2, p. 62). Peut-être y aurait-il également une pointe de montanisme. Que la spiritualité abolit les sexes était une idée répandue ches les Montanistes et les Valentiniens : Oracle 17, où le Christ se métamorphose en femme (dans P. DE LABRIOLLE, *La crise montaniste,* Paris 1913, p. 86-95).

fauisores. Leçon du manuscrit *A* et forme plus rare de *fautores* (§ 6); elle est utilisée par APULÉE (*Apol.* 93). Le grec emploie cette fois le terme de la Septante, ἀντιλήμπτορες, «protecteurs», alors qu'il avait utilisé plus haut le terme courant σπουδασταί.

oleo defricare. Peut-être *defrigere (A).* C'est l'onction d'huile que reçoivent les athlètes avant le combat. Ici, elle se charge du symbolisme biblique et devient une onction de Vie. Elle était donnée dans les rites prébaptismaux et postbaptismaux (TERT., *Bapt.* 7, 1 : «Exinde egressi de lauacro perungimur benedicta unctione.»). Le rite avait valeur d'exorcisme (cf. J. DANIÉLOU, art. «Exorcisme», *DS* 4[2] c. 2001 s. R.F. REFOULÉ (Introduction à TERTULLIEN, *Traité du Baptême, SC* 34, Paris 1952, p. 36) voit aussi dans cette onction l'image de l'enrôlement militaire. CYRILLE DE JÉRUSALEM (*Cat. myst.* 20, 3) écrit : «Ainsi dépouillés, vous avez été oints de l'huile exorcisée, depuis le sommet de la tête jusqu'à la plante des pieds.» Le latin *defricare* avec son sens de «friction», est plus réaliste que le grec ἀλείφειν qui paraît refléter la leçon *perungere* du manuscrit *D.*

in agonem. Le terme a son sens technique de combat, de lutte (PLINE, *Ep.* 4, 22, 1; SUÉTONE, *Ner.* 21). Mais c'est aussi une métaphore chrétienne, développée par l'apôtre Paul et, après lui, par tous les auteurs chrétiens, celle du combat spirituel (TERT., *Spect.* 29; CYPRIEN, *Ep.* 10, 4 : «in agonis certamine coronatus est»).

in afa uolutantem. Terme d'origine grecque, comme l'*agon;*

il désigne la poussière, propre à faciliter le contact, dont les athlètes se frottaient après l'onction d'huile (ÉPICTÈTE, 3, 15, 4). Le terme est employé par SÉNÈQUE, *Ep.* 57, 1 : «après le liniment nous avons reçu la poussière *(haphe)*», par plaisanterie sur un voyage où il fut couvert de boue et de poussière (voir aussi MARTIAL 7, 67, 5). La version grecque se contente du terme plus général κονιορτῷ. L'athlète se couvre donc normalement d'huile et de poussière, une onction de boue pouvant tenir lieu d'huile. Perpétue sépare ces deux onctions, la seconde se chargeant du symbolisme de mort attribué à la poussière dans la Bible *(Ps.* 21, 16). Celle-ci est déjà associée au serpent diabolique *(Mich.* 7, 17; *Is.* 65, 25). Voir aussi TERT., *Pal.* 4, 1 («et lutea unctio et puluerea uolutatio et arida saginatio»). La *lutea unctio* s'appelle τὴν πήλωσιν, la *puluerea uolutatio* τὴν κόνισιν.

8. **uir... mirae magnitudinis.** Cheville de style (4, 3.4) cf. *Pass. Mar.* 7, 3; 6 («uidi... iuuenem... satis ampla magnitudine»). C'est une image du Christ, à travers celle du diacre, qui avait annoncé qu'il «restait» avec Perpétue. La grande taille des apparitions divines est un trait courant de l'onirocritique païenne : *Poim.,* 1, 4; *Phil.,* 22. TERTULLIEN, *Mart.* 3, 4, qualifie le Christ de «surveillant» de l'*agon :* «epistates uester Christus Iesus» (sur ce passage, voir F.J. DÖLGER, *ΙΧΘΥΣ* 2, Münster 1922, p. 560).

discinctatus. Voir *supra* 10, 2 *(uestitus discinctam).* Même discordance avec le grec διεζωσμένος.

purpuram – habens. Le passage a semblé obscur; aussi les traducteurs se sont-ils souvent inspirés de la version grecque. Celle-ci présente le «vêtement» comme ayant de la pourpre «non seulement à partir des deux épaules, mais aussi au milieu de la poitrine». Cette surabondance de pourpre peut étonner, même si l'image est symbolique. Il s'agit plutôt d'une mauvaise traduction grecque de l'original latin; celui-ci est assez clair, si l'on donne à *inter* un sens assez courant à époque tardive, «au milieu de», «à l'intérieur de» (cf. AUG., *Coll. Don.* 7 : «(pisces) inter retia non uident piscatores»). Le terme technique de *clauos,* non traduit en grec, désigne les bandes de pourpre, cousues sur la tunique dont, à l'origine, seuls sénateurs et chevaliers avaient le privilège. La tunique «laticlave», portant deux larges *clauos,* est particulièrement l'insigne des sénateurs; elle se porte longue et sans ceinture. De fait, la tunique à bandes de pourpre s'était répandue comme vêtement de cérémonie. Elle était effectivement portée par les lanistes. Sur le mur de l'amphithéâtre de Pompéi, on peut voir un arbitre ainsi vêtu et portant une baguette (*DAGR* 1[2], p. 1245). La mention *per medium pectus* serait une référence à la largeur des bandes, marque des notables. Ce sera aussi la représentation courante des apôtres, ou du Christ (*DAGR* 1[2], p. 1244; G. WILPERT, *Le pitture...,* pl. 56).

galliculas multiformes. Voir *supra* 10, 2. Le grec traduit dans les deux cas par ποικίλα, alors que les sandales et la tunique du laniste ne sont pas forcément identiques à celles du diacre Pomponius. Celles-ci sont plus riches, comme l'étaient celles des magistrats ou certaines chaussures à usage liturgique.

uirgam. Attribut classique du laniste; il servait à calmer l'ardeur des combattants. L'image se double du symbolisme biblique de la verge de Dieu, instrument du châtiment [*Prov.* 10, 13; 22, 15; *Ps.* 2, 9... Voir M. DULAEY, «Le symbole de la baguette dans l'art paléochrétien», *REAug* 19 (1973), p. 3-38].

lanista. Le mot désigne, non seulement le maître des gladiateurs, mais aussi l'arbitre du combat, chargé d'opposer les adversaires les uns aux autres [CIC., *Phil.* 13, 40; TITE-LIVE 35, 33, 6 et G. VILLE, «Les jeux de gladiateurs dans l'Empire chrétien», dans *MEFR* 72 (1960), p. 273-335]. Le grec propose une double traduction, «comme un arbitre ou un maître de gladiateurs» βραβευτής ἢ προστάτης. L. ROBERT («Une vision de Perpétue...») croit pouvoir en conclure à la spécificité originale du texte grec. De fait, le προστάτης ou ἐπιστάτης τῶν μονομάχων est présenté comme le synonyme de *lanista* dans le *LSJ.* TERT., *Mart.* 3, 3-4, qualifie Dieu d'*agonothetes* et le Christ d'*epistates.* J. ARONEN a souligné l'identité de cette imagerie agonistique avec le songe de Perpétue («Pythia Carthaginis o imaginis cristiane nella visione di Perpetua?» dans *Africa romana, Atti del VI° Convegno di Studio,* Sassari 1989, p. 643-648).

ramum uiridem. C'est la récompense des athlètes depuis Pindare; le grec choisit le pluriel. Ici encore, Perpétue peut se souvenir d'une scène vécue: sur une mosaïque d'El Djem, un personnage, vêtu de la tunique à bandes, tient d'une main un caducée, de l'autre un bouquet fleuri (A. Grabar, *Christian ico-nography,* Princeton 1968, fig. 37). L'association de la baguette et d'une branche portant des fruits avait lieu également dans les processions grecques (cf. J.M. de Waele, *The magic staff of rod in Graeco-Italian antiquity,* Gand 1927, p. 110 s.)

mala aurea. En latin, comme en grec, l'expression peut désigner des «oranges» (Sophocle, *Trach.* 1100). Mais le terme *aureus* a souvent une valeur magique, riche du mythe du jardin des Hespérides (cf. Virgile, *Aen.* 4, 242 et le rameau d'or de la Sibylle). Il peut y avoir aussi en ce passage un souvenir du *Pasteur d'Hermas,* Sim., 105 (28), qui décrit la montagne aux arbres fruitiers qui est celle des confesseurs. Pour L. Robert, «Une vision de Perpétue...», ces pommes sont le prix attribué aux *Pythia.* On ne saurait cependant nier leur symbolisme para-disiaque, qui développe celui du «rameau vert». La pomme, ou orange, se trouve au carrefour de bien des symbolismes et les fruits d'or sont ceux de l'Arbre de Vie, qui se dresse au centre du paradis (*I Hénoch* 25; Jérôme; *In Zach.* 3, 14, pour qui l'Arbre de Vie est un citronnier).

9. **gladio.** C'était l'une des armes fichées sur les montants de l'échelle (voir *supra* 4, 3). C'est un *omen* prémonitoire : la mort par le glaive passait pour la mort la plus douce (B. de Gaiffier, *Recherches d'hagiographie latine,* Bruxelles 1971, p. 120). Curieu-sement, le grec donne μαχαίρᾳ.

10. **ad inuicem.** Voir *supra* 7, 6.

mittere pugnos. Expression familière, sans doute consacrée, qui évoque le pugilat, rétabli par Domitien (Martial 8, 80). De fait, il s'agit plutôt, selon L. Robert, du mélange de lutte et de pugilat qui constitue le pancrace, où tous les coups sont permis. Le grec donne le terme technique παγκρατιάζειν. C'était, semble-t-il, un type de lutte déjà pratiqué par Pison (*Laus Pis.* 183-85). L. Robert voit dans ce combat l'argument majeur prouvant que le texte grec est «le récit même de la main de Perpétue».

pedes adprehendere uolebat. Tactique de lutte (cf. Ovide, *Met.* 9, 42-45). Mais ce qui importe ici, c'est qu'il s'agit de la tactique insidieuse, propre au démon, visant à provoquer la chute. Ses victimes sont les *lapsi* (Tert., *Pall.* 3, 4, 1 et

Spect. 18, 3 : «L'art de la palestre est l'affaire du diable... Le geste même du lutteur a le caractère du serpent... lorsqu'il glisse des mains pour s'échapper.»).

calcibus faciem caedebam. Autre tactique de lutte (TERT., *Spect.* 18, 2). L'allitération en c est une recherche de style. Comme la précédente, cette tactique a une valeur symbolique ; elle illustre le *calcaui illi caput* du premier songe (4, 7). Ces reprises de termes sont absentes de la version grecque.

sublata sum in aere. Détail qui relève de la typologie onirique des rêves de vol ; à lui seul, il suggère que le combat n'est pas uniquement constitué de souvenirs vécus. Cette lévitation a aussi un caractère spirituel. Elle deviendra l'apanage des saints moines et a parfois des contrefaçons diaboliques. On en trouve trace chez EUSÈBE (*HE* V, 6, 14), où Théodote, entré en extase, est soulevé de terre et emporté vers les cieux, avant de retomber misérablement. La lévitation était aussi un des traits du montanisme.

caedere – non calcans. Voir *supra* 10, 10 ; nouvelle reprise de termes que le grec ne reflète pas (λακτίσμασιν ... πατοῦσα). Sur *quasi* et le participe, voir *supra* 7, 7.

moram fieri. Style parlé ; le grec est plus littéraire : (voyant) «que je n'en venais pas encore à bout».

iunxi manus. Pour donner plus de force à la pression ; c'est encore une tactique de lutte (OVIDE, *Met.* 9, 59-60 : «J'étais haletant ; il me serre de plus près, m'empêche de reprendre mes forces et me saisit à la gorge.»). C'est aussi un geste d'exorcisme, dont le rite apparaît dans le cérémonial du baptême (cf. *DS* 4², c. 2001 s.).

calcaui illi caput. Reprise de 4, 7, qui confirme que l'image du *draco* et celle de l'Égyptien sont bien interchangeables.

coepit. Les emplois fréquents de ce verbe par Perpétue correspondent souvent à des parfaits inchoatifs.

psallere. Le verbe a deux sens : «chanter», avec accompagnement de cithare (HORACE, *Carm.* 4, 13, 7), mais aussi, au sens chrétien, chanter des psaumes ou des hymnes (*I Cor.* 14, 15 ; TERT., *Ieiu.* 13 ; AUG., *Psalm.* 67, 5). Ce dernier sens convient à la nature angélique des *fauisores* de Perpétue. Le grec ne sauvegarde pas l'image et se contente de ἐγαυρίων.

13. osculatus est. Souvenir liturgique du baiser de paix (voir 12, 5).

portam Sanauiuariam. Le nom de cette porte n'est mentionné que dans la *Passion;* il peut s'agir d'une des portes de l'arène de Carthage par où passaient, vivants, les vainqueurs et ceux que les fauves avaient épargnés. L'autre porte, attestée dans LAMPRIDE, *Comm.*, 16, 7, était la *porta Libitinensis,* ou porte de la mort, par laquelle on traînait les cadavres. Une fois de plus, Perpétue déchiffre dans ses souvenirs une signification symbolique. La *porta Sanauiuaria* devient la porte de la Vie éternelle.

14. experta. Voir *supra* 4, 10.

15. usque in. Renchérissement de style oral.

egi. Sens courant de « faire » ou plus technique (Bastiaensen) de « rédiger un compte rendu », sens choisi par le grec ἔγραψα.

XI

1. benedictus. Voir *supra* 3, 7. L'épithète est courante, mais elle est souvent l'apanage des martyrs (TERT., *Praes.*, 30; *Mart.* 1,1; CYPRIEN, *Ep.* 10,11).

uisionem. Le terme grec qui lui correspond ici, ὀπτασία, n'est pas spécifique du songe inspiré. On attendrait plutôt ὄραμα. (Voir *supra* 10, 1).

edidit. *Edere* a pris en latin tardif un sens voisin de *narrare* (*TLL* 5², c. 89), mais ici le sens étymologique de « produire au jour » demeure latent. Sur la rédaction grecque de cette vision, thèse de Fridh, voir Introd., p. 54.

2. passi eramus. Le combat des martyrs est participation à la passion du Christ. Cf. 4,10 : « passionem esse futuram », révélation dont Perpétue a fait part à Saturus.

exiuimus de carne. Cf. CIC., *Lael.* 15 : « exire de uita ». Périphrase inspirée de la catéchèse, qui contraste avec la simplicité du style de Perpétue; elle est courante. (*Pass. Mont.* 3; CYPRIEN,

Mort. 19). Dans la Vulgate et dans le style patristique, la chair est communément l'image de la vie terrestre, faite de souffrances et de défaillances (*Hébr.* 5, 7 : «in diebus carnis suae»).

coepimus. Même périphrase que dans le style de Perpétue (*supra* 10, 11).

ferri a quattuor angelis. J.A. ROBINSON (*The Passion...*, p. 27) voit dans ce passage un souvenir de la première vision du *Pasteur d'Hermas*. De fait, la fonction psychopompe des anges est courante (cf. J. DANIÉLOU, *Les anges et leur mission,* Paris 1953, p. 52 s.). L'origine de cette image paraît à la fois scripturaire et iconographique. Elle est le reflet de *Lc* 16, 19, où le pauvre Lazare est «emporté par les anges dans le sein d'Abraham», passage constamment commenté et utilisé métaphoriquement, de TERTULLIEN au IVe siècle (cf *Cult.* 2, 13, 6, où «des anges porteurs sont attendus», «angeli baiuli sustinentur»). Par ailleurs, sur les sarcophages du IIIe siècle, le cartouche du défunt paraît souvent emporté par des victoires ailées (E. GERKE, *La fin de l'art antique,* Paris 1973, p. 14 s.). Un cortège de génies accompagne également les apothéoses des empereurs. Dans un contexte païen aussi bien que judaïque, ce sont parfois les vents qui emportent les âmes (*I Hénoch* 14, 8; *II Baruch* 46, 7; éd. R.H. Charles).

in orientem. Le *paradis* se situe mythiquement au levant (*Gen.* 2, 8) dans toutes les versions bibliques précédant la Vulgate.

non tangebant. C'est l'attitude des victoires dans les apothéoses (*supra*). Le détail est symbolique : le soutien des anges est immatériel et ils ne forment qu'un cortège de gloire; les martyrs opèrent par eux-mêmes leur ascension.

non supini sursum uersi. En aucune façon comme un cadavre. A. GRABAR (*Martyrium,* Paris 1946, p. 14) mentionne une fresque égyptienne, qu'il date du IIIe ou IVe siècle, représentant l'ascension de Thècle : Thècle apparaît dans la même attitude, volant, les genoux pliés et les bras tendus vers le ciel étoilé.

liberato primo mundo. *Liberare* a le sens de «franchir» dès PÉTRONE, *Sat.* 136; FRONTIN, *Strat.* 1, 5. Les cercles planétaires des philosophies païennes sont reflétés dans les Apocalypses

apocryphes par la mention de cieux multiples, trois ou sept
(voir P.I. DE VUIPPENS, *Le paradis terrestre au troisième ciel,* Paris
1925). Ici, l'ascension paraît se référer à la conception, reprise
par Tertullien, qui prolongeait le monde terrestre jusqu'à la
limite de l'atmosphère : la zone atmosphérique constituait donc
le «premier monde». Plus loin commençait le monde de l'éther
et celui de l'au-delà. La *Passio Montani* (7) situe aussi le paradis
«extra mundum» (voir *Apoc. Petr.* 15 et J. DANIÉLOU, «Terre
et paradis chez les Pères de l'Église», *Eranos Jb* 22, 1953, p. 433-
472).

lucem immensam. Lumière du monde de l'éther qui est celle
du paradis. Dans le songe de Montanus (*Pass. Mont.* 11), le
martyr arrive en un lieu «tout blanc de lumière» (cf. ici la
version grecque λαμπρότατον). La lumière est l'élément spirituel
par excellence.

5. **spatium grande.** Cf. 4, 8 *(spatium immensum horti).* Sur l'adjectif *grandis,* voir *supra* 4, 8.

   tale... quasi. Variante, de type oral, de *tale... quale.*

   uiridiarium. Lieu planté d'arbres et d'arbustes verdoyants, à la
manière des grands parcs à la mode sous l'Empire (PLINE 8, 7;
SUÉTONE, *Tib.* 60). La description du paradis-jardin sera plus
élaborée dans la vision de la *Passio Mariani* (6, 11) : «Un lieu
charmant couvert de prairies, garni de la riante frondaison
d'arbres verdoyants, ombragé par des cyprès qui s'élevaient très
haut.» Le *uiridiarium* servait parfois de parc à gibier.

   arbores habens rosae. Cette leçon du ms. *A,* étayée par le
grec ῥόδου δένδρα, évoque des rosiers arbustifs. La rose était
la fleur funéraire des *Rosalia,* mais elle était surtout la reine
des fleurs, chantée dans les courts poèmes attribués à FLORUS
(*Poet. Lat. min.,* éd. W. Duff, X-XV).

   omne genus flores. Cette leçon de *A** a été corrigée en *floris*
dans les mss *A B C* ou en *florum* dans *D E.* Mais l'accusatif
de relation au neutre est parfaitement syntaxique. Saturus évoque
le *locus amoenus* traditionnel, sans s'attarder à la description
des fleurs.

6. **in modum cypressi.** Le cyprès est l'arbre funéraire par excellence : il est consacré à Dis et placé devant les maisons en

signe de deuil. Le paradis de Marien renferme des cyprès, mais Saturus ne le dit pas aussi nettement; il ne s'en sert que comme référence terrestre *(in modum)*; en effet, depuis l'Empire, la mode les a introduits dans les parcs, surtout au pourtour de la propriété. Bastiaensen comprend que ces «arbres» sont les rosiers ci-dessus mentionnés, ce qui paraît peu probable.

canebant. Si l'on conserve la leçon *cadebant*, c'est sans doute le seul passage de la *Passion* où la version grecque s'avère supérieure; κατεφέρετο peut en effet se comprendre ainsi : «(les feuilles) s'inclinaient (sans cesse)», en signe d'acclamation. De tels arbres sont mentionnés dans l'*Apocalypse de Paul* (24), mais ils s'inclinent pour faire pénitence. En revanche, la «chute» des feuilles – où des pétales – peut suggérer la φυλλοβολία, mentionnée par CLÉMENT D'ALEXANDRIE (*Paid.* 2, 8), coutume consistant à honorer le vainqueur d'une pluie de feuilles. Mais cette coutume n'est guère attestée à Rome. De plus, dans la Bible (*Is.* 64, 6), la chute des feuilles est une image de désolation. Le printemps éternel est au contraire l'apanage du paradis (CYPRIEN, *Carm.* 6, 227 : «nulla cadunt folia, nullus flos tempore defit»). Le passage est sans doute corrompu et la correction *canebant* qu'en proposait Robinson (*The Passion...*, p. 37-38) est littérairement séduisante. Robinson s'appuyait sur un passage de la *Vie de Barlaam et de Josaphat* (PG 96, 1149 C). A. FRIDH (*Le problème de la Passion...*, cite aussi MARIUS VICTOR, *Aleth.* 1, 245-251, mais ne se prononce pas sur le texte. Les feuilles mélodieuses appartiennent au *locus amoenus* de la poésie païenne, par exemple les *uirgulta sonantia* qui se trouvent à la porte des Champs-Élysées de VIRGILE (*Aen.* 6, 704; voir aussi TIBÉRIEN 1, 15-18). Par ailleurs, l'expression *sine cessatione* sera reprise plus loin à propos d'une hymne (12, 2).

alii quattuor angeli. Reflet des quatre animaux ou des quatre anges d'*Apoc.* 4, 9; 7; 1. Ce sont les anges dont la mission est de rendre grâce à Dieu au paradis (cf. J. DANIÉLOU, *Les anges et leur mission,* Paris 1953, p. 52 s.). *Ceteris* renvoie aux anges psychopompes. La version grecque comprend qu'il s'agit toujours des mêmes anges (ὑφ' ὧν ἐφερόμεθα), ce qui met le comparatif ἀλλήλων ἐνδοξότεροι en porte à faux; l'adjectif ἔνδοξος, «glorieux», paraît représenter un faux-sens de traduction du latin *clarus,* qui signifie en latin tardif, non pas «illustre», mais simplement «beau», «brillant» (cf. Grégoire le Grand, *Dial.* 2, 37). Le texte latin suggère une hiérarchie des anges, conforme à l'*Apocalypse* de Jean. Le texte grec comporte ensuite une lacune.

honorem dederunt. La phrase manque dans le texte grec; pourtant il s'agit bien d'un trait digne du caractère de Saturus.

ecce sunt. Exclamation emphatique, souvenir possible du psalmiste, par exemple *Ps.* 39, 8, où le maître de chant proclame son obéissance au Seigneur. Le passage manque en grec. Sur l'opinion de Fridh, voir Introd., p. 57, n. 3.

expauescentes comporte une nuance de respect ou d'émotion. Le contexte latin paraît en faire un nominatif qualifiant les anges; le grec le comprend comme un accusatif et suit la leçon des mss *B C* («expauescentes cum admiratione»): «nous étions saisis d'effroi et d'admiration lorsqu'ils nous déposèrent...».

8. stadium. On pourrait donner à ce terme son sens de mesure, «nous parcourûmes un stade», soit 187,5 m, si Tertullien n'employait ce mot pour désigner le parc d'une maison particulière, et son avenue: *Cor.* 4, 3 («Suzannam... in stadio mariti... deambulasse»); *Mart.* 2, 9 («stadia opaca»). Ce sens ne semble pas être exactement celui du grec στάδιον, terme qui plus haut (§5) correspondait au latin *spatium.*

uia lata. Passage contesté. La leçon de *A uiolata* a séduit J. Robinson, qui la corrige en *uiolatum,* alors qu'il suffirait de comprendre: «nous traversâmes des lieux fleuris de violettes jusqu'à un espace découvert» (*ad stadium:* leçon de *E*). Cette notation rappellerait *omne genus flores* (*supra* 11, 5). La leçon *uia lata* des manuscrits *B C* est moins poétique, mais elle définit le *stadium,* la «promenade» du parc, comme une «large avenue» qui mène au palais. Une fois encore on trouve une consonance chez Tertullien (*Mart.* 2, 9: «illam uiam quae ad Deum ducit», opposée aux «stadia opaca aut porticus longas»). En dépit de A. Fridh, le traducteur grec a fait manifestement un faux-sens sur *lata,* devenu participe de *fero,* ce qui donne littéralement ὁδὸν λαβόντες, «ayant pris le chemin», leçon que certains éditeurs ont essayé de corriger en ἀναλαβόντες (Har.; Geb.).

9. **Saturninus.** Le grec donne Σάτυρον, ce qui ne peut être qu'un lapsus, mais qui est aussi la leçon des manuscrits *B* et *D*.

uiui arserunt. La loi 28 sur les châtiments (*Dig.*, 48, 19, 28) considérait la mort par le feu comme le pire des supplices; il était en principe réservé aux petites gens : «on brûle en général les esclaves, parfois même des plébéiens de condition libre et des petites gens.» A cela se joignait la croyance que la mort par le feu, ou par l'eau, abolissait toute survie et interdisait donc à l'âme des suppliciés de «revenir» se venger des vivants. Toutes raisons valables pour que le supplice du feu soit très souvent l'apanage des chrétiens : c'est la mort de Polycarpe (*Mart. Pol.* 12, 3); Tert., *Scap.* 4, 8, constate que cette mort n'est même pas celle des sacrilèges et des ennemis publics. Les deux relatives pourraient être des incises de la main du rédacteur. Le grec écrit, étrangement, κρεμασθέντας, «suspendus (au poteau de torture)»; le procédé est certes courant (*Mart. Pol.* 14, 1; *Acta Carp.* 23; *Mart. Theodot.* 26), et la description détaillée en est faite dans la *Passio Mariani et Iacobi* (5). Après cette torture, les martyrs étaient généralement brûlés vifs (la précision ζῶντας est inutile). On peut donc penser que le manuscrit traduit par le rédacteur grec portait cette mention de la «suspension», ou, simplement que le traducteur grec, qui s'attendait à cette forme de supplice, a opéré une confusion phonétique avec le latin *cremati sunt;* le verbe *cremare* est le terme consacré (*supra : Dig.*). Voir *supra* 8, 1 *(neruo)* et Introd., p. 60.

exierat. Forme abrégée de l'expression *exire de uita* ou *de carne* (*supra* 11, 2). Les morts en prison n'étaient pas rares, en raison des conditions d'incarcération et des brutalités des gardiens.

illis... ceteri. Leçon de *B C E; illis* renvoie aux anges; *ceteri* désigne les autres martyrs morts lors de la même persécution. Ils ne sont pas mentionnés. Aussi, plusieurs éditeurs ont-ils suivi la leçon de *A,* qui ponctue différemment : «Tous les anges nous dirent...» Un nom de ces autres martyrs figure peut-être sur une inscription (voir Introd., p. 26).

introite. Le verbe est plus rare qu'*intrare,* mais il appartient au vocabulaire des *Psaumes* (5, 8; 65, 13; 99, 2 : «introite in conspectu eius») et à celui de la liturgie, proche de l'*introitus.*

Aucune mention de ce style dans le grec : Δεῦτε πρῶτον ἔσω. En latin, les homophonies des impératifs peuvent évoquer un souvenir hymnologique.

XII

1. **cuius loci.** Ce tour, avec reprise de l'antécédent dans la relative, est aussi un trait de style oral (cf. E. LÖFSTEDT, *Philologischer Kommentar zur Perigrinatio Aetheriae*, Upsala-Leipzig 1911, p. 81 s.).

tales... quasi. Sur ce tour, voir *supra* 11, 5.

de luce aedificati. Le thème du palais merveilleux, fait de lumière, appartient à l'imagerie antique (le palais solaire d'Ovide et le palais de l'Amour d'APULÉE, *Met.* 9, 1). Mais ici, à partir de la description du palais divin, les images sont imprégnées du souvenir de l'*Apocalypse* de Jean, de la «mer transparente comme du cristal», d'*Apoc.* 4, 6, auquel il faut joindre sans doute le souvenir de la maison «dont les murs étaient comme une mosaïque de cristal», du *Livre d'Hénoch* 14, 5, 24 (éd. R.H. Charles).

angeli quattuor. Anges portiers. Pour le texte grec, il s'agit toujours des quatre anges initiaux.

introeuntes uestierunt. Texte incertain (*D* et *E* ajoutent *nos* après *uestierunt*), mais nous pensons (avec E. RUPPRECHT, «Bemerkungen...», p. 188) qu'on ne peut comprendre, comme le grec, que ce sont les anges qui entrent, avant les martyrs qu'ils accueillaient devant la porte.

uestierunt stolas candidas. Perpétue construit aussi *uestire* avec un double accusatif, comme dans tout le latin tardif et populaire (*supra* 10, 2). Ces robes blanches, indispensables pour entrer au paradis (cf. *supra* 4, 8 : *candidati*), sont les vêtements de «ceux qui viennent de la grande épreuve» et «ont lavé leurs robes et les ont blanchies dans le sang de l'Agneau» (*Apoc.* 7, 14).

2. **uocem unitam.** Ensemble formé d'une réunion de voix chantant en chœur.

agios, agios, agios. Reflet d'*Apoc.* 4, 8 (reprenant *Is.* 6, 3), où l'invocation est chantée par «les quatre vivants qui ne cessent de répéter jour et nuit...» Sur la formule *sine cessatione,* voir *supra* 11, 6. Voir aussi les chants de triomphe au ciel d'*Apoc.* 18, 19. L'invocation, conservée en grec dans le texte latin, correspond au mélange de grec et de latin dans la liturgie et le rituel, plus accentué encore dans les premiers temps de l'Église (cf. L. DUCHESNE, *Origines du culte chrétien,* Paris 1925, p. 182, et la liturgie gallo-romaine : *PL* 72, 91).

quasi hominem canum... iuuenili. Souvenir d'*Apoc.* 1, 13-14 («comme un Fils d'homme...»), d'après *Dan.* 7, 9; souvenir aussi de la vision de Perpétue (*supra* 4, 8 : «in medio sedentem hominem canum»). Les ressemblances stylistiques sont évidentes, mais la vision de Saturus est plus proche de l'*Apocalypse :* «Sa tête, avec ses cheveux blancs, est comme la neige blanche», image de la gloire céleste pour VICTORIN DE POETOVIO, *In Apoc.* 1, 14. Saturus note le contraste entre ces cheveux blancs et le visage juvénile du Christ; c'est en effet le Christ *iuuenis* qui est généralement représenté dans l'iconographie. Ce contraste symbolise l'intemporalité du Christ, symbole de la sagesse, qui a tous les âges, comme, apparemment, sur le sarcophage aux trois Pasteurs du musée du Latran (A. GRABAR, *Christian iconography,* Princeton 1968, fig. 19). Sur la figure du jeune sage, voir C. GNILKA, *Aetas spiritalis, Die Überwindung der natürlichen Altersstufen als Ideal frühchristlichen Lebens,* Bonn 1972.

cuius pedes non uidimus. Le détail peut être d'origine iconographique, mais il exprime surtout le caractère surhumain de l'apparition, comme celle du juge dont la taille dépasse celle de l'amphithéâtre (10, 8).

seniores quattuor. Autre souvenir des quatre vivants qui entourent le trône de l'Agneau et des vingt quatre vieillards qui les accompagnent (*Apoc.* 4, 1-8).

quattuor angeli sont-ce de nouveaux anges (voir *supra* 12, 1)? Pour le grec, se sont toujours les mêmes.

de manu sua traiecit nobis in faciem. Passage difficile (voir Introd., p. 63, n. 2). *De* au sens instrumental est un trait de syntaxe tardive. La signification du geste est discutée par A. FRIDH (*Le problème...,* p. 73), qui conclut pour le texte grec à une

caresse paternelle, sans préciser le sens d'«envelopper» de περι-
λαμβάνω; il évoque des gestes analogues chez APULÉE, *Met.* 6, 22,
et SUÉTONE, *Galb.* 4, 2. Mais il est difficile d'admettre que *traiecit*
représente la corruption d'un traducteur latin qui aurait lu
περιέβαλεν; le verbe *traiecit* est la traduction, en un style familier
et peut-être africain, de «Il essuiera toute larme de ses yeux»
(*Apoc.* 7, 7). *Traiicere* s'emploie pour exprimer le passage d'un
endroit à un autre (TITE-LIVE 28, 36, 1; 30, 10, 5), soit ici : «Il
nous effleura le visage». C'est un geste d'accueil et de bénédiction. De même, CYPRIEN (*Ep.* 37, 3) évoque le baiser donné
au Seigneur et sa joie d'accueillir les martyrs : «Heureux... ceux
qui ont accédé à l'étreinte et aux baisers du Seigneur, lui-même
tout de joie.»

6. stemus. Injonction liturgique qui précède la prière et qui est
traduite en grec par : Σταθῶμεν καὶ προσευξώμεθα. La version
latine est plus complète, puisque avec «pacem fecimus», elle
signale le baiser de paix qui clôt la prière avant le renvoi,
«ite». Sur cette coutume d'achever la prière par un baiser de
paix, voir JUSTIN, *Apol.* 1, 65, 2 : ἀλλήλους φιλήματι ἀσπαζόμεθα
παυσάμενοι τῶν εὐχῶν; ORIGÈNE, *In Ep. ad Rom.* 10, 33. La
présentation au Seigneur est imaginée comme une liturgie de
prière.

ite. Renvoi qui clôt la liturgie.

ludite. Le terme est plus riche que le grec χαίρεσθε. C'est un
des rares passages où l'on peut songer à un souvenir précis
du *Pasteur d'Hermas* : les «jeux» d'Hermas avec les jeunes filles
au pied de la tour (Vis. 3, 6). De fait, le terme *ludere* désigne
souvent les jeux et les danses de l'au-delà (TIBULLE 1, 3, 59-
65) : «ac iuuenum series teneris inmixta puellis/ludit»); les
«jeux» sont aussi les occupations des divinités dans leur *locus
amoenus* (REPOSIANUS, *Conc. Mart. Ven.* 66). Surtout, dans la
Vulgate, le terme *ludere* exprime l'exaltation de l'âme, débarrassée de ses besoins matériels (*Prou.*, 8, 30-31). On ne peut
donc s'associer à A. Fridh qui, voulant plier ce verbe à sa
démonstration, écrit : «On peut à la rigueur comprendre que
cette curieuse expression a échappé à la plume d'un traducteur
qui cherchait à grand'peine un mot pour rendre le sens de
l'original grec» (*Le problème de la Passion...*, p. 75).

habes quod uis. Cf. «percepimus promissionem» (11, 4).

Deo gratias. Formule biblique (*I Cor.* 15, 57; *II Cor.* 2, 14). Elle est déjà commune dans les célébrations du temps (TERT., *Pat.* 14).

ut. Emploi causal en lieu et place de *quod*: voir A. FRIDH, «L'emploi causal de la conjonction *ut* en latin tardif», dans *Studia graeca et latina Gothoburgensia* 35 (1977), p. 42 s.

hilaris. Sur les connotations spirituelles de cet adjectif, voir *supra* 6, 6. Le grec μετὰ χαρᾶς est plus banal.

modo. Proche de *nunc* (voir *infra* 15, 5 et *TLL* 8, c. 1308).

XIII

Optatum. Évêque de Carthage, contemporain de Tertullien (voir P. MONCEAUX, *Histoire littéraire...*, t. 1, p. 19). Il n'en est pas fait mention en dehors de la *Passion*.

Aspasium presbyterum doctorem. Le titre est inférieur à celui d'*episcopus*. Le presbytre est le chef d'une petite communauté (TERT., *Praes* 41; *Paen.* 9). Le titre de *doctor* – qui manque en grec – précise qu'il s'agit du prêtre chargé d'enseigner le dogme, particulièrement aux catéchumènes (TERT., *Paen.* 3; CYPRIEN, *Ep.* 24; 29; 73, 3). Les deux personnages ont donc des charges différentes : l'un a celle de diriger la communauté, l'autre de l'instruire. Bastiaensen y voit un «collègue» de Saturus. Mais l'ironie que ce dernier manifeste à l'égard de la hiérarchie ne suggère pas qu'il soit lui-même un *presbyter doctor*.

separatos et tristes. N'étant pas martyrs, ils sont exclus du paradis et doivent rester à l'écart sans avoir droit à la béatitude (Voir le songe de Dinocrate). Ils sont, de plus, éloignés l'un de l'autre, image de leur désaccord.

miserunt se ad pedes. L'opposition que l'on perçoit à l'égard de la hiérarchie peut passer pour une trace de montanisme; mais elle est surtout révélatrice de l'orgueil de Saturus. Cyprien lui-même devra lutter contre l'outrecuidance des confesseurs et leur rappeler une stricte soumission à l'Église.

existis. Voir *supra* 11, 9 et *infra* 14, 2.

3. non. L'interrogation, familière, réside dans le ton.

papa. Titre d'honneur, attribué d'abord aux évêques, avant d'être attribué au pape. Cyprien porte encore le titre de *papa* (*Acta Cypr.* 3). C'est aussi un mot du langage familier, parfois employé ironiquement (TERT., *Pud.*, 13). Cette nuance est latente ici : Saturus savoure son triomphe.

ut n'a pas ici le sens final, correspondant au grec ἵνα ; il s'agit plutôt d'un tour exclamatif, « est-il admissible que », accompagné d'un subjonctif de protestation qui relève du style familier (PLAUTE, *Pers.* 132 ; CIC., *Cat.* 1, 22 : « te ut ulla res frangat ! »).

4. graece. Sur le bilinguisme de Perpétue, voir Introd., p. 30. L'emploi du grec in paradis peut avoir également une valeur philosophique et religieuse : la connaissance biblique passe essentiellement par le grec, qui demeure la langue officielle du clergé (cf. TERT. *Mon.* 11,11) ; il a sa place dans la liturgie (voir *supra* 12, 2 : le triple *agios,* et aussi J. DEN BOEFT et J. BREMMER, « *Notiunculae martyrologicae* 2 », p. 37.

sub arbore rosae. Le paradis est conçu à l'image des écoles philosophiques, où les entretiens avaient souvent lieu dans des jardins.

5. refrigerent. Sur les connotations de ce terme, voir *supra* 3, 4. Il s'agit ici du *refrigerium* paradisiaque. Le grec ἀναψύξαι « se remettre » est bien faible.

dissensiones. Allusion aux problèmes de la jeune Église de Carthage, déjà divisée par les hérésies et par le montanisme (voir P. MONCEAUX, *Histoire littéraire...*, t. 1, p. 27, et M. MESLIN, *Le christianisme dans l'Empire romain,* Paris 1964, p. 50 s.). Les contestations mineures ne manquaient pas, par exemple sur la date du jour de Pâques.

inuicem. Voir *supra* 7, 6.

6. conturbauerunt. Le verbe latin signifie « jeter le trouble », le grec ἐπέπληξαν est plus fort, « ils les réprimandèrent », ce qui accentue encore le sentiment de supériorité qui se révèle chez Saturus.

de circo – certantes. Reproche mordant qui ne peut manquer d'évoquer le *De spectaculis* de TERTULLIEN et la scène d'hystérie qui marque le départ des courses (16, 1). Les courses de chars sont particulièrement populaires, en Orient comme en Occident, et elles donnent lieu à des paris, où les partisans des diverses équipes s'affrontent. Les *factiones* sont d'abord au nombre de quatre, les bleus, les rouges, les verts et les blancs; Domitien a ajouté les jaunes et les violets. Cette image est perdue en grec. Le reproche fait à l'évêque de ne pas veiller aux dissensions à l'intérieur de la communauté reflète exactement *I Cor.* 1, 10-15, où l'Apôtre rappelle qu'il n'y a pas de choix à faire entre lui et Pierre et que seule compte l'unité du Christ.

quasi uellent claudere portas. L'expression est imprécise en latin comme en grec. Il n'est pas dit explicitement que les anges mettent l'évêque et le prêtre à la porte du paradis, mais ils font sans doute le geste de fermer les portes. Ils évoquent les chérubins qui gardent la porte du jardin d'Éden (*Gen.* 3, 23; passage commenté par TERT., *An.* 55, 4). Sur le tour *sic... quasi,* voir *supra* 11, 5 et 12, 3.

et martyras. C'est le passage auquel se réfère manifestement TERTULLIEN et qu'il attribue à Perpétue, dans *An.* 55, 4: «Quomodo Perpetua, fortissima martyr, sub die passionis in reuelatione paradisi solos commartyres suos uidit» (voir Introd., p. 68). Le passage répond à l'image des âmes placées sous l'autel et qui sont celles de ceux qui furent égorgés pour la parole de Dieu, dans *Apoc.* 6, 8.

inenarrabili odore satiabat. Réalisation de la promesse de l'*Apocalypse* (7, 16): «ils n'auront plus ni faim ni soif», reprenant *Is.* 49, 10. Mais ce n'est pas une «boisson d'immortalité». Le parfum est par excellence la nourriture du phénix ou celle des âmes (*Phoen.* 15; PRUDENCE, *Ham.* 856-859). La symbolique est ancienne (voir S. LILJA, *The treatments of odours in the poetry of Antiquity,* Helsinki 1972). A ce mythe païen, se joint la symbolique biblique des parfums, signe tangible de la présence divine (cf. LESÊTRE, art. «Parfum», *Dictionnaire de la Bible* 4, c. 2163-2167 et *II Cor.* 2, 14-15; *Éphés.* 5, 2); c'est l'émanation qui s'exhale du corps purifié des martyrs (*Mart. Pol.* 15, 2). Cette «nourriture» de parfum suggère une représentation matérielle, et même aérienne de l'âme, bien proche de celle de Tertullien. Ignorant la référence apocalyptique et le souvenir de Dinocrate, lui aussi *satiatus* (8, 4), le traducteur grec comprend «un parfum qui ne nous rassasiait pas», ἥτις οὐκ ἐχόρταζεν ἡμᾶς.

expertus. Sur la forme, voir l'apparat critique et *supra* 4, 10. La *Passion* hésite entre *expertus* et *experrectus*. Saturus se réveille dans la joie, comme Perpétue.

XIV

1. **insigniores.** L'emploi du comparatif en fonction de superlatif est courant en latin tardif (cf. AMMIEN MARCELLIN, 14, 11, 1). Mais ce comparatif suggère aussi que les martyrs avaient eu d'autres visions de moindre intérêt.

   beatissimorum est, comme *fortissimus,* un titre honorifique accordé aux martyrs (A. BASTIAENSEN, « Le cérémonial épistolaire des chrétiens latins. Origines et premiers développements». *GLCP,* suppl. 2, Nimègue 1964, p. 26-27).

   ipsi conscripserunt. Confirmation de 10, 15 et 11, 1.

2. **exitu – euocauit.** Cette mort avait été aussi celle de Quintus (11, 9). Les mots *exitus* ou *exire (de carne)* ont été employés par Saturus pour désigner la mort (*supra* 11, 2.9; 13, 2); c'est une périphrase courante. Mais la métaphore religieuse du rédacteur, *euocare de saeculo,* n'a pas d'autre exemple dans la *Passion.* Le traducteur grec a senti la référence à *II Thess.* 1, 11 : «que notre Dieu vous rende dignes de son appel», et il traduit : τῆς κλήσεως ἠξιώθη.

   ut bestias lucraretur. *Lucrari,* au sens premier «obtenir un gain», a pris dans la langue latine tardive un sens proche d'*euadere* ou *effugere,* attesté chez Apulée comme chez CYPRIEN (*Mort.* 15; *Ep.* 52, 3 : «euadendae et lucrandae damnationis»; *Ad Fort.* 11 : «nec tanti esse lucrari breuia uitae tormenta») ou AMMIEN MARCELLIN (19, 4, 9). Les emplois en latin chrétien ont été étudiés par R. BRAUN («Nouvelles observations...», p. 110 : *Act.* 27, 21). Ici le grec κερδάνας τὸ μὴ θηριομαχῆσαι développe plutôt le premier sens de *lucrari :* «ayant obtenu de ne pas combattre les bêtes».

3. **gladium agnouit.** Passage controversé. De fait, la mort de Secundulus est mal précisée : succomba-t-il aux brutalités des

soldats, ou fut-il condamné à périr immédiatement, de la mort du citoyen? Sur cette mort, considérée comme la plus douce, voir *supra* 10, 9. A. Bastiaensen, à la suite de P. Vanutelli, donne à *anima* le sens de «vie», par opposition à *caro* ou *corpus*. Le rédacteur grec a senti en ce passage une référence à *Lc* 2, 35 : «toi-même, un glaive te transpercera l'âme», ce qui explique le grec διεξῆλθεν en face du latin *agnouit*.

XV

circa. Dès l'époque impériale, *circa* peut avoir le sens de *de* (Tacite, *Dial.* 3 : «circa Thyestem»).

illi... eiusmodi contigit. Style oral. Le grec ἡ χάρις... ἐδόθη est plus élégant.

uentrem haberet. Expression plus familière que *uentrem ferre* (cf R. Braun, «Nouvelles observations...», p. 110).

praegnans fuerat adprehensa. Plus-que-parfait de style oral et réflexion en incise qui commente le détail précédent; le grec résume simplement les faits : συλληφθεῖσα... γαστέρα.

instante spectaculi die. Détail ignoré du grec.

propter uentrem differretur. Le passage manque en grec, soit par suite d'un modèle lacunaire, soit parce qu'il a été jugé inutile par le traducteur grec.

non licet. La loi est formelle : Ulpien, *Dig.* 2, 3, 48; 19, 3 («Praegnantis mulieris consumendae damnatae poena differatur quoad pariat»).

repraesentari. Le latin choisit l'image du spectacle : *repraesentatio poenae* (cf. Tert., *Pud.* 14, 19) : la scène représentant le supplice d'une femme enceinte serait à la fois illégale et choquante (voir *infra* les réactions du public); le grec énonce simplement une règle de droit (voir la note précédente). La loi remonte aux Égyptiens, avant de passer aux Grecs, puis aux Romains (voir Plutarque, *Ser. num.* 7; Ael., *lib. uar. hist.*, 5, 18); elle avait été à nouveau rédigée par l'empereur Hadrien (*Dig.* l. 18, 1). Le problème a été étudié par J. Quasten («Mutter und Kind in *Der Passio Perpetuae*», dans *Historisches Jahrbuch des Gorres-Gesellschaft* 72, 1953, p. 50 s.).

sceleratos – funderet. Rythme oratoire, scandé par les sonorités *s* et *c*.

sanctum. Adjectif absent de la version grecque, qui accentue pourtant la nuance d'impiété contenue dans *sceleratos,* en traduisant par ἀνοσίων.

3. **conmartyres.** Terme utilisé par TERT. (*An.* 55, 4) et dans la *Passio Montani* 7.

   quasi. Cheville du style de Saturus : voir Introd. p. 75.

4. **unito.** cf *supra* 12,2. (*unitam*).

   orationem fuderunt. Voir *supra* 7, 10 («die et nocte gemens et lacrimans»). L'expression latine comporte une nuance de surabondance (cf. AUG., *Symb.* 1, 4), que ne rend pas la formule grecque προσευχὴν ἐποιήσαντο.

   muneris. Voir *supra* 7, 9. L'expression grecque τοῦ πάθους αὐτῶν, équivalente de *martyrii,* est plus hagiographique.

5. **cum – doleret.** Déconcerté par la densité de la phrase latine, le traducteur grec remplace la subordination par deux phrases coordonnées et explique *pro naturali difficultate octaui mensis* par κατὰ τὴν ὀγδόου μηνὸς φύσιν χαλεπαί. Son embarras se marque aussi par la répétition de μετὰ devant τὸν τοκετόν, leçon rejetée par plusieurs éditeurs.

   cataractariorum. Le sens technique disparaît totalement du grec τῶν παρατηρούντων ὑπηρετῶν, «subordonnés chargés de la surveillance». Le terme *cataracta,* lui-même issu du grec καταράκτης, désigne, au sens propre, des sortes de herses suspendues par des cordes ou des chaînes (TITE-LIVE 27, 28, 10). Les portes des prisons et des cachots relevaient de ce type de fermeture. En latin tardif, le terme *cataracta* peut désigner la prison elle-même : *TLL* 3, c. 596 (citant une Vieille Latine de *Jer.* 20, 2). Mais ici, il peut s'agir, très précisément, d'un des aides chargés de relever les herses des cachots (voir aussi *Passio Mont.* 17).

   modo. Sens temporel (voir *supra* 12, 7).

   cum sacrificare noluisti. On sait que le refus de sacrifier *pro salute imperatoris* «pour le salut de l'Empereur» (cf. *supra* 6, 3) était un crime de droit commun. La version grecque introduit ici une répétition inutile : ὧν κατεφρόνησας... ὅτε... κατεφρόνησας.

alius erit – pro me. Voir *supra* 10, 4 : *conlaboro tecum* (vision de Perpétue). Le style est beaucoup plus ferme en latin que dans la version grecque. Celle-ci paraît représenter un mélange : le tour ἐκεῖ δὲ ἄλλος ἐστὶν ὁ πάσχων pourrait correspondre aux manuscrits *B C :* «est qui pro me patietur», précisé inutilement par ἐν ἐμοὶ ἵνα πάθῃ, proche en revanche de la leçon de *A* et *D*. Cette confiance est aussi celle de Blandine, comme de CYPRIEN (*Ep.* 10, 3 : «Et qui pro nobis mortem semel uicit semper uicit in nobis»). Sur ce thème du martyre comme imitation du Christ, voir H. CROUZEL, «L'imitation et la suite de Dieu et du Christ dans les premiers siècles chrétiens, ainsi que dans leurs sources gréco-romaines et hébraïques», dans *JbAC* 21 (1978), p. 18 s.

passura sum. Engagement personnel de Félicité : «Je suis prête à souffrir». Cette nuance intensive est ignorée par le grec πάσχω. Un sermon attribué à QUODVULTDEUS (*Tract. nat. S. Perp. et Fel.* = *PLS* 3, 306) commente ce passage en citant *Phil.* 1, 29 : «Datum est pro Christo non solum ut credatis in eum, uerum etiam patiamini pro eo» *(sic).*

enixa est. Nuance dramatique justifiée par cette naissance avant terme. Le grec emploie le simple ἔτεκεν.

quaedam soror educauit. Le terme *soror* recouvre vraisemblablement un membre de la communauté chrétienne. En latin, l'allusion ne semble pas avoir de valeur scripturaire. En revanche le grec la dégage : εἰς θυγατέρα ἀνέθρεψεν αὐτῇ, comme dans *Act.* 7, 21 : ἀνεθρέψατο αὐτὸν ἑαυτῇ εἰς υἱόν. La remarque suggère aussi que le temps du récit est quelque peu postérieur aux événements.

XVI

permisit et permittendo uoluit. Antithèse rhétorique qui souligne un passage de style lyrique. Le grec ne reprend pas la figure de style. Sur le pneumatisme de ce passage, atténué en grec, voir L.F. PIZZOLATO, «Note alle *Passio Perpetuae et Felicitatis*». Il est nécessaire en effet de rapporter tous les témoignages de l'Esprit-Saint : outre les visions, il inspire aussi le *mandatum* de la sainte.

ordinem. Déjà employé en ce sens en 2, 3.

indigni. Cette construction de *indignus* est peu courante et surtout chrétienne; pourtant elle existe à date ancienne, semble-t-il, en style familier (PLAUTE, *Miles* 968 : «ad tuam formam dignast»; CIC., *Rep.* 1, 30).

supplementum. «Adjonction», correspond au sens classique de *suppleo* (CIC., *Fam.* 3, 46, «bibliothecam supplere»). Le grec transpose l'excuse plus qu'il ne la traduit : ἀναξίοις οὖσιν.

fideicommissum. Réponse à l'invite de Perpétue (10, 15). C'est un terme juridique qui renforce celui de *mandatum :* il définit en droit la mission consistant à remplacer une personne dans une affaire. Les «fidéicommis» étaient devenus de véritables dispositions testamentaires (voir V. DURUY, *Histoire des Romains,* t. 3, p. 519 et TERT., *Vx.* 1, 1, 3). C'est de plus un appel à l'honneur du mandataire (SUÉTONE, *Claud.* 23). Le mot exprime ici le souci de respecter à la lettre les dernières volontés de la sainte. Ce contexte juridique et moral n'est pas sensible en grec : ὡς ἐντάλματι... ὡς κελεύσματι.

unum adicientes – sublimitate. Le passage manque en grec, mais semble être suppléé dans la phrase suivante : ἡ μεγαλόφρων καὶ ἀνδρεία... Περπετούα.

2. Le texte latin paraît comporter une lacune, à moins que le traducteur grec ne glose, trouvant le récit trop abrupt : «Comme ils avaient passé plusieurs jours dans la prison».

tribunus. Il s'agit du tribun militaire commandant de la prison et, sans doute, de la garnison (AMBROISE, *Ep. ad Eph.* 4, grec : τοῦ χιλιάρχου).

castigatius castigaret. Passage contesté, la leçon de *A* étant peu compréhensible. Le texte grec donne «le tribun les traitant plus durement», ce qui correspond sensiblement à la leçon des manuscrits *B C D,* généralement suivie par les éditeurs. Cette leçon est plus plate que le renchérissement expressif *castigatius castigaret* (cf. 16, 1 : *permittendo permisit*), leçon de *E²*, adoptée par van Beek. Le terme *castigare* recouvre toutes sortes de mauvais traitements, et en particulier la privation de nourriture, comme dans TERT., *Iei.* 1 («de castigatione uictus»).

uanissimorum. *Vanus* est employé en son sens classique de «mensonger», «fourbe» (Cic., *Fin.* 3, 38; *Diu.* 1, 37).

incantationibus magicis. L'accusation de magie était courante contre les chrétiens (cf. Tert., *Apol.* 21, 17; 23, 12; Justin, *Apol.* 1, 30). La confusion était possible : les guérisons miraculeuses opérées par les chrétiens et leur pouvoir exorcisant sur les possédés étaient interprétés comme le résultat d'incantations magiques; les mages opéraient des prodiges analogues en évoquant les démons, comme on le décrit dans la *Passion de Lucien et Marcien* (2). L'incantation magique pouvait être reconnue dans l'adjuration rituelle, «au nom de Jésus-Christ crucifié sous Ponce Pilate», qui précédait toute guérison ou exorcisme (Justin, *II Apol.* 6, 5-6). Tertullien (*Apol.* 23, 15) mentionne différents types d'exorcisme, par contact direct, par l'eau, par le souffle; ce dernier procédé pouvait rappeler une technique magique que l'on exerçait contre les serpents (Lucain, *Phars.* 6, 49).

in faciem. La hardiesse de Perpétue est constamment soulignée dans la *Passion*. Le texte grec l'a qualifiée de μεγαλόφρων καὶ ἀνδρεία.

utique. Renforcement expressif et familier, sans doute courant en Afrique. Tertullien l'emploie fréquemment.

refrigerare. Sur le sens de ce terme, fréquent dans la bouche de Perpétue, voir *supra* 3, 4.

noxiis nobilissimis. Expression antithétique à double sens, pleine d'une ironie mordante. Elle exprime la fierté de la matrone et de la chrétienne, qui n'entend pas être confondue avec de vulgaires criminels : mourir au nom du Christ est le plus noble des griefs. Mais le tribun comprend que les condamnés sont précieux parce qu'ils sont associés au nom de Géta, qui vient de se voir conférer le titre de César et l'appellation de *nobilissimus* (*PW* 17, 1, c. 791). Le grec ὀνομαστοῖς καταδίκοις ne rend pas cette ambiguïté.

natali. Voir *supra* 7, 9 et Introd., p. 20. Il s'agit des jeux célébrés en l'honneur de la naissance de Géta, plutôt que pour commémorer son accession au titre de César (voir T.D. Barnes, dans *JTS* 19 (1968), p. 522-523).

pinguiores. La coutume était de nourrir copieusement ceux qui devaient paraître dans les jeux, afin de leur donner force et courage pour se montrer valeureux devant les bêtes et dans les combats (APULÉE, *Met.* 4, 13; TERT., *Apol.* 42, 5; CYPRIEN, *Ad Don.* 5 : « On rassasie le corps de nourritures plus consistantes pour lui donner de la force et des bourrelets de graisse épaississent la masse robuste des membres, pour que, bien engraissé pour le supplice, il périsse avec plus de prix »). L'insolence de Perpétue s'autorise aussi de l'histoire de Daniel (*Dan.* 1, 1-21), qui devait être présenté en très bon état à Nabuchodonosor.

4. **erubuit.** Traduction faible en grec.

fratribus. Sur le problème de la famille de Perpétue, voir Introd., p. 30.

optione carceris. Il a été déjà fait allusion à son admiration pour les condamnés (*supra* 9, 1). Le récit suit les étapes de la conversion de ce sous-officier, que Saturus confirmera dans sa foi. C'est une autre action de l'Esprit-Saint qui s'exerce à travers les martyrs.

XVII

1. **cenam ultimam... liberam.** Il s'agit du banquet accordé traditionnellement aux gladiateurs et aux condamnés. Ce dernier repas était à la fois copieux et « libre » dans tous les sens du terme. L'adjectif faisait sans doute allusion aux libations en l'honneur de Liber-Bacchus. TERTULLIEN se livre à un jeu de mots analogue : « non in publico Liberalibus discumbo, quod bestiariis supremam cenantibus mos est» (*Apol.* 42, 5). Le grec ἐλεύθερον perd complètement ces sous-entendus.

agapem. Les chrétiens avaient coutume de se réunir autour d'un repas modeste, où l'on admettait même les indigents. Faite à l'image de la Cène, cette célébration se faisait dans la décence et la pureté (voir TERT., *Apol.* 39, 16-17 : « Quod sit de religionis officio, nihil uilitatis, nihil inmodestiae admittit »). Sur les origines de cette institution, voir F.L. CROSS, art. « Agapé », *The Oxford Dictionary of the Christian Church,* Londres 1958, p. 23.

ad populum. Les curieux se pressaient généralement en foule pour assister au dernier repas des condamnés.

comminantes. La conscience aiguë du jugement de Dieu est présente dans tous les premiers textes chrétiens, d'après *Apoc.* 6, 10; 14, 7; (voir TERT., *Orat.* 5, 3; *Scorp.* 12, 9). Le châtiment des persécuteurs deviendra un thème hagiographique. Il sera aussi illustré par Lactance.

inridentes concurrentium curiositatem. Effet d'allitérations en *r* et *t,* qui révèle le souci littéraire du rédacteur.

notate. Encore plus âpre que celle de Perpétue, l'ironie paraît être un trait dominant du caractère de Saturus : cf. 13, 3 (sa remarque aux prêtres). Plus loin, il insultera la foule.

in die illo. Expression volontairement ambiguë : le lendemain dans le cirque, mais aussi au jour du Jugement. Il y a sans doute une allusion à *Zach.* 12, 10-11, prophète de la Parousie, cité par *Jn* 19, 37 et reflété par TERT., *Marc.* 3, 7, 4 : «Tunc et cognoscent eum qui compugerunt...».

multi crediderunt. Motif néotestamentaire (en particulier *Act.* 4, 4); il est rendu plus sensible en grec par la généralisation, peu vraisemblable, πλεῖστοι.

XVIII

illuxit dies. Inversion rhétorique dans le style du Psalmiste (*Ps.* 76, 19 : «illuxerunt coruscationes»). Le style du rédacteur s'adapte à l'enthousiasme des martyrs.

hilares. Sur cet adjectif qui exprime la joie spirituelle, voir *supra* 6, 6.

uultu decori. L'adjectif *decorus* évoque par son étymologie l'idée de modestie et de bienséance chère aux Latins. Le grec φαιδροί, «radieux», développe plutôt ἱλαροί. Dans les deux cas, le passage est très proche d'EUSÈBE, *HE* 5, 135 : οἱ μὲν γὰρ ἱλαροὶ προσῄεσαν, δόξης καὶ χάριτος πολλῆς ταῖς ὄψεσιν αὐτῶν συγκεκραμένης, «Ils s'avancèrent tout joyeux, une grande gloire et une grande grâce se mêlant en leurs yeux.»

lucido uultu et placido incessu. Le ms. *A* donnant *lucido* *incessu* et le manuscrit *E placido incessu,* van Beek corrige, de façon vraisemblable, en *lucido uultu et placido incessu;* cette dernière leçon est reflétée par le grec πρᾴως βαδίζουσα, qui ignore, comme *E,* l'allusion au visage. Cependant, celle-ci complète la figure rhétorique qui reprend en chiasme les notations précédentes : *processerunt... uultu decori.*

matrona Christi. L'expression est généralement traduite par l'«épouse de Christ», par référence à TERT., *Vx.* 1, 4 : «maluit enim deo nubere» (voir aussi AUG., *Serm.* 213, 77). De fait, il y a ici un jeu de mots : le terme se réfère aussi au rang social de Perpétue, «matronaliter nupta» (*supra* 2, 1), qui lui confère de l'assurance (voir *infra,* «uigore oculorum»). De «dame» terrestre, elle est devenue «dame» du Christ.

Dei delicata. L'expression, assez hardie, est ignorée de la version grecque. Elle évoque TERT., *Vx.* 1, 4 : «Deo speciosae, Deo sunt puellae»; *Cult.* 2, 13, 7 : «Deum habebitis amatorem». Le terme *delicata* apparaît, comme l'a noté J.A. Robinson, sur les inscriptions funéraires : *CIL, Af.* 1861 : «Iuliae Delicatae/merenti/Didius Fructus». Dans la langue familière, *delicata* paraît avoir eu le sens d'«enfant gâtée» (PLAUTE, *Rud.* 465). Le terme remplace celui de *deliciae,* souvent présent dans les expressions amoureuses. En raison peut-être des connotations péjoratives du *puer delicatus,* les manuscrits *B* et *C* préfèrent la leçon *dilecta.*

uigore oculorum. Détail conforme à l'énergie de Perpétue et à son caractère de jeune patricienne. L'expression grecque ἐγρηγόρῳ ὀφθαλμῷ est redondante, la notation du regard étant également exprimée par προσόψει. Ἐγρήγορος pourrait être une mauvaise lecture du terme latin *uigor,* pris pour *uigilia* ou *uigil.*

3. retiarium. Le rétiaire est proprement le gladiateur armé d'un trident et d'un filet, pour en envelopper son adversaire. Ici, le terme correspond mal au grec μονομαχίαν, «combat singulier». F.J. DÖLGER («Antike Parallelen...», p. 131 s.) suggère qu'il s'agissait du rétiaire qui enveloppait d'un filet Perpétue et Félicité (cf. 20, 2). P. Franchi de' Cavalieri pense que ce terme n'est qu'une figure de rhétorique (comme chez TERT., *Spect.* 25) et suggère de lire dans le texte grec μονομάχον. Mais L. ROBERT («Une vision de Perpétue...», p. 248 s.) démontre par l'iconographie que le rétiaire était le gladiateur chargé de donner le coup de grâce aux condamnés, parce qu'il était le moins considéré. Cette précision n'apparaît pas dans le texte grec.

lotura post partum. Ironie sur les ablutions des jeunes accouchées, où l'eau avait d'ailleurs un rôle purificateur; dans la plupart des civilisations, la jeune accouchée est impure.

baptismo secundo. Il s'agit du baptême de sang, tel que l'a défini TERT., *Bapt.* 1, 16, 1 : «Est quidem nobis etiam secundum lauacrum, unum et ipsum, sanguinis scilicet... Proinde nos facere aqua uocatos, sanguine electos», passage bien proche de celui de la *Passion*. Le grec ajoute τουτέστιν τῷ ἰδίῳ αἵματι, qui est sans doute une glose. Voir aussi CYPRIEN, *Ad Fort.* 4.

habitum... Saturni... Cereri. Les cultes de Saturne et de Cérès étaient particulièrement répandus en Afrique; ces divinités étaient assimilées aux anciennes divinités carthaginoises Baal et Tanit, elle-même assimilée à Isis ou à la *Dea Caelestis,* comme chez Apulée. Les prêtres de Saturne portaient des manteaux rouges (sur le culte de Saturne, voir M. LEGLAY, *Saturne africain,* Paris 1966); les prêtresses de Cérès étaient vêtues de blanc et portaient au front des bandelettes sacrées (TERT., *Apol.* 15, 4, 5; *Test.* 2 : «plerumque et uitta Cereris redimita, et pallio Saturni coccinata»; *Pal.* 4, 10 : «lorsqu'elles sont initiées à Cérès à cause d'un vêtement entièrement blanc et du signe de la bandelette sacrée... le faste de la pourpre et le manteau d'écarlate font valoir Saturne»). Cette scène a été diversement interprétée (voir en particulier F.J. DÖLGER, «Gladiatorenblut und Märtyrerblut...», p. 174 s. et R. FREUDENBERGER, «Probleme römischer Religionspolitik in Nordafrika nach der *Passio SS Perpetuae et Felicitatis*», *Helikon* 13-14, 1973-1974, p. 174 s.). Ce déguisement voulait manifestement représenter un sacrifice aux deux divinités africaines invoquées «pour le salut des empereurs». On peut noter également que d'après la loi des XII tables, les enchanteurs devaient être dévoués à Cérès. On a pu soutenir qu'une telle cérémonie renouait avec les sacrifices humains offerts à Baal.

generosa illa désigne clairement Perpétue, «noble» dans tous les sens du terme (voir *supra* 16, 1.3). La *constantia,* une fermeté qui ne se dément jamais, paraît être le trait fondamental du caractère de Perpétue.

5. libertas nostra. Il s'agit du libre choix des chrétiens de refuser tout ce qui touche à l'idolâtrie, comme étant d'essence démoniaque. Costumer les condamnés en prêtres des idoles est une infamie : on veut faire d'eux une *deuotio* à ces idoles, alors qu'ils ont préféré la mort plutôt que de se «vouer» à elles *(animam nostram addiximus)*. Perpétue fait toujours appel aux sentiments les plus élevés, même chez ses persécuteurs, et entend porter publiquement témoignage de sa foi. Sur ce passage, voir C. Mazzucco, «Il significato cristiano della libertas proclamata dai martiri della *Passio Perpetuae*».

obduceretur. Sens poétique et tardif : «obscurcir», «cacher» (voir Ovide, *Fast.* 18, 1 et *Gal.* 5, 1, dans la *Vetus Latina*). R. Braun («Nouvelles observations...», p. 111) préfère, à la suite de *TLL*, 9, 2, 41 et Hoppe, *Syntax und Stil..*, p. 243-244, un sens en rapport avec la discussion, soit «réduire au silence», d'où «confondre», «vaincre». Le verbe n'a pas alors de sens imagé, suggéré par le déguisement proposé.

animam addiximus. Allusion à l'«adjudication» que les gladiateurs faisaient de leur vie, en se «vendant» au laniste. La *Passion* emploie souvent un vocabulaire juridique, mais ici la métaphore paraît courante (Pétrone, *Sat.* 117 : «sacramentum iurauimus... tamquam legitimi gladiatores domino corpora animasque addicimus»). L'image est particulièrement naturelle, puisque Perpétue s'est vue en songe transformée en gladiateur. La notion de «marché» ou de «pacte» est soulignée par *pacti sumus*. Cette notion est moins présente dans le grec παρεδώκαμεν et συνεταξάμεθα.

6. iniustitia iustitiam. «Pointe» dont le rédacteur fournit d'autres exemples (*supra* 16, 1); l'abstrait fait du tribun une personnification de l'injustice et se situe dans le domaine du contrat : Perpétue a le droit pour elle.

7. psallebat. Voir *supra* 10, 12.

Aegyptii. Le lutteur du songe (10, 6 s.) qu'elle est en train de réaliser.

comminabantur. C'était déjà l'attitude de Saturus rappelant «le jugement de Dieu» (17, 1).

8. gestu et nutu. *Nutus* désigne généralement des hochements de tête. Ce langage mimé s'explique parce que le procurateur, dans sa tribune surélevée, est trop loin pour entendre leurs paroles, surtout à travers la rumeur de la foule. Dieu est sans doute signifié par un geste vers le ciel. Cette expression gestuelle explique l'ellipse du verbe «juger» dans la réplique suivante.

uexari per ordinem uenatorum. Les *uenatores* étaient les gladiateurs combattant les bêtes; porteurs de fouets à lanière de cuir, ils se tenaient en rang, pour forcer hommes et bêtes sauvages à entrer en scène. Ce supplice était fréquemment infligé aux chrétiens (Tert., *Nat.* 1, 18; *Mart.* 5, 1 : «Les uns s'avancèrent entre les lanières des venatores, leurs épaules endurant parfaitement les coups»). La version grecque omet ce détail caractéristique.

utique. Voir *supra* 16, 3.

aliquid... consecuti. Allusion à la flagellation du Christ, supplice qui précède normalement la crucifixion (*Matth.* 26; *Mc.* 15; *Vita Cypr.* 15, 2; 15, 6; etc.). Le pluriel *passionibus* correspond aux multiples formes de souffrances endurées par le Christ.

XIX

petite et accipietis. *Jn* 16, 24 : «ut gaudium uestrum sit plenum». La référence se trouve aussi chez Tert., *Or.* 10; *Bapt.* 20; *Praes.* 8.

dederat. Le plus-que-parfait se justifie : Dieu a déjà exaucé les prières des martyrs. Cependant, le parfait, plus léger, est donné par les manuscrits *B C* et par le grec ἔδωκεν.

quis est employé en fonction de *quisque* en latin tardif (cf. Commodien, *Apol.* 265). Voir R. Braun, «Nouvelles observations...», p. 112.

gloriosiorem coronam. Même idée chez Tert., *Scap.* 4, 5 : «maiora certamina, maiora praemia». La couronne est l'apanage du martyre, comme l'explique Tertullien, dans le *De corona*. Le motif est néotestamentaire (*Hébr.* 2, 9; *Apoc.* 3, 10; etc.).

commissione. Terme consacré pour exprimer l'«ouverture» des jeux (Cic., *Att.* 15, 20, 1 : «ab ipsa commissione ludorum»; Suétone, *Aug.* 43). Le terme ἀρχῇ est beaucoup plus général.

ipse et Reuocatus. Leçon des mss *B C E* et du manuscrit grec; elle correspond au souci du rédacteur d'évoquer la fin de chaque martyr. On ne saurait donc, comme le pense G. Lazzati («Note critiche...», p. 35), supprimer le nom de Reuocatus, parce qu'il est absent de *A*. On constate, une fois de plus une concordance, dans une tradition commune, dont *A* et *D* sont exclus.

leopardum. Leçon adoptée par van Beek; Franchi adopte *leopardo,* mais le verbe *experior* est couramment transitif à l'époque classique. Le pluriel *leopardos* (*C,* Bastiaensen) ne paraît pas nécessaire.

pulpitum. Le mot désigne plusieurs types d'estrades et particulièrement la plate-forme ou «échafaud» où l'on exposait les condamnés aux bêtes, après les avoir attachés à un poteau. Cyprien (*Ep.* 38, 2) ironise à propos d'un lecteur : «ad pulpitum post catastam uenire». Une peinture du cimetière de Domitille paraît représenter Daniel sur cette plate-forme et non dans une fosse. Le grec γέφυρα suggère un ponton (cf. §6 *ponte*).

uexati sunt constitue la leçon la plus logique, si l'on adopte pour sujet *ipse et Reuocatus.*

4. **iam** porte sur le futur; le tour évite, dans la langue parlée, l'emploi de l'infinitif futur.

5. **subministraretur,** «offert comme nourriture». Le grec traduit le mot précisément par διακονούμενος, «servi», mais renverse l'ordre de la phrase.

uenator. Sur ces serviteurs de l'arène, au rôle subalterne, voir *supra* 18, 9.

subligauerat, subfossus. Verbes virgiliens (*Aen.* 8, 459 et 11, 671).

6. **ponte.** Est-ce le *pulpitum* mentionné plus haut? Le détail manque en grec. Il devait y avoir dans l'arène plusieurs estrades de ce type pour offrir un spectacle bien visible pour le public. Des scènes de ce genre ont été représentées par l'iconographie.

cauea. Cage où sont enfermés les animaux; elle est située sous l'amphithéâtre.

reuocatur. Au sens de «ramener en arrière» (cf. 20, 3). On n'insiste pas après une tentative manquée. C'est une tactique

courante dans tous les spectacles de cirque. La version grecque
ignore ce «renvoi».

XX

puellis... uaccam : le grec ajoute μακαρίαις; en revanche, il
manque la précision «ideoque praeter consuetudinem compa-
ratam», qui peut passer pour une glose, mais qui souligne le
caractère inhabituel de l'animal. On choisit généralement un
taureau (Eus., *HE* 1, 56). Le choix de la vache peut passer
pour un trait d'humour noir; l'ironie diabolique se manifeste
encore mieux en grec qu'en latin : le terme δάμαλις signifie à
la fois «génisse» et «jeune femme». C'est la première fois que
la version grecque paraît présenter un jeu de mots ignoré du
texte latin.

diabolus praeparauit. C'est le diable qui est à l'origine de la
persécution; c'est là un thème de Tertullien et une constante
de toutes les Passions. Il agit à travers ses séides, simples instruments, qui sont, en réalité, possédés à leur insu.

de. Valeur instrumentale : voir *supra* 8, 4.

aemulatus. Le verbe exprime l'idée d'imitation; la vache est
une trouvaille ironique du diable : la moquerie est en effet d'essence diabolique, comme le soulignera Augustin (*Conf.* 3, 3, 6).
Le thème du diable «aemulus Dei» est fréquent chez Tertullien
(voir R. Braun, *Deus christianorum...*, p. 33; p. 69.

reticulis indutae. La coutume était courante; elle fut pratiquée
pour Blandine (cf. Eus., *HE* 5, 2, 56 : εἰς γυργαθὸν βληθεῖσα).
Le filet était destiné à immobiliser la victime, de façon à en
faire une proie plus facile pour les fauves.

discinctis. Sur ces tuniques flottantes, voir *supra* 10, 2. Ce type
de vêtement est celui qui convient le mieux pour dissimuler le
corps des jeunes femmes; il se trouve correspondre à une image
de salut. Le grec ὑποζώσμασιν suggère au contraire, comme en
10, 2, des vêtements munis de ceintures.

tunicam... discissam. Le terme *discissa* n'est pas traduit en
grec, ce qui rend le geste de Perpétue peu compréhensible.

pudoris – doloris. Le grec présente de ce passage une traduction tout à fait glosée : αἰδουμένη, μηδαμῶς φροντίσασα τῶν
ἀλγηδόνων; elle a été écartée par Franchi de' Cavalieri et Gebhardt. Le trait relève d'une topique qui remonte à Euripide
(R. BRAUN, «*Honeste cadere,* un topos d'hagiographie antique»,
dans *Bulletin du centre de Romanistique et de latinité tardive,*
mars 1983, p. 1-12).

5. **acu requisita.** *Acu* manque dans *A* et *D*. Le texte grec diffère
sensiblement : «après avoir cherché une épingle, elle resserra
ce qui était déchiré et elle rattacha ses cheveux de sa tête».
De fait, le début de la phrase représente un commentaire du
détail *tunicam discissam* (§4), apparemment déplacé.

infibulauit. Terme plus précis que le grec περιέδησεν. Il signifie
«rattacher avec une fibule», ici sorte de broche ou d'épingle
à cheveux.

martyram. Forme féminine rare : *Sacr. Gel.* 2, 9; *Itin. Anton.
Plac.* 22; *CIL* 1, 1996, 2044.

plangere. Grec πενθεῖν. Les vêtements lacérés et les cheveux
épars étaient les manifestations traditionnelles du deuil (VIRGILE,
Aen. 11, 145; OVIDE, *Met.* 3, 505; JÉRÔME, *Ep.* 14, 2, 3). Le
rédacteur déchiffre une symbolique dans ce qui n'était sans
doute chez la jeune femme qu'une manifestation machinale de
pudeur.

6. **ita.** Équivaut à *tum* (*TLL* 7², c. 522).

et elisam... accessit. *Elidere* est synonyme de *prosternere* en
latin chrétien et postclassique. Le passage manque dans la
version grecque.

7. **revocatae.** Voir *supra* 19, 6. De fait ce «rappel» n'est qu'un
sursis.

portam Sanauiuariam. Sur le nom de cette porte qui a intrigué
les commentateurs, voir *supra* 10, 13. Il peut s'agir d'une forme
populaire : on appelait *uiuariae naues* les navires où l'on gardait
du poisson vivant (LUCRÈCE 3, 929).

8. **Rustico.** Sur ce Rusticus, où l'on a vu successivement un esclave
de Perpétue ou son mari, voir Introd., p. 30. En ce dernier cas,
le *quodam* ne se justifierait absolument pas. Il peut donc s'agir

d'un serviteur ou d'un simple membre de la communauté, qui, semble-t-il, n'a pas été arrêté.

expergita. Participe du verbe *expergo,* utilisé essentiellement par LUCRÈCE (3, 229). Son emploi ici peut correspondre à un archaïsme ou à une forme populaire, doublet de la forme *experta* ou *expertus* que Perpétue et Saturus emploient à plusieurs reprises dans la *Passion.* Perpétue paraît sortir d'un songe. Les commentateurs modernes ont souligné la vraisemblance médicale de ce détail. En état de choc, Perpétue a perdu conscience des événements.

in spiritu et in extasi. Commentaire du rédacteur. La formule est de résonance biblique (*Apoc.* 1, 10; 4, 2; 21, 10); mais elle est aussi proche de l'expression paulinienne «esse in spiritu» (*Rom.* 8, 5) et de TERT., *An.* 45, 3. Celui-ci définit l'extase comme *amentia,* véritable évasion de l'esprit hors du corps; ce transport est celui qui se produit habituellement lors d'un songe; en cet état, le corps est insensible. Le passage pourrait être l'illustration de *Mart.* 2 : «La jambe ne sent rien dans les fers, lorsque l'âme est au ciel.» Par l'extase, l'âme «ravie» communique avec Dieu.

inquit. Même répétition en 3, 1; 21, 1, et pour introduire la vision de Saturus (11, 2).

uaccam. Voir *supra* 20, 1.

credidit... recognouisset. Discordance modale. Sur ces négligences syntaxiques, voir R. BRAUN, «Nouvelles observations...», p. 113.

et habitu suo. Lacune en grec.

et illum catechumenum. Ambigu : les uns comprennent, comme Bastiaensen, qu'il s'agit du frère, «lui aussi catéchumène», qui a été mentionné en 2, 2; mais on peut aussi comprendre qu'il s'agit du catéchumène le plus récemment mentionné (§8), c'est-à-dire Rusticus, qui se trouve sans doute encore près de Perpétue.

in fide state et diligite. Citation d'*Act.* 14, 21 et de *I Cor.* 16, 13. Cette exhortation s'adresse manifestement à des catéchumènes non arrêtés et qui vont survivre à la martyre.

scandalizemini. Vocabulaire néotestamentaire (*Matth.* 5, 29; 17, 27; *Rom.* 14, 21; *I Cor.* 1, 29). En latin chrétien, le verbe *scandalizare* signifie «faire perdre courage» et même «faire perdre la foi», allusion au comportement des apôtres «scandalisés» par la Passion du Christ.

XXI

1. **in alia porta.** Cette autre porte est sans doute la *porta libitinensis.* C'est par elle que l'on traîne les gladiateurs morts ou mourants. Saturus songe, comme Perpétue, à faire une dernière exhortation pour que sa mort demeure un «exemple».

Pudentem. Le nom est courant à Rome et en Afrique. Il y a eu un proconsul Seruilius Pudens. L'*optio carceris* a montré d'emblée sa sympathie pour les martyrs (*supra* 9, 1). La *Passion* suit les étapes de sa conversion.

inquit. Voir *supra* 20, 8.

praesumpsi et praedixi. Doublet de type cicéronien; *praesumere* (cf. 19, 4) comporte une idée de confiance en l'avenir; *praedixi* énonce le charisme prophétique qui accompagne le charisme des visions.

de, suivi de l'ablatif, est souvent employé dans la *Passion* au sens instrumental.

credas a le sens fort de «recevoir la foi» devant la réalisation de la prophétie de Saturus.

illo équivaut à *illuc,* comme en vieux latin et dans la langue populaire. Saturus désigne ainsi l'arène où il va descendre.

ab, «par suite de». Emploi non classique et sans doute familier.

consummor. Le présent latin a une valeur de futur proche, surtout dans la langue familière (nombreux exemples chez Plaute). En revanche, l'emploi du verbe *consummo* au sens de «conduire à sa fin» est néotestamentaire (*Lc.* 13, 32 : «tertia die consummor»). Au VIe siècle, il a pris à peu près le sens de «dévorer» (APRINGIUS, *Apoc.* 19, 17). Plus haut (19, 4), Saturus employait *confici.* J.A. Robinson et P. Franchi de' Cavalieri lisent *consumor,* «je vais périr». La nuance est mince. Le premier terme, plus répandu que le second est encore employé au §7 : «per sollemnia pacis consummarent».

leopardo eiecto : leçon de *A,* défendue par Franchi de' Cavalieri et Gebhardt; la leçon *leopardo obiectus* est soutenue par van Beek et Bastiaensen. La première leçon évoque mieux le «lâcher» d'une bête spectaculaire pour clôturer le spectacle. C'est aussi l'image que retient le traducteur grec : πάρδαλις αὐτῷ ἐϐλήθη.

de. Voir *supra* §1.

secundi baptismatis. Le baptême de sang, qui est celui des martyrs et ouvre seul l'accès en paradis (voir *supra* 18, 3).

reclamauerit. Sens étymologique de répétition. Les «acclamations» sont une habitude latine.

saluum lotum... saluus. Souhait de bon augure, courant dans les établissements de bains; il est reflété par les inscriptions : on le trouve à Brescia (DESSAU, *Inscript. lat. select.* 5723 et *CIL* 5, 1, 4500) : «Bene laua et Saluum lotum», le premier souhait s'adressant au baigneur qui arrive, le second à celui qui quitte l'établissement. Le caractère ominal de la formule jaillit de la situation; il est souligné par la reprise *saluus.* L'ironie féroce des spectateurs annonce sans le savoir le salut du martyr. Le double sens de *saluus* est ignoré du grec qui se contente de la formule habituelle, généralement formulée par καλῶς ἔλουσον, et traduit le second *saluus* par ὑγιής, «propre».

utique. Formule de renchérissement (*supra* 16, 3).

non conturbent sed confirment. Injonction parallèle à celle de Perpétue (20, 10). On peut certes penser à une stylisation du rédacteur, mais cette parenté peut aussi s'expliquer par la prédication paulinienne, partout présente dans la *Passion.*

ansulam. Pour *anulum :* le mot est tardif, peut-être africain ou populaire (APULÉE, *Met.* 3, 4; AUG., *Doctr. christ.* 2, 20, 30 : «de struthionum ossibus ansulae in digitis»). Longtemps l'apanage des chevaliers, ou la récompense de vieux militaires, l'anneau d'or a été donné par Septime-Sévère à tous les soldats (cf. V. DURUY, *Histoire des Romains,* t. 5, p. 253). Trempé dans le sang du martyr, l'anneau devient une relique, propre à par-

achever la conversion de Pudens. En faisant de lui son léga-
taire spirituel, Saturus le fait bénéficier de ses «mérites». Ceci
est bien éloigné de la coutume païenne, signalée par L. Robert,
consistant à recueillir le sang d'un gladiateur mourant. Tout
objet trempé dans le sang d'un martyr devenait objet de vénération pour tous les membres de la communauté (*Acta
Cypr.* 5, 5). Le supplice du feu avait pour but d'éviter cette
quête des reliques.

6. **solito loco.** Les condamnés étaient généralement achevés dans
    le *spoliarium,* pièce où l'on dépouillait aussi les gladiateurs tués
    (cf. SÉNÈQUE, *Ep.* 93, 12 : «Numquid aliquem tam stulte cupidum
    esse uitae putas, ut iugulari in spoliario quam in harena malit?»).
    Ici, la haine et la cruauté des spectateurs les poussent à exiger
    d'être témoins de l'égorgement dans l'arène elle-même; ils crai-
    gnent manifestement que l'on subtilise les corps des chrétiens
    encore vivants, quand ils seront hors de leur vue. Sur la cruauté
    des spectateurs, voir TERT., *Spect.* 12, 4; 16, 1; CYPRIEN, *Ad
    Don.* 7.

7. **in medio :** «au beau milieu de l'arène» (voir *supra* §1).

    oculos suos comites. Accent sur la complicité criminelle des
    spectateurs, à travers un *topos* littéraire, celui de l'émotion ou
    de la passion s'exprimant par le regard : les spectateurs «assas-
    sinent» les martyrs de leurs regards. Cette recherche expressive
    n'apparaît pas dans la version grecque. Attitude voisine chez
    TERT., *Spect.* 21, 3 : «patientissimis oculis desuper incumbat».

    per sollemnia pacis. C'est le baiser de paix qui clôt bien des
    cérémonies chrétiennes (TERT., *Or.* 18 : «Quelle oraison est com-
    plète sans le saint baiser à la séparation... Quel est le sacrifice
    dont on s'en va sans la paix?»). Le martyre est conçu comme
    une cérémonie sacrificielle, de type liturgique.

8. **ceteri quidem** s'oppose à *Perpetua autem* (§9) et sépare deux
    façons de mourir.

    prior ascenderat. Voir le songe de l'échelle : «Ascendit autem
    Saturus prior» (*supra* 4, 5).

    sustinebat. Voir le songe : *sustineo te* (*supra* 4, 6); le verbe
    est alors employé au sens tardif d'«attendre». Mais ici, il ne
    paraît pas tout à fait privé de sa nuance de soutien.

ut aliquid doloris gustaret. En effet, dans l'arène, elle avait été insensible : « in spiritu et in extasi » (*supra* 20, 8).

inter ossa conpuncta. Destiné à la gorge, le coup, dirigé par une main qui tremble, semble avoir heurté les vertèbres, d'où le cri aigu de Perpétue.

tirunculi gladiatoris. Diminutif, sans doute dépréciatif, de *tiro*, « jeune recrue » (cf. CÉSAR, *Bell. Afr.* 71 : « ut lanista tirones gladiatores condocefacere »). L. Robert (voir *supra* 18, 3) a démontré que lorsque le condamné avait été épargné par les bêtes, le coup de grâce était donné par un rétiaire, catégorie la moins considérée. Ici, cette fonction est conférée, à titre d'exercice, à un jeune gladiateur novice. Celui-ci se trouble manifestement au moment décisif, ce qui introduit une note d'humanité dans l'implacable cruauté des spectateurs.

in iugulum suum transtulit. *Iugulum* désigne la base du cou. Ce geste de Perpétue a été diversement interprété, et parfois condamné comme étant une forme de suicide. De fait, l'expression rappelle étrangement SÉNÈQUE, *Ep.* 4, 30, 8 : « Le gladiateur qui dans tout le combat s'est montré le plus timide tend à l'adversaire sa gorge et y ajuste le glaive qui s'égare. » (voir aussi *Vita Cypr.* 18, 4). Perpétue a un comportement de « gladiateur » ; c'est un trait, conforme au songe, qui exprime sa fermeté quasi masculine. Mais il s'y joint aussi le désir, très humain, d'en finir au plus vite. Le geste n'a pas d'explication théologique, mais le rédacteur le commente en ce sens, pour atténuer quelque peu sa hardiesse.

ab immundo spiritu timebatur. C'est l'explication que le rédacteur suggère du tremblement de main du jeune gladiateur ; en tant que païen, il est l'incarnation, au moins passagère, de l'esprit immonde. Le démon « possède » en effet les bourreaux des chrétiens. L'adjectif *immundus* qualifie couramment le diable dans le Nouveau Testament (*Matth.* 12, 14 ; *Mc.* 1, 26 ; etc.). Le démon ne peut que reculer devant la force de Perpétue : d'avance elle lui a posé le pied sur la tête (voir *supra* 4, 7 : « quasi timens me »).

fortissimi. L'usage des superlatifs s'intègre dans le lyrisme du passage et sa recherche artistique d'expressivité (voir *supra* 14, 1).

magnificat et honorificat et adorat. Figure ternaire, de type cicéronien, composée de verbes de sens voisin (*magnificat* et *honorificat* expriment l'un et l'autre l'idée d'«honorer». La figure est surtout riche en assonances et rejoint le style du prologue. Sur *magnificare*, voir *supra* 9, 1; *honorificare* est un verbe tardif, mais d'usage courant, qui renchérit sur *Deus honoretur,* du prologue (1, 1). L'épilogue est particulièrement riche en sur-enchères expressives.

non minora ueteribus exempla. Résumé et reprise, dans les termes mêmes *(uetera exempla, nouae uirtutes, aedificationem, lectione),* de toutes les idées du prologue, avec la même teinte de montanisme. L'accent est toujours mis, dans le texte latin, sur les *nouae uirtutes.* Cependant le style est plus emphatique, comme il convient à la péroraison.

eundem... Spiritum Sanctum. Les charismes présents sont considérés comme une effusion permanente de l'Esprit. La pensée est très proche de celle de Tertullien. On a supposé, avec vrai-semblance, que ce pneumatisme a effrayé le rédacteur grec: l'allusion a disparu du texte grec.

cui est claritas – Amen. Formule finale, de type biblique, très proche de la formule qui clôt la fin du prologue. Elle donne au récit un caractère liturgique, conforme à son caractère de lecture ecclésiale.

ACTES

INTRODUCTION

1. Sincérité et stylisation hagiographique

En plus de la *Passion* proprement dite, il existe de très nombreux manuscrits, présentant des *Actes* courts – souvent également intitulés *Passion;* ils dérivent de deux formes principales, qui diffèrent essentiellement par leur longueur. C. van Beek, qui en a fait la première édition critique, distingue ainsi le texte *A* (notre texte I) et le texte *B* (notre texte II). A première vue, ces *Actes* ne paraissent offrir qu'un simple résumé des faits exposés dans la *Passion* et, pour cette raison, D. Ruinart les exclut de ses *Acta sincera*[1].

Il existe cependant un certain nombre de divergences entre la *Passion* et les *Actes* : la plus importante est la datation du martyre; les *Actes,* comme le manuscrit grec *H,* placent le martyre sous Valérien et Gallien, c'est-à-dire au milieu du IIIe siècle, vraisemblablement lors des persécutions de 257 et 258, ce qui est impossible. La mention que Tertullien fait de la *Passion* suffirait à le prouver[2]. D'ailleurs, dans les *Actes,* le procurateur Hilarianus est

---

1. Cette opinion sur le caractère factice des *Actes* est partagée par R. Harris et S. Gifford, J.A. Robinson, P. Franchi de' Cavalieri et, de façon générale, par tous les éditeurs de la *Passion.*
2. Voir *Passion,* Introd., p. 17.

remplacé par le proconcul Minut(c)ius, décédé dans la *Passion*.

D'autres détails diffèrent de façon suspecte : ainsi, le mari de Perpétue apparaît dans les *Actes,* rajouté au groupe familial, sans doute parce que son absence a étonné le rédacteur. Les liens de parenté sont mieux précisés que dans la *Passion*. Peut-être ne faut-il pas toujours écarter ces renseignements. En effet, la localisation de l'arrestation des martyrs à Thuburbo apparaît également dans certains manuscrits de la *Passion,* même s'il paraît abusif d'en déduire que le martyre lui-même eut lieu à Thuburbo. Dans la *Passion*, Revocatus et Félicité ne sont que «compagnons d'esclavage»; les *Actes* en font un frère et une sœur, ce qui a souvent paru vraisemblable. En revanche, la parenté mentionnée entre Saturus et Saturninus semble plus aléatoire et n'est sans doute due qu'à l'homophonie de leurs noms.

Aussi douteux que soient donc ces renseignements familiaux, ils témoignent cependant, semble-t-il, que l'auteur des *Actes* a bénéficié, en plus d'une tradition orale, d'un document autre que la *Passion*. Le passage qui tendrait à le prouver est l'interrogatoire des prévenus. Celui-ci est manifestement résumé dans la *Passion* et réduit strictement à l'essentiel par Perpétue. En revanche, les *Actes* font place aux questions de routine, portant sur la famille, la situation sociale et développent l'interrogatoire, à la manière de celui qui est pratiqué dans les *Actes* des martyrs de Scillium. Il est donc possible que ce récit ait reposé sur des «minutes» d'audience, non utilisées par le rédacteur de la *Passion,* uniquement préoccupé de refléter fidèlement le «journal» des martyrs[1].

---

1. Cette double origine, *Passion* d'une part et registres publics d'autre part, était déjà suggérée par S. Le Nain de Tillemont, *Mémoires pour servir à l'histoire ecclésiastique*, Paris, 1695, t. 3, p. 138. L'interrogatoire

Les *Actes* ne sont pas pour autant plus «authentiques» que la *Passion*. Nous avons vu que la date proposée du martyre est inacceptable. De plus, même si l'auteur a utilisé des notes d'audience ou des témoignages oraux, il stylise ses personnages, selon une mode hagiographique tendancieuse, de telle façon que la vérité en devient fort malaisée à reconnaître. En effet, il est hautement improbable que le rédacteur de la *Passion* ait pu «oublier» le mystérieux mari de Perpétue, s'il avait été présent à l'audience, comme l'affirme l'auteur des *Actes*[1].

L'arrangement hagiographique est aussi sensible dans l'interrogatoire, à travers la psychologie forcée des martyrs, presque caricaturale par rapport à la *Passion*. On ne peut guère admettre qu'à la question du proconsul : «As-tu un mari?» Félicité puisse répondre : «J'en ai un, que je méprise à présent[2]». Nous acceptons encore moins de voir Perpétue rejeter durement l'enfant que l'on suspend à son cou et repousser ses parents[3]. Ce n'est pas l'image nuancée et profondément humaine que la *Passion* nous a léguée d'une jeune femme dont le principal souci était son nouveau-né, puis son père. Une stylisation maladroite a déformé les caractères au point de rendre suspects les détails authentiques que l'interrogatoire pouvait contenir. Le récit du martyre lui-même est tout à fait sommaire est fort différent de la *Passion* : ainsi, la vache sauvage, trouvaille diabolique, est remplacée par des lions.

De plus, l'auteur ne semble pas accorder une grande importance aux récits de visions faits par Perpétue et

---

paraît aussi de «couleur historique» à B. AUBÉ, *Les chrétiens...*, p. 519-521; 224; «Il n'y a pas (de pièce) dans le recueil entier de Ruinart qui ait meilleur air et une couleur plus vraiment historique.» Même accent chez P. MONCEAUX, *Histoire littéraire...*, t. 1, p. 78-80.

1. Sur le mari de Perpétue, voir *Passion*, Introd., p. 30.
2. I, 5, 3. Le passage manque dans le texte *II*.
3. I et II, 6, 5-6.

Saturus. Il ne les a certainement pas eus en mains.
D'ailleurs, les *Actes* peuvent se caractériser par le peu
d'importance accordé aux visions, alors qu'elles sont fon-
damentales dans la *Passion*. Seule, la première vision de
Perpétue est développée – résumée d'après la *Passion*;
mais elle concerne l'ensemble des martyrs et plus seulement la sainte. La vision du combat de l'arène n'est
que mentionnée et citée à contresens[1]. Rien sur le songe
où apparaît Dinocrate, peut-être parce qu'il semblait peu
orthodoxe; mais rien non plus sur la vision de Saturus.
L'hagiographe qui a rédigé les *Actes* n'est pas un pneu-
matiste. Il appartient à une autre sphère et, sans doute,
à une autre époque que le rédacteur de la *Passion*.

Le jeu de mots sur les noms de Perpétue et de Félicité
attire particulièrement l'attention dans les *Actes*[2]. Ce genre
de «pointes» n'est pas étranger au style de la *Passion*:
on en rencontre dans la bouche même de Perpétue, par
exemple lorsqu'elle évoque les «plus nobles des
condamnés», ou dans l'exclamation ominale de la foule,
«bain salutaire»[3]. Mais l'insistance des *Actes* sur la signification prédestinée des deux noms paraît relever plutôt
du sermonnaire africain et d'une tradition déjà formée.
Augustin ne manquera pas de s'y conformer lui aussi[4].

L'optique du récit s'est également transformée: Perpétue, qui était l'héroïne principale de la *Passion*, s'es-
tompe au profit des autres martyrs et surtout de Félicité,
particulièrement dans *Actes II*[5]. J.W. Halporn a fait

---

1. I et II, 7, 2, où l'on voit l'Égyptien «uolutantem se sub pedibus
eorum», interprétation libre de la *Passion* 10, 1: «in afa uolutantem»,
ce qui est l'attitude normale du lutteur.

2. I, 5, 9; 6, 3; II, 2, 2; 5, 3; 5, 5; 9, 2.

3. *Passion* 16, 3; 21, 3.

4. Aug. *Serm.* 281, 3, 3: «ut perpetua felicitate glorientur»;
Serm. 282, 3, 3: «propter perpetuam felicitatem certauit».

5. Voir *infra*, p. 270.

remarquer judicieusement que *Passion* et *Actes* procèdent de deux genres différents. Les *Actes* relèvent du récit d'édification, moins soucieux d'authenticité que d'illustrer pour les fidèles la nécessité de s'arracher aux liens du monde[1]. La psychologie des martyrs devient secondaire. Les *Actes,* ainsi insérés dans la catéchèse, mettent avant tout l'accent sur la communauté des saints : la personnalité exceptionnelle de Perpétue n'est donc plus privilégiée. On ne peut pour autant en tirer argument pour dater les *Actes.*

2. Datation

L'imbrication dans les *Actes* d'au moins deux sources, la *Passion* et, peut-être, des comptes rendus d'audience, rendent la datation tout à fait incertaine. Pour P. Monceaux, les *Actes* que nous connaissons représentaient la version, abrégée au IVe siècle, d'*Actes* primitifs, presque contemporains du martyre[2]. Il expliquait la double rédaction de la *Passion* et des *Actes,* ainsi que leurs différences, par la nécessité de lire dans la communauté catholique un récit non «montaniste». Mais si l'on admet que le montanisme de la *Passion* est peu sensible – on pourrait plutôt parler de pneumatisme ou de paulinisme –, l'argumentation de P. Monceaux perd beaucoup de sa valeur.

De l'aveu du rédacteur du texte *II,* les *Actes* datent d'une période où les persécutions ne sont plus à craindre[3]. Cependant, la présence d'éléments semblant remonter à une tradition orale pourrait indiquer une date assez

---

1. J.W. HALPORN, «Litterary history and generic expectations...».
2. P. MONCEAUX, *La vraie légende dorée,* Paris 1928, p. 161 s.
3. II, 9, 5 : «même s'ils ne sont plus rendus nécessaires par un temps de persécution».

ancienne, proche du IVe ou du Ve siècle. Certains traits de langue, proches de la *Passion* paraissent le confirmer : par exemple, l'emploi du participe futur avec valeur finale ou volitive de *siquidem* au sens causal[1]. Pourtant, tous les manuscrits des *Actes* reflètent des souvenirs estompés. L'image de Perpétue domine la *Passion*. Dans les titres des manuscrits des *Actes I,* Perpétue cède parfois la place à Saturus et Saturninus, comme sur l'inscription très tardive de la basilique de Mçidfa[2]. Ce retrait est significatif. En raison de la place restreinte accordée à ses visions, la personnalité de Perpétue s'atténue et s'efface devant celle de Félicité, plus réaliste : c'est l'héroïsme de cette dernière qui est particulièrement exalté dans les manuscrits des *Actes II*[3].

L'hagiographe se situe donc à bonne distance de la *Passion* et préfère la stylisation édifiante au récit « sincère ». On comprend que H. Delehaye ait pu soupçonner l'authenticité d'un interrogatoire qui va être reproduit à de multiples exemplaires[4]. Il est vrai que celui-ci présente une sécheresse plus accentuée que celui des martyrs de Scillium, encore que le déroulement soit à peu près semblable : ordre de sacrifier, refus des martyrs interrogés un par un et répondant généralement par le fameux *christianus sum,* efforts du juge pour fléchir les martyrs, opposition de l'empereur et du Seigneur céleste, puis lecture

---

1. I, 1, 3 : « sumus facturi »; les tours n'apparaissent pas dans le texte II.

2. Par exemple : texte I, manuscrits A^{15} et presque tous les manuscrits B; texte II, manuscrits $A^{1\ 2\ 5}$, B^6. Sur l'inscription de Mçidfa, voir *Passion,* Introd., p. 25.

3. II, 9, 2.

4. H. DELEHAYE, *Les Passions des martyrs...,* p. 69 : « Il suffisait pour le rédiger d'avoir lu quelques passions des martyrs, ou de connaître quelque peu la procédure ».

de la sentence. Une originalité pourtant dans les *Actes* :
les femmes sont interrogées séparément et plus person-
nellement que les hommes. Pour C. van Beek, le texte *II,*
le plus court, pourrait être le plus ancien, en raison de
son laconisme même. Cette opinion apparaît fort discutable. Ou le texte *II* est lacunaire, ou il abrège les faits,
par exemple l'interrogatoire des femmes, pour s'étendre
au contraire sur le caractère édifiant de la passion des
martyrs. Le style, résolument hagiographique, est beaucoup
plus éloigné de la *Passion* que celui du texte *I*[1]. Le texte
II ne paraît pas s'être inspiré directement de la *Passion,*
mais plutôt du texte *I,* dont il reprend la citation biblique
si peu vraisemblable, où Perpétue traite ses parents
d'« ouvriers d'iniquité ».

Que peut-on en conclure? Que les *Actes* sont l'œuvre
d'un hagiographe, vraisemblablement assez ancien, sans
être pour autant contemporain de la *Passion*. Il ne saurait
guère être antérieur au Ve siècle. Les auteurs anciens ne
s'y réfèrent pas. Bien qu'on ait parfois soutenu qu'Augustin connaissait les *Actes,* toutes les allusions qu'il fait
à Perpétue et à Félicité se réfèrent clairement à la *Passion*[2].
Il en va de même pour Quodvultdeus, le *Sermon* du
Pseudo-Augustin et le *Martyrologe* de Bède[3].

---

1. Voir, par exemple la réponse de Perpétue, texte II, 2, 2 : « nisi per
Christi... peruenire », qui glose le texte I, lui-même reprise exacte de
Passion 3, 2 ; texte II, 5, 3 : réponse de Félicité ; 6, 2 : « perenni inmo-
remur infamia », qui ne rappelle en rien l'expression familière de la
Passion 6, 4 : « ne... nos extermines ».

2. Aug., *Serm.* 280 ; 281 ; 282 ; *Nat. orig. an.* 1, 10, 12 ; 2, 10, 14 ; etc. ;
Enar. in psalm. 47, 13.

3. Quodvultdeus, *Serm. temp. barbar.* 5, 6 ; *Tract. nat. sanct. Perp.
Felic.* 2-6 ; Ps.-Aug., *Serm.* 394 *(Nat. SS Perp. Felic.)* = PL 39, 1715-16 ;
Martyr. Bedae (dans H. Quentin, *Les martyrologes historiques du Moyen
Age,* Paris 1908, p. 88) : il situe le martyre « sub Seuero » et mentionne
la vache sauvage qui n'apparaît pas dans les *Actes.*

3. Les manuscrits

Les Bollandistes ont distingué dans les *Actes* deux types de rédaction, distinction reprise par C. van Beek. Un groupe de textes se rattache au *BHL 6634,* qui a inspiré les éditions de B. Aubé, A. Pillet et J.A. Robinson. C'est le texte *A* de C. van Beek et notre texte *I.* Un second groupe, plus réduit, se rattache au *BHL 6636.* C'est le texte *B* de C. van Beek, qu'il a édité pour la première fois, et notre texte *II.*

Ces deux textes ont manifestement un archétype commun, bien que les leçons divergent parfois. Ainsi, dans le texte *I,* Saturninus est déchiré par des ours, dans le texte *II,* par des léopards, alors que dans la *Passion,* il était à la fois la proie d'un ours et d'un léopard[1]. Le début et la fin du texte diffèrent également. De façon générale, le texte *II* résume et abrège et, semble-t-il, suit le texte *I* plutôt que la *Passion.* Il s'écarte davantage des leçons de la *Passion* et l'emploi constant des adjectifs *beatus, beatissimus* ou *sanctus,* apposés au nom de chaque martyr, relève de l'hagiographie tardive. Pour ces raisons, il paraît difficile d'y voir la version la plus ancienne[2].

Il peut sembler étonnant que les manuscrits du VIIIe-IXe siècle, les plus anciens, fournissent les *Actes* et non la *Passion.* Ceci s'explique par l'extraordinaire diffusion qu'ont connue ces *Actes,* particulièrement sous la forme du texte *I.* C. van Beek a répertorié 76 textes *I* et seulement 13 textes *II,* mais la liste n'est pas exhaustive[3]. Nous n'en donnerons qu'un index[4]. Dix-neuf se trouvent

---

1. *Passion* 19, 3.
2. Comme le pense C. VAN BEEK, *supra,* p. 271.
3. Plusieurs des textes que nous avons consultés n'étaient pas répertoriées par C. van Beek, *éd. Passion,* p. 107 s.
4. Voir *infra,* p. 275.

à la Bibliothèque Nationale, sept à la Bibliothèque Royale de Bruxelles. Il y a de grandes parentés entre les *codices* parisiens, presque tous du xiie ou xiiie siècle. Ils relèvent tous d'un archétype commun qui inspire aussi trois manuscrits de Bruxelles, quasi identiques.

A partir de cette grande variété de textes, les Bollandistes ont distingué deux formes *A* et *B* dans le texte *I,* essentiellement d'après le début du texte. C. van Beek conserve cette distinction, mais en se fondant plutôt sur les différences de leçons; à vrai dire, ces différences correspondent la plupart du temps à de simples équivalences syntaxiques. C. van Beek reconnaît particulièrement la forme *B* dans le *codex Bruxellensis 207,* qui a principalement inspiré l'édition des Bollandistes. Plus hétérogène que le groupe *A,* ce groupe réunit des manuscrits d'origine et de datation diverses. Les manuscrits de type *II* se divisent également en deux séries. Cette distinction repose surtout sur de légères différences syntaxiques[1].

Nous avons essentiellement consulté les manuscrits suivants :

Texte I

Auxerre, BM *127 (114),* xiie s.
Avranches, BM *167,* xiiie s.
Cambrai, BM *816 (721),* xve s.
Dijon, BM *639 (383),* xiiie s.
Épinal, BM *61 (147),* fin xiie s.
Londres, British Museum, *Cottonianus Otho D VIII,* xiie s.
Paris, BN *5269,* xiiie s.
Paris, Bibl. Sainte-Geneviève, *533,* xiie-xiiie s.
Reims, BM *1410,* xiiie s.
Troyes, BM *7,* xviie s.

---

1. Par exemple, *A* donne la forme *antiqui; B, antiquae;* 5, 5, *A : permaneo; B : permanebo.*

Texte II

Munich, Bayerische Staatsbibliothek *4554*, VIIIe-IXe s.
Paris, BN *5593*, début XIe s.

4. Les éditions

L'*editio princeps* est celle d'Henri de Valois, en 1664, qui fut ajoutée à l'édition de L. Holste de la *Passion de Perpétue et Félicité;* elle était faite d'après un manuscrit de la Bibliothèque de Saint-Victor, actuellement identifié comme le *codex Parisiensis 14640* de la Bibliothèque Nationale : il renferme un texte de type *I.* Les *Actes* furent réédités par B. Aubé[1], à partir de plusieurs manuscrits de la Bibliothèque Nationale. Son texte ne présente aucune différence notable et n'a pas d'apparat critique. C'est cette édition qui fut reprise par R. Harris et S. Gifford, en 1890, et par J.A. Robinson, en 1891, à la suite de leurs éditions respectives de la *Passion.*

L'édition d'Henri de Valois n'est réellement modifiée que par A. Pillet, en 1884. Il s'inspire du *Parisiensis 14650* et du *Bruxellensis 207-8*[2]. C'est en ce *codex Bruxellensis 207-8,* que C. van Beek reconnaît la forme *B* du type *I,* qui fait l'originalité de l'édition donnée par les Bollandistes dans les *Analecta Bollandiana* en 1886[3]. Il appartient à C. van Beek d'avoir donné une véritable édition critique des deux versions des *Actes,* reposant sur de très nombreux manuscrits, surtout pour la forme *I;* la forme *II* n'avait pas encore été éditée.

---

1. *Les chrétiens dans l'Empire romain...,* p. 521-525.

2. A. PILLET, *Les martyrs d'Afrique. Histoire de sainte Perpétue et de ses compagnons,* Paris 1884, p. 462-466.

3. *AB* 1(1886), p. 158-161.

La forme *I* étant bien établie, la présente édition ne saurait guère s'écarter de celles qui ont précédé : les quelques divergences sont signalées dans l'apparat critique. La forme *II* reprend le texte *B* de C. van Beek, à quelques détails près : par exemple quelques modifications de ponctuation et le respect de l'orthographe des manuscrits pour les noms propres, même s'ils s'écartent des noms de la *Passion*.

5. Sigles des manuscrits les plus connus des *Actes*

Texte I = A (van Beek)

Première forme (A) = 1 (van Beek)

SC	van Beek	Référence
A^1	$1a^1$	*Parisiensis 5318*, XIIe s.
A^2	$1a^2$	*Parisiensis 5279*, XIIe-XIIIe s.
A^3	$1a^3$	*Parisiensis 5292*, XIIIe s.
A^4	$1a^4$	*Parisiensis 14650*, XVe s.
A^5	$1b^1$	*Parisiensis 5275*, Xe s.
A^6	$1b^2$	*Parisiensis 5269*, XIIIe s.
A^7	$1b^3$	*Parisiensis 5311*, XIIIe s.
A^8	$1c^1$	*Parisiensis 16732*, XIIe s.
A^9	$1c^2$	*Parisiensis 17004*, XIIIe s.
A^{10}	$1c^3$	*Parisiensis 5297*, XIIIe s.
A^{11}	$1c^4$	*Parisiensis 5349*, XIVe s.
A^{12}	$1d$	*Bruxellensis II 1181*, XIIe s. in.
A^{13}	$1e^1$	*Bruxellensis 9810-14*, XIIe-XIIIe s.
A^{14}	$1e^2$	*Bruxellensis 9378*, XVe s.
A^{15}	$1f$	*Vaticanus reginensis 523*, XIe s. in.

Deuxième forme (B) = 2 (van Beek)

B^1	$2a$	*Carlsruhensis, inter Augienses XXXII*, IXe s. in.

B^2	2b	*Vindobonensis, inter Palatinos 371*, Xe s.
B^3	2c	*Monacensis 18854*, XIe s.
B^4	2d[1]	*Bruxellensis 9119*, XIIe s.
B^5	2d[2]	*Bruxellensis 7483-86*, XIIIe s.
B^6	2d[3]	*Parisiensis 5371*, XIIe-XIII[e] s.
B^7	2d[4]	*Musei Bollandiani 72*, XII[e] s.
B^8	2e[1]	*Londiniensis Harleianus 2800*, XIIIe s.
B^9	2e[2]	*Bruxellensis 207-8*, XIIIe s.
B^{10}	2e[3]	*Bonnensis S 369*, XIVe s.
B^{11}	2e[4]	*Dusseldorpensis C 10b*, XVe s.
B^{12}	2e[5]	*Parisiensis 1836*, XIIIe s.
B^{13}	2e[6]	*Musei Bollandiani 433*, XIIIe s.

Texte II = B (van Beek)

Première forme (A) = 1 (van Beek)

A^1	1a	*Monacensis 4554*, VIIIe-IXe s.
A^2	1b	*Monacensis 22240*, XIIe s.
A^3	1c	*Monacensis 27127*, XIIe s.
A^4	1d	*Stammensis 8*, XIIIe s.
A^5	1e	*Parisiensis 5593*, XIe s.

Deuxième forme (B) = 2 (van Beek)

B^1	2a	*Admontensis 25*, XIIIe s.
B^2	2b	*Sancrucis 11*, XIIe s.
B^3	2c	*Campililiensis 59*, XIIIe s.
B^4	2d	*Mellicensis 674 (M 4)*, XIIe s.
B^5	2e	*Zwetlensis 13*, XIIe s.
B^6	2f	*Claustroneoburgensis 710*, XIVe s.
B^7	2g	*Zwetlensis 40*, XIIe s.
B^8	2h	*Treverensis 1176*, XVII[e] s.

TEXTE
ET
TRADUCTION
DES
ACTES

[Acta I]

I. 1. Facta itaque persecutione sub Valeriano et Gallieno, conprehensi sunt uenerabiles uiri iuuenes Saturus
et Saturninus, duo fratres, Reuocatus et Felicitas, soror
eius, et Perpetua, quae erat de nobili genere et habebat
5 patrem et matrem et duos fratres et filium ad mamillam
– annorum enim erat illa duorum et uiginti – apud
Africam in ciuitate Turbitanorum. **2.** Minutius proconsul
sedens pro tribunali dixit ad eos : «Inuictissimi principes
Valerianus et Gallienus iusserunt ut sacrificetis.»
10 **3.** Saturus respondit : «Hoc non sumus facturi : Christiani
enim sumus.» Proconsul iussit eos recludi in carcerem,
siquidem hora erat prope tertia.

II. 1. Audiens uero pater Perpetuae eam esse conprehensam cucurrit ad carcerem, et uidens eam dixit : «Quid
hoc fecisti, filia? Dehonestasti enim generationem tuam.
Numquam enim de genere nostro aliquis missus est in
5 carcerem.» **2.** Perpetua uero dixit ad eum : «Pater.» At
ille respondit : «Quid est, filia?» Perpetua dixit : «Ecce

Titulus : *om. A²* nonas martii passio ss perpetuae et felicitatis et
aliorum sanctorum *A¹ ³* passio ss perpetuae et felicitatis martyrum *A⁵⁻⁸*
passio ss perpetuae et felicitatis et aliorum sanctorum martyrum non.
mart. celebranda *A⁸⁻¹¹* passio s fel. et perp. apud africam in ciuitate
tuburbitanorum die non. mart. *A¹²* passio ss martyrum saturi socio-
rumque eius *B⁴* passio ss perp. et fel. siue ss saturi et saturnini martyrum *B⁵*

I, 1 facta : apud africam in ciuitate turbitanorum facta *B⁸⁻¹³* ‖ perse-

[Actes I]

I. 1. Ainsi une persécution fut déclenchée sous Valérien et Gallien et on arrêta les vénérables Saturus et Saturninus, deux jeunes hommes qui étaient frères, Revocatus et sa sœur Félicité, ainsi que Perpétue qui était de noble naissance et avait un père, une mère, deux frères et un fils qui têtait encore – elle avait en effet vingt-deux ans ; ceci se passa en Afrique, dans la cité des Tuburbitains. **2.** Le proconsul Minutius, siégeant du haut du tribunal, leur dit : « Les très invincibles empereurs Valérien et Gallien vous ont enjoint de sacrifier. » **3.** Saturus répondit : « Nous n'en ferons rien, car nous sommes chrétiens. » Le proconsul ordonna de les ramener en prison, puisqu'on approchait de la troisième heure.

II. 1. En apprenant qu'elle avait été arrêtée, le père de Perpétue accourut à la prison et en la voyant s'écria : « Pourquoi as-tu agi ainsi, ma fille ? Tu as déshonoré ta famille. Jamais personne de notre race n'a été jeté en prison. » **2.** Alors Perpétue lui dit : « Mon père. » Et lui répondit : « Qu'y a-t-il, ma fille ? » Perpétue lui dit : « Tiens,

cutione : christianorum *add. B*⁸⁻¹³ ‖ 2 sunt : apud africam in ciuitate tuburbitanorum *add. A*¹³ ¹⁴ ‖ 6 uiginti : comprehensi ergo praesentati sunt minutio proconsuli. quibus dixit *add. A*¹³ ¹⁴ ‖ 7 turbitanorum : a minucio proconsule comprehensi sunt qui dixit ad eos *B*¹ ³ erat proconsul nomine minutius. qui audiens famam eorum dixit ad eos *add. B*⁴ ‖ 10 hoc : nos *add. B* ‖ 12 prope tertia : praeterita *B Be*.

uerbi gratia uides uas iacens aut fictile aut cuiuslibet
generis?» Et ille respondit : «Video. Quid ad haec?» Perpetua dixit : «Numquid aliud nomen potest habere quam
10 quod est?» At ille respondit : «Non.» Perpetua dixit : «Sic
nec ego aliud nomen accipere possum quam quod sum :
Christiana.» **3.** Tunc pater eius, audito hoc uerbo, inruit
super eam, uolens oculos eius eruere; et exclamans,
confusus, egressus est foras.

III. 1. Orantes uero et sine cessatione preces ad
Dominum fundentes, cum essent multis diebus in carcere,
quadam nocte uidens uisum sancta Perpetua alia die retulit
sanctis conmartyribus suis ita dicens : **2.** «Vidi in uisu
5 hac nocte scalam aeream mirabili altitudine usque ad
caelum, et ita erat angusta, ut nonnisi unus per eam
ascendere posset. **3.** Dextra uero laeuaque inerant fixi
cultri et gladii ferrei, ut nullus circa se nisi ad caelum
respicere posset. **4.** Sub ea uero iacebat latens draco
10 taeterrimus ingenti forma, ut prae metu eius quiuis
ascendere formidaret. **5.** Vidi etiam ascendentem per
eam Saturum usque ad sursum, et respicientem ad nos
et dicentem : 'Ne uereamini hunc draconem qui iacet,
confortati in gratia Christi ascendite et nolite timere, ut
15 mecum partem habere possitis.' **6.** Vidi etiam iuxta
scalam hortum ingentem, copiosissimum et amoenum, et
in medio horto sedentem senem in habitu pastorali et

II, 11 accipere : habere A^{8-14} ‖ sum : habeo, christiana sum A^{13} ‖
12 eius : conturbatus *add.* B
III, 1 orantibus A^{15} B ‖ preces ad dominum fundentes : *om.* B ‖ 2 in
carcere : uirtus diuina iugiter confortabat eos et timorem futuri iudicii
et amorem nominis christi sensibus eorum inserebat, ut nec praesentia
cuperent et ad aeterna ardentius festinarent. quorum mentibus tantus
ardor fidei tribuebatur ut uicissim se cohortatione mutua ad martyrii
incitarent palmam. nec diffidentia ulla aderat de conscientia, cum per-
fectio cognosceretur in opere. quadam ergo nocte uidens uisum sancta
perpetua *add.* B ‖ 5 auream (aeream B^3) m.a. erectam A^{8-11} B^3 ‖ mira-

vois-tu par exemple le pichet qui se trouve là, une poterie ou tout ce qu'il te plaira?» Et lui répondit : «Je le vois. Quel rapport?» Perpétue dit : «Pourrait-il par hasard porter un autre nom que celui qui est le sien?» Alors lui répondit : «Non.» Perpétue dit : «Pareillement, moi non plus je ne saurais accepter un autre nom que celui qui est le mien : chrétienne.» **3.** Alors son père, en entendant ce mot, se précipita sur elle, voulant lui arracher les yeux, et il sortit à grands cris, tout bouleversé.

III. 1. Ils priaient et faisaient monter sans cesse leurs prières vers le Seigneur – ils étaient emprisonnés depuis plusieurs jours – lorsque, une nuit, sainte Perpétue eut une vision qu'elle rapporta le jour suivant à ses saints compagnons martyrs en ces termes : **2.** «J'ai eu cette nuit une vision : une échelle d'airain, d'une hauteur extra-ordinaire, montait jusqu'au ciel, et elle était si étroite qu'une seule personne à la fois pouvait l'escalader. **3.** A droite et à gauche étaient fichés des couteaux et des glaives de fer, de telle sorte que personne ne pouvait tourner la tête pour regarder autour de lui, si ce n'est vers le ciel. **4.** Au pied de l'échelle, se cachait un affreux serpent, d'une taille énorme, de manière que la crainte qu'il inspirait empêchât quiconque de monter. **5.** J'ai vu aussi Saturus monter par cette échelle jusqu'en haut, puis se retourner vers nous en disant : 'N'ayez pas peur de ce serpent qui est couché là ; forts de la grâce du Christ, montez et n'ayez aucune crainte, si vous voulez partager mon sort.' **6.** Je vis aussi près de l'échelle un jardin immense, fort riche et plein de charme, et au milieu du jardin se tenait assis un vieillard vêtu comme un

---

bilis altitudinis A^{13} ‖ 12 sursum : summum $B^{1\,2\,3}$ A^{13} caelum B^4 ‖ respicientem : eum *add.* B ‖ 13 qui : hic inferius *add.* A^{13} ‖ 14 confortati : -tamini $A^{1\,2\,3}$ B^4

mulgentem oues, et in gyro eius stantem multitudinem
candidatorum; et aspiciens ad nos uocauit ad se et dedit
20 omnibus de fructu lactis. **7.** Et cum gustassemus, turba
candidatorum responderunt : 'Amen.' Et sic prae clamore
uocum sum expergefacta.» **8.** At uero illi cum haec
audissent, gratias agentes sufficienter Domino cognouerunt
se ex reuelatione beatissimae Perpetuae ad martyrii
25 coronam dignos esse effectos.

IV. 1. Post haec uero procedens Minutius proconsul et
sedens pro tribunali eos exhiberi praecepit dixitque ad
eos : «Sacrificate diis : sic enim iusserunt perpetui principes.» **2.** Saturus respondit : «Deo magis oportet sacri-
5 ficare quam idolis.» Proconsul dixit : «Pro te respondes
an pro omnibus?» **3.** Saturus dixit : «Pro omnibus : una
enim est in nobis uoluntas.» **4.** Proconsul ad Saturninum,
Reuocatum et Felicitatem et Perpetuam dixit : «Vos quid
dicitis?» At illi responderunt : «Verum est : unam gerimus
10 uoluntatem.» **5.** Proconsul iussit uiros a mulieribus
separari et ad Saturum dixit : «Sacrifica, iuuenis, et ne te
meliorem quam principes iudices esse.» **6.** Saturus
respondit : «Meliorem enim me iudico esse apud uerum
principem praesentis et futuri saeculi, si conluctando pati
15 meruero.» Proconsul dixit : «Suade tibi, et sacrifica,
iuuenis.» Saturus respondit : «Hoc ego non sum facturus.»
7. Proconsul ad Saturninum dixit : «Sacrifica uel tu,
iuuenis, ut ualeas uiuere.» Saturninus respondit : «Christianus sum, et hoc mihi facere non licet.» **8.** Proconsul
20 ad Reuocatum dixit : «Forte et tu sequeris uoluntatem
illorum?» Reuocatus respondit : «Eorum plane propter

---

19 aspiciens : respi- *B* ‖ 23 sufficienter : -cientes *B^{1-7}* insufficienter
A^{13} *B^{4-13}* -cientes *B^3*

IV, 3 perpetui : propitii *B^{8-13}* ‖ 18 ualeas uiuere : poenas euadere
possis *B^{1 2 3}* possis euadere tormenta *B^4* ‖ 20 uoluntatem : uotum et
deliberationem *A^3*

pasteur qui trayait des brebis, et, faisant cercle autour de lui, se tenait une foule de gens vêtus de blanc; et en nous apercevant, il nous appela auprès de lui et nous donna à tous du fruit de son lait. **7.** Et après que nous l'eûmes goûté, la foule des gens vêtus de blanc répondit : 'Amen.' Et c'est ainsi que le bruit des voix me réveilla.» **8.** Alors, lorsque ses compagnons eurent entendu ce récit, rendant suffisamment grâces au Seigneur, ils comprirent, d'après la révélation faite à la très bienheureuse Perpétue, qu'ils avaient été jugés dignes de la couronne du martyre.

IV. 1. Après cela, le proconsul Minutius arriva pour siéger et donna l'ordre de les faire comparaître devant le tribunal; il leur dit : «Sacrifiez aux dieux; tel est l'ordre des empereurs éternels.» **2.** Saturus répondit : «Il faut sacrifier à Dieu et non aux idoles.» Le proconsul dit : «Réponds-tu en ton nom ou au nom de tous?» **3.** Saturus dit : «Au nom de tous : nous n'avons qu'une seule et même volonté.» **4.** Le proconsul dit à Saturninus, Revocatus, Félicité et Perpétue : «Et vous, que dites-vous?» Mais ceux-ci répondirent : «C'est vrai : nous ne faisons qu'une seule et même volonté.» **5.** Le proconsul fit séparer les hommes des femmes et dit à Saturus : «Sacrifie, jeune homme, et ne te crois pas meilleur que les empereurs.» **6.** Saturus répondit : «Je me crois meilleur devant le véritable empereur des siècles présents et à venir, si par mon combat je mérite de souffrir le martyre.» Le proconsul dit : «Réfléchis et sacrifie, jeune homme.» Saturus répondit : «Non, je n'en ai pas l'intention.» **7.** Le proconsul dit à Saturninus : «Toi au moins, sacrifie, jeune homme, pour obtenir la vie sauve.» Saturninus répondit : «Je suis chrétien et je n'ai pas le droit de sacrifier.» **8.** Le proconsul dit à Revocatus : «Sans doute vas-tu suivre, toi aussi, les dispositions de ces deux-là?» Revocatus répondit : «Au nom de Dieu, je

Deum sequor desideria.» **9.** Proconsul dixit : «Sacrificate,
ne uos interficiam.» Reuocatus respondit : «Deum oramus
ut hoc mereamur.»

V. 1. Proconsul eos remoueri praecepit et Felicitatem
et Perpetuam sibi iussit offerri. **2.** Dixit autem ad Felicitatem : «Quae diceris?» Respondit : «Felicitas.» **3.** Proconsul dixit : «Virum habes?» Felicitas respondit : «Habeo
5 quem nunc contemno.» **4.** Proconsul dixit : «Ubi est?»
Felicitas respondit : «Non est hic.» **5.** Proconsul dixit :
«Quo genere est?» Felicitas respondit : «Plebeius.»
6. Proconsul dixit : «Parentes habes?» Felicitas respondit :
«Non habeo; Reuocatus uero congermanus meus est.
10 Verumtamen his maiores parentes habere non potero.»
7. Proconsul dixit : «Miserere tui, puella, et sacrifica ut
uiuas; maxime quia te infantem in utero habere uideo.»
Felicitas respondit : «Ego Christiana sum, et haec omnia
mihi propter Deum contemnere praeceptum est.» **8.** Pro-
15 consul dixit : «Consule tibi; doleo enim de te.» Felicitas
respondit : «Fac quod uis; mihi enim persuadere non
poteris.» **9.** Proconsul ad Perpetuam dixit : «Quid dicis,
Perpetua? Sacrificas?» Perpetua respondit : «Christiana sum
et nominis mei sequor auctoritatem, ut sim perpetua.»
20 **10.** Proconsul dixit : «Parentes habes?» Perpetua respondit : «Habeo.»

VI. 1. Audientes uero parentes eius, pater et mater,
fratres et maritus simulque cum paruulo eius, qui erat ad
lac, uenerunt, cum essent de nobili genere. Et uidens
eam pater eius stantem ante proconsulis tribunal, cadens
5 in faciem suam dixit ad eam : **2.** «Filia, iam non filia

23 uos interficiam : quasi sacrilegi puniamini A^{13} ‖ oramus : ador- B
V, 10 his maiores parentes : parentes his fidelibus christi maiores A^{13} ‖
14 praeceptum est : -cepta sunt A $Be.$ ‖ 19 sequar B
VI, 2-3 erat ad lac : adhuc lac sugebat A^{13} lactem sugens A^{15} B^{1-8} ‖
5 non : ut $add.$ A^{8-11}

suis pleinement d'accord avec leurs désirs.» **9.** Le proconsul dit : «Sacrifiez, ou je vous ferai tuer.» Revocatus
répondit : «Nous prions Dieu de mériter cette mort.»

V. 1. Le proconsul donna l'ordre de les emmener et
prescrivit qu'on lui présentât Félicité et Perpétue. **2.** Il dit
à Félicité : «Comment t'appelles-tu?» Elle répondit : «Félicité.» **3.** Le proconsul dit : «As-tu un mari?» Félicité
répondit : «J'en ai un, que je méprise à présent.» **4.** Le
proconsul dit : «Où est-il?» Félicité répondit : «Il n'est
pas ici.» **5.** Le proconsul dit : «De quelle classe est-il?»
Félicité répondit : «Plébéien.» **6.** Le proconsul dit : «As-
tu des parents?» Félicité répondit : «Non; mais Revocatus
est mon frère. Pourtant, je ne pourrai pas avoir de parents
plus grands que ceux-ci.» **7.** Le proconsul dit : «Aie pitié
de toi, jeune femme, et sacrifie pour avoir la vie sauve;
d'autant plus que tu attends un enfant, je le vois.» Félicité
répondit : «Pour moi je suis chrétienne, et il m'a été
prescrit de mépriser tout cela au nom de Dieu.» **8.** Le
proconsul dit : «Réfléchis; car tu me fais pitié.» Félicité
répondit : «Fais tout ce que tu voudras, tu ne pourras
pas me persuader.» **9.** Le proconsul dit à Perpétue : «Que
dis-tu, Perpétue? Vas-tu sacrifier?» Perpétue répondit : «Je
suis chrétienne et je suis fidèle à la valeur de mon nom,
afin d'être 'perpétuelle'.» **10.** Le proconsul dit : «As-tu
des parents?» Perpétue répondit : «Oui.»

VI. 1. En l'entendant, ses parents, son père et sa mère,
ses frères et son mari, portant le nouveau-né qui têtait
encore, se présentèrent ensemble, car ils étaient de noble
naissance. Et voyant Perpétue debout devant le tribunal
du proconsul, son père se jeta face contre terre et lui
dit : **2.** «Ma fille, non pas ma fille, mais 'Madame', aie

sed domina, miserere aetati meae, patris tui, si tamen
mereor dici pater; miserere et matri tuae, quae te ad
talem florem aetatis perduxit; miserere et fratribus tuis,
et huic infelicissimo uiro tuo, certe uel paruulo huic qui
10 post te uiuere non poterit. Depone hanc cogitationem :
nemo enim nostrum post te uiuere poterit, quia hoc generi
meo numquam contigit.» **3.** Perpetua uero stabat immobilis et respiciens in caelum dixit ad patrem suum : «Pater,
noli uereri : Perpetuam enim filiam tuam, si non obsti-
15 teris, perpetuam filiam possidebis.» **4.** Proconsul dixit ad
eam : «Moueant te et excitent ad dolorem lacrimae
parentum tuorum, praeterea uoces paruuli tui.» Perpetua
dixit : «Mouebunt me lacrimae eorum, si a conspectu
Domini et a consortio horum sanctorum, cum quibus
20 secundum uisionem meam fratribus bonis sum copulata,
fuero aliena inuenta.» **5.** Pater uero eius iactans infantem
in collum eius et ipse cum matre et marito tenentes
manus eius et flentes osculabantur dicentes : «Miserere
nostri, filia, et uiue nobiscum.» **6.** At illa proiciens
25 infantem eosque repellens dixit : «*Recedite a me operarii*
iniquitatis, quia *non noui uos*[a]. Non enim potero maiores
et meliores uos facere quam Deum qui me ad hanc
gloriam perducere dignatus est.»

VII. 1. Videns uero proconsul eorum perseuerantiam,
data sententia Saturum, Saturninum et Reuocatum, flagellis
caesos, et Felicitatem et Perpetuam, exalapatas, in carcerem recipi praecipit, ut in Caesaris natale bestiis mit-
5 terentur. **2.** Et cum essent in carcere, iterum uidit

---

6 aetatis B^{4-13} ‖ 7 quae : qui A^{15} $B^{1\ 2\ 3}$ ‖ 8 perduxit : -ximus $B^{1\ 2}$
-xerunt B^{8-13} ‖ 10 cogitationem : nefandi erroris intentionem A^{13} tuam
add. A^{5-7} ‖ 12 uero : inter hos questus A^{13} ‖ 12-13 immobilis : incon-
cussa A^{13} ‖ 15 proconsul : pater eius A^{12-14} ‖ 20 fratribus : fructibus B ‖
22 marito : uiro B

pitié de mon âge, aie pitié de ton père; si du moins je
mérite d'être appelé ton père; aie pitié aussi de ta mère,
qui t'a menée jusqu'à cette belle fleur de ta jeunesse;
aie pitié de tes frères et du plus malheureux des hommes,
ton mari, ou du moins de ce tout petit qui ne pourra
pas vivre après toi. Abandonne ton projet : aucun de
nous ne pourra vivre après toi, parce que ce malheur
n'est jamais arrivé à ma race. » **3.** Mais Perpétue se tenait
immobile et, regardant vers le ciel, elle dit à son père :
« Mon père, n'aie aucune crainte; car en ta fille Perpétue,
si tu ne t'obstines pas, tu auras une fille perpétuelle. »
4. Le proconsul lui dit : « Sois touchée et émue de douleur
devant les larmes de tes parents et aussi par les cris de
ton nouveau-né ! » Perpétue dit : « Leurs larmes ne me
toucheront que si on me trouve étrangère à la présence
du Seigneur et à la communauté de ces saints, à qui j'ai
été unie, selon ma vision, comme à de bons frères. »
5. Alors son père suspendit l'enfant à son cou et lui-
même, ainsi que sa mère et son mari, lui tenant les
mains, l'embrassaient en pleurant, disant : « Aie pitié de
nous, ma fille, et vis avec nous. » **6.** Mais elle, rejetant
l'enfant et les repoussant dit : « *Écartez-vous de moi,*
ouvriers d'iniquité, car je ne vous connais pas [a]. Je ne
pourrai en effet vous considérer comme plus grands et
meilleurs que Dieu, qui m'a jugée digne d'être amenée
à cette gloire. »

VII. 1. Voyant la persévérance de ces gens, le proconsul rendit cette sentence : Saturus, Saturninus et Revocatus seraient battus de verges, Félicité et Perpétue souffletées; puis il ordonna de les ramener en prison pour
être livrés aux bêtes lors de l'anniversaire de César. **2.** Et
comme ils étaient en prison, Perpétue eut une seconde

VI. a. Matth. 7, 23; Lc 13, 27; Cf. Ps. 6, 9

uisionem Perpetua : Aegyptium quendam horridum et nigrum, iacentem et uolutantem se sub pedibus eorum, retulitque sanctis fratribus et conmartyribus suis. **3.** At illi intellegentes gratias egerunt Domino, qui, prostrato
10 inimico generis humani, eos laude martyrii dignos habuerit.

VIII. 1. Contristantibus uero eis de Felicitate, quod esset praegnans in mensibus octo, statuerunt unanimiter pro ea precem ad Dominum fundere. Et dum orarent, subito enixa est partum uiuum. **2.** Quidam uero de cus-
5 todibus dixit ad eam : «Quid factura es cum ueneris in amphitheatrum, quae talibus detineris tormentis?» Felicitas respondit : «Hic ego crucior; ibi uero pro me Dominus patietur.»

IX. 1. Facto itaque die natalis Caesaris, concursus ingens fiebat populi in amphitheatrum ad spectaculum eorum. Procedens uero proconsul eos ad amphitheatrum produci praecepit. **2.** Euntibus uero eis sequebatur et
5 Felicitas, quae ex sanguine carnis ad sanguinem salutis ducebatur, et de obstetrice ad gladium, et de lauatione post partum balnei sanguinis effusione meruit delauari. **3.** Adclamante uero turba, positi sunt in medio amphi-theatri, nudi, ligatis post tergum manibus; et dimissis
10 bestiis diuersis, Saturus et Perpetua a leonibus sunt deuorati. **4.** Saturninus uero ab ursis erutus gladio est percussus. Reuocatus et Felicitas a leopardis gloriosum agonem impleuerunt. **5.** Horum ergo famosissimorum et beatissimorum martyrum, sanctissimi fratres, qui passi sunt
15 sub Valeriano et Gallieno imperatoribus apud Africam in

VIII, 4 partum : puerum *B³* infantem *B⁸⁻¹³* om. *A⁵⁻¹¹ B¹* ‖ 8 patietur : iam uero perpetuae inter alia concessum est ut eius mens quodammodo auerteretur de corpore, in quo uaccae impetum pertulit, ita ut adhuc futurum exspectaret quod in se iam gestum esse nesciret *add. ex mar-tyrologio Bedae B⁷*

vision : elle vit un Égyptien hideux et tout noir, étendu à terre et se roulant à ses pieds, et elle le rapporta à ses saints frères et compagnons de martyre. **3.** Ceux-ci comprirent et rendirent grâces au Seigneur qui les avait jugés dignes de la gloire du martyre en terrassant l'ennemi du genre humain.

VIII. 1. Ils s'attristaient tous du sort de Félicité, parce qu'elle était enceinte de huit mois, aussi décidèrent-ils de faire monter pour elle leur prière à l'unisson vers le Seigneur. Et tandis qu'ils priaient, elle accoucha soudain d'un enfant vivant. **2.** L'un des gardes lui dit : « Que feras-tu quand tu arriveras dans l'amphithéâtre, toi qui t'arrêtes à de telles souffrances ? » Félicité répondit : « Ici, c'est moi qui suis au supplice ; mais là-bas, le Seigneur le subira pour moi. »

IX. 1. Aussi lorsque arriva le jour de l'anniversaire de César, une foule immense se rassemblait dans l'amphithéâtre pour assister à ce spectacle. Alors le proconsul s'avança et ordonna de les conduire à l'amphithéâtre. **2.** Félicité aussi suivait leur marche, elle que l'on menait du sang de la chair au sang du salut, de la sage-femme au glaive, et qui au sortir du bain de l'accouchement, mérita d'avoir pour bain des flots de sang. **3.** Sous les clameurs de la foule, ils furent placés au milieu de l'amphithéâtre, nus, les mains liées derrière le dos ; on lâcha diverses bêtes fauves, Saturus et Perpétue furent dévorés par les lions. **4.** Saturninus, mis en pièces par les ours, fut achevé d'un coup de glaive. Revocatus et Félicité mirent un terme à leur glorieux combat par des léopards. **5.** Ainsi, ces martyrs si célèbres et si bienheureux, très saints frères, subirent la passion sous les empereurs Valérien et Gallien, en Afrique, dans la cité des Tubur-

IX, 7 delauari : lauari $A^{6\ 7}$ dealbari B^9 dilui A^{13}

ciuitate Turbitanorum sub Minutio proconsule die Nonarum Martiarum, fideliter memoriis communicantes, actus eorum in ecclesia ad aedificationem legite, precantes Dei misericordiam, ut orationibus eorum et omnium sanc-
20 torum nostri misereatur, atque participes eorum efficere dignetur, in gloriam et laudem nominis sui, quod est benedictum in saecula saeculorum. Amen.

18 legentes $A^{5-7\ 12-15}$ B || precemur $A^{5-7\ 12-14}$ B || 19-22 dei – saecula : dominum ut eorum participes esse mereamur per omnia saecula $B^{4\ 5\ 6}$ || 20 nostrorum B^{8-12}

bitains, sous le proconsulat de Minutius, le jour des nones de mars; communiez donc fidèlement à leur souvenir et lisez leurs actes à l'église pour servir à l'édification, en suppliant la miséricorde de Dieu que, par leurs prières et celles de tous les saints, il ait pitié de nous et qu'il nous juge dignes de participer à leurs mérites, pour la gloire et la louange de son nom, qui est béni dans les siècles des siècles. Amen.

[Acta II]

I. 1. Valeriano et Gallieno consulibus, missa in Christianos persecutione uiolenta, diabolico est furore flammata
gentilium insania. Siquidem inquisitio illa, dum antiquae
eius calliditati famulatur, crudeli consensu in sanctorum
5 mortibus conspirauit. Alacri deuotione, perfecta
conscientia, in Christi confessione beatissimi martyres
concurrerunt : Saturninus, Saturus, Reuocatus, Felicitas et
soror eius, Perpetua, nobili quidem in saeculo patre
generata, sed confessione Christi iam Dei filia. Hi igitur
10 sancti martyres a Minutio, proconsule Africae, in ciuitate
Tuburbita capti, eidem sunt adstante officio intromissi.
2. Proconsul dixit : «Inuictissimi principes Christianos diis
sacrificare iusserunt.» **3.** Sanctus Saturus respondit :
«Christiani sumus; diis sacrificare non possumus.» Iratus
15 proconsul retrudi eos praecepit in carcerem.

II. 1. Audiens uero pater Perpetuae cum ceteris eam
a proconsule conprehensam, cucurrit ad eam dicens :
«Quid fecisti, filia? Numquam enim ex genere nostro
aliquis missus est in carcerem.» **2.** Sancta Perpetua
5 respondit : «Filiam tuam, pater, si uis uere esse per-

Titulus : passio ss martyrum saturi, saturnini, reuocati, perpetuae et
felicitatis $A^{1\ 2\ 5}$ non. mart. *add.* A^5 passio perpetuae et felicitatis $A^{3\ 4}$
passio ss perpetuae et felicitatis, saturnini, saturi et reuocati martyrum
B^{1-6} de ss perpetua et felicitate, saturnino, saturo et reuocato martyribus. 7 martii B^8

I, 7 saturninus : -turnius A^3 ‖ saturus : -turnus $B^{2\ 3\ 7}$ ‖ 11 tuburbita
B^8 : tuturbina A cucurbita $B^{1\ 2\ 3}$

[Actes II]

I. 1. Sous le consulat de Valérien et de Gallien, une violente persécution se déclencha contre les chrétiens et une fureur diabolique enflamma la folie des païens. Ainsi cette enquête, servant l'antique ruse du diable, fomenta une cruelle conspiration pour obtenir la mort des saints. Avec une dévotion ardente, avec une conscience parfaite, les bienheureux martyrs se rassemblèrent pour confesser le Christ : Saturninus, Saturus, Revocatus, ainsi que Félicité sa sœur, Perpétue, noble il est vrai dans le siècle par le père qui l'avait engendrée, mais par la confession du Christ déjà fille de Dieu. Ainsi donc, ces saints martyrs furent arrêtés par Minutius, proconsul d'Afrique, dans la cité de Tuburbo, et, avec l'assistance d'un officier de justice, ils furent introduits. **2.** Le proconsul dit : «Les empereurs très invincibles ont donné l'ordre aux chrétiens de sacrifier aux dieux.» **3.** Saint Saturus répondit : «Nous sommes chrétiens, nous ne pouvons sacrifier aux dieux.» En colère, le proconsul ordonna de les jeter en prison.

II. 1. Apprenant qu'elle avait été arrêtée avec les autres par le proconsul, le père de Perpétue accourut auprès d'elle en disant : «Qu'as-tu fait, ma fille? Jamais personne de notre race n'a été jeté en prison.» **2.** Sainte Perpétue répondit : «Si tu veux vraiment, mon père, voir ta fille

petuam, nisi per Christi confessionem ad perennem et
beatam uitam et per praesentis saeculi contemptum non
potest peruenire.» **3.** Quae cum pater audisset, inruens
oculos eius uolebat eruere; sed statim diuino terrore
10 conturbatus abscessit.

III. 1. Orantibus uero eis sine cessatione, cum multis
diebus in custodia tenerentur, haec sanctae Perpetuae
reuelata sunt quiescenti. **2.** Videbat scalam erectam mira
quidem altitudine, sed ualde angusto ascensu ad caelum
5 usque porrectam, **3.** dextra laeuaque cultris et gladiis
confixam, **4.** sub ea iacentem draconem aspectu trucem,
magnitudine et forma terribilem, ita ut metu eius quiuis
formidaret ascendere. **5.** Aspiciebat itaque beatum
Saturum usque ad summum eius conscendisse cacumen
10 et respicientem dicere : «Ne uereamini hunc draconem
qui iacet; confortati gratia Christi, conscendite et nolite
metuere.» **6.** Iuxta scalam quoque hortum cernit, mira
amoenitate conpositum; in eius medio sedentem quendam
habitu pastorali, in cuius gyro erant agmina candidata.
15 Qui uocauit nos et dedit nobis de fructibus gregis. **7.** Et
cum gustassemus, exultans candidatorum turba respondit :
«Amen.» Itaque uoce eorum audita, expergefacta est.
8. Haec cum martyribus retulisset, gratias Domino cum
laetitia et alacritate fuderunt, cognoscentes uisione beatae
20 Perpetuae se martyrii coronam adepturos.

IV. 1. Post haec procedens Minutius proconsul sedens
pro tribunali exhiberi eos praecepit, et intromissis dixit :

II, 7 et per *B* : et *A Be.* ‖ 10 abcessit : -cedit $A^{1\ 2}$ *B*
III, 4 angusto : -tam A^{1ac} -ta A^{1pc} ‖ 6 trucem : atrocem B^1

vivre perpétuellement, ce n'est que par la confession du
Christ et le mépris du siècle présent qu'elle peut parvenir à une vie bienheureuse et sans fin.» **3.** En
entendant ces mots, son père se précipita sur elle et il
voulait lui arracher les yeux; mais tout à coup saisi d'une
terreur divine, il s'en alla.

III. 1. Ils priaient sans cesse et ils étaient retenus en
prison depuis plusieurs jours, lorsque sainte Perpétue eut
ces révélations dans son sommeil. **2.** Elle voyait une
échelle dressée, d'une hauteur extraordinaire, mais qui
montait jusqu'au ciel par un chemin fort étroit; **3.** à
droite et à gauche des couteaux et des glaives y étaient
fichés; **4.** au pied de l'échelle était couché un serpent
à l'aspect menaçant, d'une taille et d'une apparence
effrayantes, de manière que la crainte qu'il inspirait
empêchât quiconque de monter. **5.** Elle voyait aussi le
bienheureux Saturus qui était monté tout en haut de
l'échelle et qui, se retournant, disait: «N'ayez pas peur
de ce serpent qui est couché là; soyez forts de la grâce
de Dieu, montez et n'ayez aucune crainte.» **6.** Près de
l'échelle, elle voit aussi un jardin arrangé avec un charme
extraordinaire; au milieu se tenait assis un personnage
vêtu comme un pasteur et, faisant un cercle autour de
lui, il y avait des troupes de gens vêtus de blanc. Il nous
appela et nous donna du fruit de son troupeau. **7.** Et
après que nous l'eûmes goûté, transportée de joie, la foule
des gens vêtus de blanc répondit: «Amen.» Ainsi en
entendant leurs voix, elle s'éveilla. **8.** Lorsqu'elle eut fait
ce récit aux martyrs, ceux-ci, pleins de joie et d'allégresse,
se répandirent en actions de grâces devant le Seigneur,
en comprenant, d'après la vision de la bienheureuse Perpétue, qu'ils obtiendraient la couronne du martyre.

IV. 1. Après cela, le proconsul Minutius s'avança et,
siégeant, donna l'ordre de les faire comparaître devant le

«Sacrificate diis, quia hoc principes imperarunt.»
2. Beatus Saturus respondit : «Deo nos potius oportet
5 sacrificare, non idolis.» Proconsul dixit : «Pro te an pro
omnibus das responsum?» **3.** Sanctus Saturus respondit :
«Pro omnibus, uni Deo credimus, unam gerimus uoluntatem.» **4.** Proconsul ad Saturninum, Reuocatum, Felicitatem et Perpetuam dixit : «Vos quid dicitis?» Respon-
10 derunt : «Certum habeas unum nos habere consensum.»
5. Proconsul iussit uiros a feminis separari et ad Saturum
dixit : «Sacrifica diis nec te meliorem iudices esse quam
principes.» **6.** Saturus respondit : «Apud Deum, iudicem
praesentis saeculi et futuri, meliorem me esse puto, si
15 eius praeceptis obediendo eum meruero confiteri.»
7. Proconsul ad Saturninum dixit : «Vel tu sacrifica, ut
possis quae imminent uitare tormenta.» Saturninus
respondit : «Christianus sum : Dei praecepta custodiens,
idolis sacrificare prohibeor.» **8.** Proconsul ad Reuocatum
20 dixit : «Numquid et tu horum sequeris uoluntatem?» Reuocatus respondit : «Horum plane sequor, ut Deum cum
his uidere promerear.» **9.** Proconsul dixit : «Sacrificate,
ne uos diuersis interficere cogar exemplis.» Responderunt :
«Deum adoramus, et ut ad eum, quemadmodum dicis,
25 peruenire mereamur, uotis optamus.»

V. 1. Proconsul praecepit ut uiris remotis Felicitatem
et Perpetuam offerrent. **2.** Et ad Felicitatem dixit : «Quae
diceris?» Respondit : «Felicitas.» **3.** Proconsul dixit :
«Miserere tui, puella, ne uitae istius iucunditate et lucis
5 splendore, graui tormentorum genere adflicta, priueris.»
Felicitas respondit : «Ego ad aeternam uitam et perennem

IV, 5 non idolis : quam diis A^3 ‖ 14 si : om. B^8 ‖ 15 eum meruero :
cum meruero eum B^8 ‖ 23 exemplis : tormentis $B^{4\ 5}$
V, 4 tui : animae tuae A^5

tribunal; lorsqu'on les eut introduits il dit : «Sacrifiez aux dieux, parce que les empereurs l'ont ordonné.» **2.** Le bienheureux Saturus répondit : «Nous devons sacrifier à Dieu et non aux idoles.» Le proconsul dit : «Donnes-tu ta réponse en ton nom ou au nom de tous?» **3.** Saint Saturus répondit : «Au nom de tous; nous croyons en un seul Dieu, nous ne faisons qu'une seule et même volonté.» **4.** Le proconsul dit à Saturninus, Revocatus, Félicité et Perpétue : «Et vous, que dites-vous?» Ils répondirent : «Sois certain que nous sommes tous d'accord.» **5.** Le proconsul fit séparer les hommes des femmes et dit à Saturus : «Sacrifie aux dieux et ne te crois pas meilleur que les empereurs.» **6.** Saturus répondit : «Devant Dieu, juge du siècle présent et à venir, je me crois meilleur, si, en obéissant à ses préceptes, je mérite de le confesser.» **7.** Le proconsul dit à Saturninus : «Toi au moins, sacrifie, pour pouvoir éviter les tortures qui te menacent.» Saturninus répondit : «Je suis chrétien : si je garde les préceptes de Dieu, il m'est interdit de sacrifier aux idoles.» **8.** Le proconsul dit à Revocatus : «Vas-tu toi aussi suivre les dispositions de ces deux-là?» Revocatus répondit : «Je les suis totalement, pour mériter que Dieu me voie en leur compagnie.» **9.** Le proconsul dit : «Sacrifiez, ou je serai forcé de vous tuer par toutes sortes de châtiments exemplaires.» Ils répondirent : «Nous adorons Dieu et mériter de monter vers lui de la façon que tu dis, c'est ce que nous appelons de nos vœux.»

V. 1. Le proconsul ordonna qu'on écartât les hommes et qu'on lui présentât Félicité et Perpétue. **2.** Et il dit à Félicité : «Comment t'appelles-tu?» Elle répondit : «Félicité.» **3.** Le proconsul dit : «Aie pitié de toi, jeune femme, crains d'être privée de cette douceur de vivre dont tu jouis et de la splendeur de la lumière, en voyant s'abattre sur toi de cruelles tortures.» Félicité répondit :

splendorem per temporalia supplicia opto peruenire.»
4. Proconsul ad Perpetuam dixit : «Tu quid cogitas? Sacrificas, an his quibus obstinatione coniungeris etiam poena
10 sociaris?» **5.** Sancta Perpetua respondit : «Christiana sum
et, ut merear esse perpetua, in Christi nominis confessione permaneo.»

VI. 1. Venientes autem parentes eius pater et mater,
fratres et maritus cum paruulo filio ante proconsulis tribunal, tali conabantur adloquio fidei eius mollire
constantiam, dicentes : **2.** «Miserere senectuti nostrae, si
5 florem tuae non consideras iuuentutis, et si quae tibi
imminent tormenta aestimas contemnenda, saltem parentibus tuis consule, ne per tuam obstinationem perenni
inmoremur infamia.» **3.** Perpetua uero stabat inmobilis
atque secura, et tota in martyrii desiderio iam in caelis
10 oculos suos habens, ne contraria persuadentes uideret, ad
superna se sustulerat dicens : «Non agnosco parentes,
creatorem omnium ignorantes, qui et si essent, ut in
Christi confessione persisterem, persuaderent.» **4.** Proconsul autem, parentum lacrimis motus, dixit ad eam :
15 «Excitet te ad misericordiam fletus parentum. Quodsi hos
non audis, uel uoces tui infantis ausculta.» **5.** Pater uero
eius, iactans infantem in collo eius et flens, rogabat eam
dicens : «Miserere nostri uitamque tuam serua parentibus.»
6. Beata uero Perpetua proiciens infantem, ac parentes
20 repellens dixit : «*Discedite a me operarii iniquitatis,* quia

8-9 sacrificas : -ca *B* ‖ 9 an : ne *B* ‖ 10 socieris *B* ‖ 12 permanebo *B*
VI, 1 uenientes : gementes *B⁴* ‖ 3 mollire : mouere *B⁸* ‖ 7 consule :
condole *B* ‖ 7-8 perenni – infamia : uiua moriaris in flammis *B⁸* ‖ 8
inmoremur : inmiramur *A* ‖ 9 tota : tuta *B⁸*

«Pour moi, c'est à la vie éternelle et à une splendeur sans fin que je souhaite parvenir par les supplices temporels.» **4.** Le proconsul dit à Perpétue : «Et toi, quel est ton avis? vas-tu sacrifier, ou vas-tu en rejoignant ces obstinés, partager aussi leur châtiment?» **5.** Sainte Perpétue répondit : «Je suis chrétienne, et pour mériter de vivre perpétuellement, je persiste à confesser le nom du Christ.»

VI. 1. Arrivèrent alors ses parents, son père et sa mère, ses frères et son mari, portant son fils nouveau-né, devant le tribunal du proconsul et ils s'efforçaient en l'exhortant ainsi d'amollir la fermeté de sa foi; ils disaient : **2.** «Aie pitié de notre vieillesse, si tu fais peu de cas de ta jeunesse dans la fleur de l'âge, et si tu estimes que les tortures qui te menacent sont méprisables, au moins pense à tes parents, pour que ton obstination ne nous plonge pas dans une éternelle infamie.» **3.** Mais Perpétue se tenait immobile et sûre d'elle, et, tout entière au désir du martyre, elle levait désormais les yeux au ciel, pour ne pas voir ceux qui voulaient la persuader de changer d'avis; elle avait élevé son esprit jusqu'aux réalités célestes et elle disait : «Je ne reconnais pas des parents qui ignorent le créateur de toutes choses et qui, s'ils étaient mes parents, chercheraient à me persuader de persister à confesser le Christ.» **4.** Alors le proconsul, ému par les larmes des parents, lui dit : «Laisse-toi saisir de pitié devant les pleurs de tes parents. Et si tu ne veux pas les entendre, écoute au moins les cris de ton nouveau-né.» **5.** Alors son père suspendit l'enfant à son cou et, tout en larmes, il lui faisait cette prière : «Aie pitié de nous et conserve ta vie pour tes parents.» **6.** Mais la bienheureuse Perpétue, rejetant l'enfant et repoussssant ses parents, dit : «*Écartez-vous de moi, ouvriers d'iniquité,* car

non noui uos[a]. Ego non inmerito alienos aestimo quos a redemptione Christi uideo separatos.»

VII. 1. Tunc proconsul uidens eorum constantiam, beatissimos martyres Saturum, Saturninum et Reuocatum flagellis caedi praecipit, Perpetuam uero et Felicitatem alapis caedi iussit, et in carcerem retrudi, dans sententiam ut
5 natali Caesaris bestiis traderentur. **2.** Iterum Perpetua uisionibus animatur. Vidit Aegyptium horrore et nigredine taetrum, sub eorum pedibus uolutantem. **3.** Quam cum martyribus retulisset, gratias egerunt Deo, qui prostrato humani generis inimico gloria martyrii consecratos se esse
10 cognouerunt.

VIII. 1. Contristantibus uero eis de Felicitate, quod mense octauo onus gestaret in utero, statuerunt preces pro ea ad Dominum fundere. Qui dum in oratione persistunt, enixa est.

IX. 1. Natali ergo Caesaris procedente, a proconsule produci iubentur e carcere. **2.** Praecedentibus uero sanctis martyribus Felicitas sequebatur, quae desiderio Christi et amore martyrii nec obstetricem quaesiuit, nec
5 partus sensit iniuriam, sed uere felix et suo sanguine consecranda, non solum femineo sexui, sed etiam uirili uirtuti praebebat exemplum, post onus uteri coronam martyrii perceptura. **3.** Adclamante ergo turba gentilium, nudi et post tergum manibus conligati in medio amphi-
10 theatri statuuntur. Sanctos igitur martyres ad paradisi

VII, 9 gloria martyrii : gloriosos martyres B^8
IX, 3 martyribus : uiris B^8 ‖ 6 sexui : sexu $B^{1-5\ 7\ 8}$ sexum B^6 ‖ 7 uirtute A^4 B

VI. a. Matth. 7, 23; Lc 13, 27; Cf. Ps. 6, 9

je ne vous connais pas[a]. Pour moi, c'est avec raison que je considère comme des étrangers ceux que je vois séparés de la rédemption du Christ.»

VII. 1. Alors le proconsul voyant la fermeté de ces gens condamna les très bienheureux martyrs Saturus, Saturninus et Revocatus à être battus de verges, et Perpétue et Félicité à être souffletées; il donna l'ordre de les ramener en prison, en rendant cette sentence : ils seraient livrés aux bêtes pour l'anniversaire de César. **2.** Une seconde fois, Perpétue est inspirée par des visions : elle voit un Égyptien hideux, horrible et tout noir, qui se roule à ses pieds. **3.** Quand elle eut rapporté cette vision aux martyrs, ils rendirent grâce à Dieu, car ils comprirent que, pour avoir terrassé l'ennemi du genre humain, ils avaient été consacrés par la gloire du martyre.

VIII. 1. Ils s'attristaient tous du sort de Félicité, parce qu'elle portait en son ventre un fardeau de huit mois, aussi ils décidèrent de faire monter pour elle leurs prières vers le Seigneur. Pendant qu'ils poursuivaient leurs prières, elle accoucha.

IX. 1. Comme l'anniversaire de César arrivait, le proconsul donne l'ordre de les sortir de prison. **2.** Les saints martyrs marchaient devant et Félicité suivait, elle qui, par désir du Christ et par amour du martyre, ne demanda même pas une sage-femme et ne sentit pas les souffrances de l'accouchement, mais véritablement heureuse et digne d'être consacrée par son propre sang, elle fournissait un exemple non seulement au sexe féminin, mais même au courage masculin : après le fardeau de l'enfantement, elle s'apprêtait à recevoir la couronne du martyre. **3.** Ainsi donc, sous les clameurs de la foule des païens, on les place nus, les mains liées derrière le dos, au milieu de l'amphithéâtre. Voici donc la fin qui

delicias festinantes iste exitus consummauit. Missi leones diuturna fame confecti et ad celerandam gloriam martyrum humana industria praeparati. Beatum Saturum et Perpetuam furentes leones inuadunt. **4.** Saturninum ursi, 15 Reuocatum et Felicitatem leopardi discerpunt. **5.** Ita his bestiarum saeuitiis coronis martyrum militantibus pretiosae animae regnis caelestibus et Domini aspectibus praesentantur. Horum ergo beatissimorum martyrum uictorias, qui Valeriano et Gallieno imperatoribus in ciuitate Tuburbita 20 sub Minutio proconsule Nonas Martias passi sunt, recolere debet Ecclesia, ut tantis exemplis et tanta utriusque sexus tolerantia inflammata, etsi pro tempore persecutionis necessitatem non habet, dum recordatione uenerabili martyrum recenset triumphos, eorum patrociniis Domino com- 25 mendetur, qui uiuit et regnat in saecula saeculorum. Amen.

---

12 ad celerandam : et accelerandam *add.* B^6 ad adcelerandam *Be.* ad celebrandam $A^{1\ 2\ 3}$ ‖ 16 saeuitia *A* ‖ militans *A* ‖ 16-17 pretiosas animas *A* ‖ 17-18 praesentantur : -tauit *A* ‖ 19 tuburbita : tuturbitana *A* cucurbita $B^{1\ 2\ 3}$ tuburbitana *Be.* ‖ 20 martias : marcii *B hic desinit B praeter B^6 qui addit* regnante domino Iesu Christo qui uiuit et regnat in unitate spiritus sancti deus per infinita saecula. amen ‖ 23-24 martyrum *Be.* : memorum *A*

consomma les jours des saints martyrs qui se hâtaient vers les délices du paradis. On lâcha des lions affamés depuis longtemps, et que l'habileté des hommes avait rendus propres à hâter la gloire des martyrs. Les lions furieux se jettent sur les bienheureux Saturus et Perpétue. **4.** Saturninus est déchiré par des ours, Revocatus et Félicité par des léopards. **5.** Ainsi la cruauté de ces bêtes sert aux couronnes des martyrs, et leurs âmes précieuses se présentent aux royaumes célestes et à la vue du Seigneur. Aussi, les victoires de ces martyrs très bienheureux, qui subirent, la passion sous les empereurs Valérien et Gallien, dans la cité de Tuburbo, sous le proconsulat de Minutius, aux nones de mars, doivent être rappelées par l'Église, afin qu'elle s'enflamme au récit de si grands exemples et d'une si grande endurance, des femmes comme des hommes, même s'ils ne sont plus rendus nécessaires par un temps de persécutions ; tandis qu'en un respectueux rappel elle commémore les triomphes des martyrs, que ces saints patrons la recommandent au Seigneur, qui vit et règne dans les siècles des siècles. Amen.

INDEX

I. INDEX SCRIPTURAIRE

Sauf indication contraire, les renvois sont faits à la *Passion*. L'astérisque indique une citation.

II. Index des mots latins de la *Passion*

Sélection de mots de la *Passion*.

III. INDEX DES NOMS LATINS

TABLE DES MATIÈRES

SOURCES CHRÉTIENNES

Fondateurs : † *H. de Lubac, s.j.*
† *J. Daniélou, s.j.*
† *C. Mondésert, s.j.*
Directeur : D. *Bertrand, s.j.*
Directeur de la collection : J.-N. *Guinot*

Dans la liste qui suit, dite «liste alphabétique», tous les ouvrages sont rangés par nom d'auteur ancien, les numéros précisant pour chacun l'ordre de parution depuis le début de la collection. Pour une information plus complète, on peut se procurer deux autres listes au secrétariat de «Sources Chrétiennes» – 29, rue du Plat, 69002 Lyon (France) – Tél. : 78 37 27 08 :

1. la «liste numérique», qui présente les volumes et leurs auteurs actuels d'après les dates de publication; elle indique les réimpressions et les ouvrages momentanément épuisés ou dont la réédition est préparée.
2. la «liste thématique», qui présente les volumes d'après les centres d'intérêt et les genres littéraires : exégèse, dogme, histoire, correspondance, apologétique, etc.

LISTE ALPHABÉTIQUE (1-417)

SOUS PRESSE

Apponius, **Commentaire sur le Cantique.** Tome I. L. Neyrand, B. de Vregille.

Barsanuphe et Jean de Gaza, **Correspondance.** Tome I. P. De Angelis-Noah, F. Neyt, L. Regnault.

Isidore de Péluse, **Lettres.** Tome I. P. Évieux.

Marc le Moine, **Traités.** Tome I. G.-M. de Durand.

Sozomène, **Histoire ecclésiastique III-IV.** A.-J. Festugière, B. Grillet, G. Sabbah.

PROCHAINES PUBLICATIONS

Les Apophtegmes des Pères. Tome II. J.-C. Guy (†).

Bernard de Clairvaux, **Lettres.** Tome I. M. Duchet-Suchaux, H. Rochais.

Eudocie, **Centons homériques.** A.-L. Rey.

Jean Chrysostome, **Sermons sur la Genèse.** L. Brottier.

Livre d'heures ancien du Sinaï. M. Ajjoub.

Richard de Saint-Victor, **Les douze patriarches.** J. Châtillon (†), M. Duchet-Suchaux, J. Longère.

Tertullien, **Le Voile des vierges.** P. Mattei, E. Schulz-Flügel.

Théodoret de Cyr, **Correspondance.** Tome IV. Y. Azéma.

Victorin de Poetovio, **Commentaire sur l'Apocalypse.** M. Dulaey.

Photocomposition laser
Abbaye de Melleray
C.C.S.O.M.
44520 Moisdon-la-Rivière

———

Imprimé en France par Jean-Lamour
54320 Maxéville

N° Édition : 10226